O colibri

Sandro Veronesi

O colibri

TRADUÇÃO
Karina Jannini

Prêmio Strega 2020

5ª reimpressão

autêntica contemporânea

Copyright © 2019 La nave di Teseo editore, Milano
Publicado mediante acordo com a Casanovas & Lynch Literary Agency.
Copyright desta edição © 2024 Autêntica Contemporânea

Título original: *Il colibrì*

Todos os direitos reservados pela Autêntica Editora Ltda.
Nenhuma parte desta publicação poderá ser reproduzida, seja
por meios mecânicos, eletrônicos, seja via cópia xerográfica,
sem a autorização prévia da Editora.

EDITORAS RESPONSÁVEIS
Ana Elisa Ribeiro
Rafaela Lamas

PREPARAÇÃO
Sonia Junqueira

REVISÃO
Marina Guedes

CAPA
Diogo Droschi

FOTOGRAFIA DE CAPA
Marina di Ravenna, 1972
© Eredi di Luigi Ghirri

DIAGRAMAÇÃO
Waldênia Alvarenga

Dados Internacionais de Catalogação na Publicação (CIP)
(Câmara Brasileira do Livro, SP, Brasil)

Veronesi, Sandro
   O colibri / Sandro Veronesi ; tradução Karina Jannini. -- 1. ed. ; 5. reimp. -- Belo Horizonte : Autêntica Contemporânea, 2025.

   Título original: Il colibrì

   ISBN 978-65-5928-358-3

   1. Ficção italiana I. Título.

23-181654   CDD-853

Índices para catálogo sistemático:
1. Ficção : Literatura italiana 853

Aline Graziele Benitez - Bibliotecária - CRB-1/3129

A **AUTÊNTICA CONTEMPORÂNEA** É UMA EDITORA DO **GRUPO AUTÊNTICA**

Belo Horizonte
Rua Carlos Turner, 420
Silveira . 31140-520
Belo Horizonte . MG
Tel.: (55 31) 3465 4500

São Paulo
Av. Paulista, 2.073 . Conjunto Nacional
Horsa I . Salas 404-406 . Bela Vista
01311-940 . São Paulo . SP
Tel.: (55 11) 3034 4468

www.grupoautentica.com.br
SAC: atendimentoleitor@grupoautentica.com.br

Para Giovanni,
irmão e irmã.

Não posso continuar.
Continuarei.

Samuel Beckett

Pode-se dizer (1999)

Pode-se dizer que o bairro Trieste, em Roma, é um centro desta história com muitos outros centros. É um bairro que sempre oscilou entre a elegância e a decadência, entre o luxo e a mediocridade, entre o privilégio e a banalidade, e, por enquanto, isso é o bastante: é inútil falar mais a seu respeito, pois sua descrição no início da história poderia revelar-se maçante e até mesmo contraproducente. De resto, a melhor descrição que se pode fazer de qualquer lugar é contar o que nele acontece, e nesse está para acontecer algo importante.

Vamos colocar nos seguintes termos: uma das coisas que acontecem nesta história feita de muitas outras histórias se passa no bairro Trieste, em Roma, em uma manhã de meados de outubro de 1999, mais precisamente na esquina entre a Via Chiana e a Via Reno, no primeiro andar de um daqueles edifícios – que, pelas razões mencionadas, não vamos descrever aqui – nos quais já aconteceram milhares de outras coisas. Só que a coisa que está para acontecer é decisiva e, pode-se dizer, potencialmente mortal para a vida do protagonista desta história. Doutor Marco Carrera, diz a placa pregada na porta de seu consultório, médico oftalmologista – aquela porta que, por pouco tempo, ainda o separa do momento mais crítico de sua vida, feita de muitos outros momentos críticos. De fato, dentro do consultório, no primeiro andar de um daqueles edifícios et cetera, ele está prescrevendo uma receita para uma senhora idosa, que sofre de blefarite ciliar – colírio antibiótico, após um inovador, ou melhor, revolucionário, pode-se dizer, tratamento à base de N-acetilcisteína instilada no olho, que já resolveu em outros pacientes o problema mais grave dessa patologia, ou seja, a tendência a tornar-se crônica. Do lado de fora, porém, o destino está esperando para atropelá-lo por intermédio de um homenzinho baixo, chamado Daniele Carradori, calvo e barbudo, mas dotado de um olhar – pode-se dizer – magnético, que logo se concentrará nos olhos do oftalmologista e neles instilará primeiro incredulidade, depois perturbação e, por fim, uma dor que sua ciência (do oftalmologista) não poderá curar. É uma decisão que o homenzinho já tomou e que o levou até a sala de espera, onde está sentado nesse momento, olhando para os sapatos, sem aproveitar a rica oferta de revistas novas em folha – não amassadas e de vários meses atrás –, espalhadas sobre as mesinhas. É inútil esperar que ele mude de ideia.

Pronto. A porta do consultório se abre, a velha blefarítica atravessa a soleira, vira-se para apertar a mão do doutor e se dirige ao balcão da secretária para pagar a consulta (cento e vinte mil liras), enquanto Carrera estica a cabeça para convidar o próximo paciente. O homenzinho se levanta, avança, Carrera aperta sua mão e pede que se sente. O toca-discos antigo, da marca Thorens, que já não existe faz tempo – mas, no seu tempo, ou seja, vinte e cinco anos atrás, era um dos melhores –, acomodado na estante junto com o fiel amplificador Marantz e as duas caixas de som AR6, em mogno, está reproduzindo, em volume muito baixo, o disco de Graham Nash intitulado *Songs for*

Beginners (1971), cuja capa enigmática, apoiada na mencionada estante e retratando o mencionado Graham Nash com uma máquina fotográfica na mão, em um contexto difícil de decifrar, é a coisa mais chamativa em toda a sala. A porta se fecha. É chegado o momento. Rompeu-se a membrana que separava o doutor Carrera do mais forte choque emocional de uma vida repleta de outros fortes choques emocionais.

Oremos por ele e por todas as embarcações no mar.

Cartão-postal posta-restante (1998)

                        Luisa LATTES
                        Poste Restante
                        59-78 Rue des Archives
                        75003 Paris
                        França

                        Roma, 17 de abril de 1998.

Trabalho e penso em você

                                 M.

Sim ou não (1999)

— Bom dia. Meu nome é Daniele Carradori.
— Marco Carrera, bom dia.
— Meu nome não lhe diz nada?
— Deveria?
— Sim, deveria.
— Pode repetir, por gentileza?
— Daniele Carradori.
— É o nome do psicanalista da minha esposa?
— Isso mesmo.
— Ah, me desculpe, é que não pensei que algum dia fosse conhecê-lo. Sente-se. O que posso fazer pelo senhor?
— Ouça, doutor Carrera. E, depois que eu lhe disser o que tenho a dizer, evite me denunciar, se possível, para a Conselho de Medicina ou, pior, para a Sociedade Psicanalítica Italiana, o que, sendo um colega, o senhor poderia fazer com certa facilidade.
— Denunciá-lo? Mas por quê?
— Porque o que estou para fazer é proibido e, na minha profissão, costuma ser punido com grande severidade. Nunca sonhei, nem remotamente, em fazer algo parecido na vida, e não imaginava sequer que chegaria a concebê-lo, mas tenho motivos para considerar que o senhor se encontra em grave perigo, e eu sou a única pessoa no mundo a saber disso. Por essa razão, decidi informar-lhe, ainda que,

ao fazê-lo, eu esteja infringindo uma das regras fundamentais da minha profissão.

– Minha nossa! Diga o que é.

– Mas primeiro eu gostaria de lhe pedir uma cortesia.

– A música o incomoda?

– Que música?

– Não, nada. O que quer me pedir?

– Gostaria de lhe fazer algumas perguntas, só para confirmar as coisas que me foram ditas sobre o senhor e sua família e excluir que me forneceram um quadro enganoso. Na minha opinião, é algo bastante improvável, mas não pode ser totalmente excluído. Entende?

– Sim.

– Trouxe estas anotações. Responda-me apenas sim ou não, por favor.

– Tudo bem.

– Posso começar?

– Pode.

– O senhor é o doutor Marco Carrera, tem quarenta anos, cresceu em Florença, formou-se em medicina e cirurgia na Universidade La Sapienza, em Roma, e especializou-se em oftalmologia?

– Sim.

– É filho de Letizia Delvecchio e Probo Carrera, ambos arquitetos, ambos aposentados, residentes em Florença?

– Sim. Mas meu pai é engenheiro.

– Ah, certo. É irmão de Giacomo, um pouco mais novo que o senhor e que vive nos Estados Unidos, e, me perdoe, de Irene, morta por afogamento no início dos anos 1980?

– Sim.

– É casado com Marina Molitor, de nacionalidade eslovena, atendente em solo da Lufthansa?

— Sim.

— É pai de Adele, de dez anos, que frequenta o quinto ano do ensino fundamental em uma escola pública perto do Coliseu?

— A Vittorino da Feltre, sim.

— E que, entre os três e os seis anos, estava convencida de que tinha um fio preso às costas, o que levou vocês, pais, a procurar um especialista em psicologia infantil?

— O Mago Manfrotto...

— Como?

— Não, era como ele se apresentava às crianças. Mas o problema do fio não foi ele quem resolveu, embora Marina continue a achar que sim.

— Entendo. Então, é verdade que vocês procuraram um especialista em psicologia infantil?

— Sim, mas não vejo o que isso tem a ver com...

— O senhor entende por que estou lhe fazendo essas perguntas, não entende? Tenho apenas uma fonte e estou verificando se é verídica. É um cuidado que não posso negligenciar, tendo em vista o que vim lhe dizer.

— Tudo bem. Mas o que veio me dizer?

— Só mais algumas perguntas, se não se incomoda. Serão perguntas um pouco mais íntimas, e peço que as responda com a máxima sinceridade. Estaria disposto a fazer isso?

— Sim.

— É verdade que o senhor joga a dinheiro?

— Bem, hoje não mais.

— Mas, no passado, pode-se afirmar que jogava a dinheiro?

— Sim. No passado, sim.

— E é verdade que, até os catorze anos, o senhor era muito mais baixo do que seus coetâneos, a ponto de sua mãe o apelidar de "colibri"?

— Sim.

— E que, quando o senhor tinha catorze anos, seu pai o levou a Milão para submetê-lo a um tratamento experimental à base de hormônios, depois do qual o senhor recuperou uma estatura normal, crescendo quase dezesseis centímetros em menos de um ano?

— Em oito meses, sim.

— E é verdade que sua mãe era contrária, ou seja, queria que o senhor permanecesse baixinho, e que levá-lo a Milão foi o único gesto de autoridade realizado por seu pai no exercício de suas funções parentais, pois, em sua família — me desculpe se uso a linguagem exata com que esse dado me foi relatado —, ele não manda porra nenhuma?

— Ah! Não é verdade, mas, considerando quem lhe disse essas coisas, sim, Marina sempre esteve convencida disso.

— Não é verdade que sua mãe era contrária ou que seu pai não manda porra nenhuma?

— Não é verdade que meu pai não manda porra nenhuma. Mas a impressão que muitos sempre tiveram é essa, sobretudo Marina. Ela e meu pai têm temperamentos tão diferentes que, na maioria das vezes...

— Não precisa me explicar nada, doutor Carrera. Diga apenas sim ou não, tudo bem?

— Tudo bem.

— É verdade que o senhor sempre foi apaixonado por uma mulher, com a qual há muitos anos mantém um relacionamento e que se chama Luisa Lattes, atualmente residen...

— O quê? Quem disse isso?

— Adivinhe.

— Mas como? Não é possível, a Marina não pode ter dito ao senhor que...

– Responda apenas sim ou não, por favor. E tente ser sincero, para que eu possa avaliar a credibilidade da minha fonte. Ainda é apaixonado ou pode ter dado à sua esposa a impressão de ainda estar apaixonado por essa Luisa Lattes, sim ou não?

– Claro que não!

– Então, não se encontra com ela às escondidas, durante os congressos dos quais eventualmente participa na França, na Bélgica, na Holanda ou em lugares, de todo modo, não muito distantes de Paris, onde a Lattes reside? Nem no verão, em Bolgheri, onde vocês passam o mês de agosto em casas vizinhas?

– Mas isso é ridículo! Nos vemos todo verão na praia, com nossos filhos, e talvez troquemos algumas palavras, mas nunca sonhamos em "manter um relacionamento", como o senhor disse, menos ainda em nos encontrar às escondidas quando vou a um congresso.

– Veja, não estou aqui para julgá-lo. Estou apenas tentando entender se o que me foi dito a seu respeito é verdadeiro ou falso. Portanto, é falso que o senhor e essa mulher se encontram às escondidas?

– É falso, sim.

– E o senhor exclui que sua mulher possa estar convencida disso, mesmo não sendo verdade?

– Mas claro que excluo! Até se tornaram amigas. Andam juntas a cavalo, quero dizer, as duas, sozinhas: deixam os filhos conosco, os maridos, e passam a manhã inteira passeando no campo.

– Isso não prova nada. Uma pessoa pode tornar-se amiga de outra e visitá-la todos os dias justamente porque sente um ciúme doentio em relação a ela.

– Sim, mas não é o caso, pode acreditar. A Marina não tem ciúme doentio de ninguém, sou fiel, e ela sabe muito bem disso. E, agora, quer me dizer, por favor, por que eu estaria em perigo?

– Então vocês não escrevem cartas um ao outro há anos, o senhor e essa Luisa Lattes?

– Não!

– Cartas de amor?

– Claro que não!

– Está sendo sincero, doutor Carrera?

– Claro que sim!

– Vou lhe perguntar mais uma vez: está sendo sincero?

– Claro que estou sendo sincero! Mas quer me dizer...

– Nesse caso, devo pedir desculpas; mas, contrariamente às minhas convicções – que eram sólidas, asseguro ao senhor, ou não teria vindo aqui –, sua esposa não foi sincera comigo. Sendo assim, o senhor não corre nenhum risco, como eu acreditava; por isso, não o incomodarei mais. Peço que não leve em conta esta minha visita e, por gentileza, não fale a respeito dela com ninguém.

– Como assim? Por que está se levantando? Aonde vai?

– Mais uma vez, peço desculpas, mas cometi um grave erro de avaliação. Até mais ver. Conheço o cami...

– Epa! Alto lá! O senhor não pode vir aqui, dizer que corro um grave perigo por algo que minha mulher lhe contou, me fazer um interrogatório e depois ir embora sem me dizer nada! Agora o senhor vai me contar, senão vou denunciá-lo ao Conselho, pode acreditar!

– Acalme-se, por favor. A verdade é que eu não deveria ter vindo aqui, e ponto. Sempre considerei que poderia acreditar no que sua esposa me contava sobre o senhor e ela, e fiz uma ideia precisa do distúrbio que a aflige justamente porque sempre acreditei nela. Com base nessa ideia e diante de uma situação que me pareceu muito grave, considerei que deveria agir fora dos limites que me são impostos pela deontologia profissional, mas agora o senhor me diz que sua esposa não foi sincera comigo sobre uma coisa tão basilar, e, se não foi com essa, é provável que não tenha sido com muitas outras, inclusive as que me levaram a considerar que o senhor se encontra em perigo. Repito, trata-se de um erro meu, pelo qual só posso pedir desculpas mais uma vez, mas, desde que sua esposa deixou de vir ao meu consultório, comecei a me perguntar sobre...

— Como é que é? Minha esposa deixou de ir ao seu consultório?

— Sim.

— E desde quando?

— Há mais de um mês.

— Está brincando!

— Não sabia?

— Claro que não sabia.

— Não vem mais às sessões desde... o dia 16 de setembro.

— Mas, para mim, ela diz que continua a ir. Às terças e quintas, às quinze e quinze, como sempre; pego Adele na escola porque Marina tem consulta com o senhor. Hoje à tarde também, é meu dia de ir à escola.

— Que ela minta para o senhor, não me surpreende nem um pouco, doutor Carrera. O problema é que mentiu para mim também.

— Tudo bem, mentiu para o senhor sobre uma coisa. Além do mais, desculpe, mas, para vocês, as mentiras não seriam até mais reveladoras do que a verdade ocultada?

— Para vocês, quem?

— Para vocês, analistas. Para vocês, tudo tem utilidade, verdades, mentiras, et cetera, et cetera. Não é assim?

— Quem disse isso?

– Ah, sei lá, vocês... os psicanalistas. A psicanálise. Não? Desde pequeno sou cercado por gente que faz análise e sempre ouvi dizer, enfim, que o *setting*, a transferência, os sonhos, as mentiras, tudo tem sua importância justamente porque a verdade que o paciente esconde está embutida neles. Não é assim? Qual o problema se a Marina inventou alguma coisa?

– Não, se essa história sobre a Luisa Lattes for apenas uma fantasia da cabeça dela, a situação muda muito e, nesse caso, quem corre perigo é sua esposa.

– Mas por quê? Que perigo?

– Olhe, sinto muito, mas já não é o caso de eu conversar com o senhor. E não diga à sua esposa que vim aqui, por favor.

– Mas o senhor acha mesmo que vou deixá-lo ir embora depois do que me disse? Agora exijo que o senhor...

– É inútil, doutor Carrera. Pode até me denunciar ao Conselho, se quiser: de resto, eu bem que mereço, visto o erro que cometi. Mas o senhor nunca poderá me obrigar a dizer o que...

– Ouça, não é uma fantasia.

– Como assim?

– O que a Marina lhe contou sobre a Luisa Lattes não é uma fantasia. É verdade, nós nos vemos, nos correspondemos. Só que não é um relacionamento e, sobretudo, não é infidelidade conjugal: é uma coisa nossa que eu nem saberia definir, e não consigo entender como a Marina ficou sabendo.

– Ainda está apaixonado por ela?

– Veja, não é esse o ponto. O ponto é que...

– Me perdoe se insisto: ainda está apaixonado por ela?

– Sim.

– Vocês se viram em Louvain, em junho passado?
– Sim, mas...
– Em uma carta de alguns anos atrás, o senhor escreveu para ela que gostava do modo como ela mergulhava, saltando da margem?
– Sim, mas como é que...
– Vocês fizeram um voto de castidade, ou seja, de não fazer sexo, embora o quisessem?
– Sim, mas, sinceramente, como a Marina sabe dessas coisas? E por que não me diz o que tem a dizer sem tantos rodeios? Somos casados, porra! Temos uma filha!
– Sinto lhe dizer, mas seu casamento acabou faz tempo, doutor Carrera. Quanto a filhos, haverá mais um em breve, mas não será seu.

Infelizmente (1981)

Luisa Lattes
Via Frusa 14
50131 Florença

Bolgheri, 11 de setembro de 1981.

Luisa, minha Luisa,

aliás, minha, não, infelizmente, Luisa e só (Luisa Luisa Luisa Luisa Luisa Luisa Luisa Luisa, seu nome martela na minha cabeça, e eu não sei o que fazer para detê-lo): você disse que fugi. É verdade, mas, depois do que aconteceu e da culpa que me acometeu durante aqueles dias longos e incríveis, não fui mais ninguém, nem eu mesmo, nem outro. Eu estava como que em transe, pensava que tudo tivesse acontecido por culpa minha, porque eu estava com você enquanto acontecia, porque estava feliz com você. Ainda penso isso.
    Agora, todos dizem que foi a vontade de Deus ou que foi o destino, enfim, todas essas bobagens; tive uma briga terrível com Giacomo, coloquei a culpa nele e não tenho a menor vontade de olhar para a cara dos meus pais. Saber onde estão me serve apenas para ficar em outro lugar. Se fugi, minha Luisa, aliás, minha, não, infelizmente, Luisa e só (Luisa Luisa Luisa

Luisa Luisa, seu nome martela na minha cabeça, e não tenho vontade nenhuma de detê-lo), eu o fiz na direção errada, como os faisões durante os incêndios florestais, que vi quando era bombeiro; eles levantavam voo, aterrorizados pelo fogo, e voavam como loucos na direção das chamas, mais se aproximando do que se afastando delas, e se aproximavam tanto que acabavam caindo nelas. Não percebi que tinha fugido: havia tanta coisa para fazer, todas terríveis, e havia aquela palhaçada dos Montecchios e Capuletos que tornava impossível atravessar a sebe (mas eu estava transtornado, Luisa, claro que era possível, Luisa, não nego, Luisa Luisa Luisa Luisa), e eu não a atravessei, nem sequer me despedi de você.

Agora estou aqui, sozinho, no verdadeiro sentido da palavra; todos foram embora, disseram que nunca mais voltarão, que vão vender a casa, que nunca mais vão pôr os pés em uma praia, que nunca mais vão tirar férias; e vocês também foram embora, e agora eu atravesso a sebe, vou e volto, e ninguém me vê; vou à praia, vou aos Redemoinhos, passo as dunas, e não há ninguém. Eu deveria estudar, mas nem tento, e penso em você, penso na Irene, na felicidade e no desespero que caíram em cima de mim ao mesmo tempo e no mesmo lugar, e não quero perder nenhum dos dois, sim, quero os dois, só que tenho medo de perdê-los também, de perder essa dor, de perder a felicidade, de perder você, Luisa, como perdi minha irmã, e talvez eu já tenha perdido você, porque você disse que fugi e, infelizmente, é verdade, fugi, mas não de você; apenas fugi na direção errada, como os faisões, Luisa Luisa Luisa Luisa Luisa, por favor, você acabou de nascer, não morra você também. E, mesmo que eu tenha fugido, espere por mim, me perdoe, me abrace, me beije; a carta não acabou, só o papel,

Marco

O olho do furacão (1970-1979)

Duccio Chilleri era um rapaz alto e desajeitado, mas se saía muito bem nas atividades esportivas, embora não tanto quanto seu pai havia imaginado. De cabelos pretos, sorriso de cavalo, tão magro que parecia estar sempre de perfil, era acompanhado pela reputação de pé-frio. Ninguém dizia como nem quando havia iniciado esse boato a seu respeito; por isso, ele parecia arrastá-lo consigo desde sempre, junto com o apelido ao qual esse rumor acabou dando origem – o Inominável –, ainda que, na infância, seu apelido fosse outro: Blizzard, esse era seu apelido de criança, devido à marca de esquis utilizados nas competições, nas quais Duccio se destacava nos Apeninos da Toscana e da Emilia-Romagna como uma promessa da categoria Infantil e, em seguida, da Juvenil e da Aspirantes. Na realidade, como para qualquer coisa, houve, sim, um início, que remontava justamente a uma competição, um *slalom* gigante na estação de esqui Zum Zeri – Passo dei Due Santi, válido para as qualificações inter-regionais. Duccio Chilleri havia concluído a primeira bateria em segundo lugar na sua categoria, atrás de um campeãozinho antipático, de Modena, chamado Tavella. As condições meteorológicas eram muito ruins e, embora ventasse muito, a pista estava imersa na neblina, tanto que o júri chegou a considerar a hipótese de anular a competição. Depois, o vento diminuiu, e a segunda bateria foi disputada, embora a neblina tivesse se adensado. À espera da largada, seu pai-treinador esquentava os músculos das pernas de Duccio e o encorajava a encarar o percurso sem medo, a acelerar, acelerar o máximo que conseguisse para superar o tal do Tavella. Quando chegou à pequena cancela da largada, pronto para disparar na pista invisível, enquanto o pai-treinador continuava a repetir que ele era capaz, que conseguiria vencer, conseguiria derrotar Tavella, ouviram Duccio Chilleri pronunciar a seguinte frase: "Seja como for, ele vai cair e até se machucar". Concluiu a prova com o melhor tempo, e logo depois foi a vez de Tavella. Ninguém viu direito como aconteceu, de tão espessa que estava a neblina, mas, pouco antes da metade do percurso, ao final de um declive acentuado, ouviu-se um grito de dor vindo da pista, e, quando os juízes acorreram, encontraram Tavella caído, desmaiado, com metade do bastão cravado em uma coxa – na época, ainda se usavam bastões de madeira que de vez em quando se quebravam – e com uma poça de sangue que tingia de vermelho a mistura láctea de neve e neblina. Parecia ter sido atacado por indígenas. O menino não morreu de hemorragia porque o bastão, que havia atravessado o músculo, apenas passou rente à artéria femoral, mas esse foi o acidente mais grave da história dessa estação de esqui, destinado a ser relembrado por muitas temporadas futuras, junto com as palavras pronunciadas por Duccio Chilleri antes da largada.

Desse modo, sua fama de pé-frio iniciou-se de maneira repentina e irremediável quando ele entrou na adolescência. Ninguém, nem mesmo retrospectivamente, chegou a dar-se ao trabalho de observar que o significado de *blizzard*, em inglês, era "tempestade" – o que, na prática, o colocava desde menino no quadro cármico mais identificado com o apelido que o aguardava na fase adulta. Ninguém tampouco se aventurou a supor que seu sobrenome, bastante raro na Itália e encontrado apenas em algumas áreas da Toscana, pudesse (sugestivamente, em seu caso) derivar da palavra inglesa *killer*: teria errado, pois a origem desse sobrenome deve-se, provavelmente, a uma troca de consoante com Chillemi, sobrenome mais comum, originário da Lombardia em seu ramo nobre e bastante enraizado na Sicília em seu ramo plebeu, ou à migração italiana de alguns membros do antigo viscondado francês dos Chiller. Tudo isso para dar uma noção da absoluta superficialidade do fenômeno que o acometeu e da total ausência de aprofundamento que o acompanhou. Ele dava azar, e ponto-final. O que haveria para aprofundar?

Na passagem de Blizzard a Inominável, o acervo de amizades, conquistado com os resultados esportivos, havia sido corroído, e, aos dezesseis anos, o único amigo que lhe restara em toda a Florença era Marco Carrera. Foram colegas no ensino fundamental, colegas de tênis no Círculo de Tênis de Florença, colegas no clube de esqui até Marco parar de competir e, embora frequentassem colégios diferentes, continuaram a se encontrar todos os dias, até por razões que nada tinham a ver com esporte, principalmente para ouvir música West Coast americana – Eagles; Crosby, Stills, Nash & Young; Poco; Grateful Dead –, da qual eram igualmente aficionados. Mas, acima de tudo, *acima de tudo*, o que passou a blindar a amizade de ambos foi o jogo de azar. Na verdade, quem o tinha nas veias era Duccio; Marco se limitava a deixar-se transportar pelo entusiasmo do amigo e a desfrutar com ele do extraordinário senso de liberdade, mas também se poderia dizer de libertação, que esse novo comportamento havia produzido na vida de ambos. De fato, em suas famílias nunca houvera ninguém que tivesse essa paixão incontrolável, mesmo que apenas perifericamente, nem mesmo em tempos remotos: nenhum tio-avô que tenha caído na miséria nos salões de bacará da aristocracia fascista, nenhum bisavô com alguns parafusos a menos por causa da Grande Guerra que tivesse dissipado em um piscar de olhos uma fortuna do século XIX. O jogo havia sido, simplesmente, uma descoberta dos dois. Duccio, em particular, usava-o como uma gazua para forçar a *gaiola dourada* (assim se dizia na época) que seus pais haviam construído ao seu redor, e a perspectiva de dilapidar o patrimônio deles nas casas de jogos e nos cassinos o atraía pelo menos tanto quanto seus pais haviam sido atraídos pela perspectiva de acumular bens com lojas de roupas. Seja como for, ele tinha quinze, dezesseis, dezessete anos: o que se consegue dilapidar com essa idade? Por mais generosa que fosse sua mesada semanal (mais ou menos o dobro da de Marco), não daria para arranhar a prosperidade de sua família com uma disponibilidade como essa: no máximo, nos períodos de adversidade, poderia contrair alguma dívida no Mondo Disco, a loja de discos da Via dei Conti, onde ele e Marco se reabasteciam de música importada – dívida que, em poucas semanas, ele sempre conseguia quitar sozinho, sem que seus pais sequer percebessem.

    O fato é que, na maioria das vezes, ele ganhava. Era bom nisso. No pôquer com os amigos (aquelas partidazinhas inocentes de sábado à noite, nas quais dava para ganhar, no máximo, vinte mil liras), era imbatível e, por isso, graças à fama que, nesse meio-tempo, o havia transformado no Inominável, logo foi expulso. Marco, não, não foi banido e, por algum tempo, continuou a participar, também vencendo sempre, até que abandonou as partidazinhas para seguir o amigo em estradas mais profissionais. Primeiro, os cavalos. Por ainda ser menor de idade, Duccio Chilleri não podia entrar nas casas de jogos clandestinas, menos ainda nos cassinos, mas no quiosque de apostas do hipódromo Le Mulina não pediam documentos. Até nisso tinha talento, não improvisava. Assim, lá ia ele: cabulava aula para passar manhãs inteiras no hipódromo assistindo a corridas de cavalos, na companhia de velhos catarrentos que o iniciavam nos segredos do reino do trote. E lá ia Marco também, a seu lado, com frequência cada vez maior, tanto naquele precioso estágio matutino quanto nas salas de apostas à tarde, ou novamente ali, no Le Mulina, nas reuniões noturnas, apostando nos cavalos avaliados ou nos destinados a vencer nas corridas combinadas de que haviam tomado conhecimento. Mais uma vez, os dois amigos ganhavam muito mais do que perdiam.

À diferença de Marco, porém, que não havia abandonado as outras amizades, nem o esporte, nem o interesse pelas meninas, e sempre ocultara da família essa sua atividade – que, afinal, mantinha intactas as oportunidades de ele alcançar uma vida brilhante, prognosticada por todos –, Duccio serviu-se do jogo para cortar os laços com o próprio destino burguês. No início, a descoberta de ter se tornado o Inominável o humilhara tanto quanto, em seguida, essa condição o ensinara a tornar-se forte. Embora seus ex-amigos o evitassem como a peste, ele continuava a vê-los todos os dias na escola e, como Florença não é Los Angeles, também os encontrava por acaso, no centro, no cinema, no bar. Nessas circunstâncias, ele havia compreendido que qualquer coisa que dissesse teria a força mística de um anátema, e como, mais cedo ou mais tarde, coisas ruins acontecem a todo mundo, uma frase do tipo "você está com uma cara boa" ou outra como "você me parece meio desanimado" se revelavam igualmente mortíferas para seu interlocutor e o aniquilavam no mesmo instante. De fato, por mais espantoso que pudesse soar, no final dos anos setenta do século XX os outros jovens acreditavam realmente que Duccio Chilleri desse azar. Não Marco, naturalmente, e a pergunta que todos acabavam repetindo a ele era sempre a mesma: "Mas por que você continua a sair com ele?". E a resposta também era sempre a mesma: "Porque é meu amigo".

No entanto, embora Marco nunca o admitisse, havia outras duas razões para sair com Duccio, muito menos puras. Uma, como já dissemos, era o jogo: com o amigo, Marco experimentava descargas inigualáveis de adrenalina, ganhava dinheiro e descobria todo um submundo que nem sua elegantíssima mãe, nem seu moderado pai, tampouco seus dois irmãos – Irene, quatro anos mais velha, totalmente absorvida pelos próprios problemas de relacionamento, e Giacomo, um pouco mais novo, devorado pela competitividade – chegaram algum dia a conceber. A outra razão era irremediavelmente narcisista: era perdoado por continuar saindo com um sujeito banido pelos outros. Fosse por sua inteligência, seu bom caráter, sua generosidade, não importava o motivo, Marco tinha o poder de ir contra os ditames do grupo sem incorrer em nenhuma sanção, e ver--se refletido nesse espelho de poder era gratificante. Aliás, para dizer a verdade, as razões pelas quais, avançando nos anos, ele havia continuado a sair com Duccio Chilleri eram apenas essas, enquanto as que haviam nutrido sua antiga amizade foram desaparecendo uma após a outra. De fato, Duccio havia mudado – e, como justamente nessa época Marco começou a entender todo tipo de mudança, havia mudado para pior. Fisicamente, tinha se tornado bastante inapresentável: quando falava, um grumo de saliva branca se acumulava nos cantos de sua boca; seus cabelos pretos pareciam cada vez mais oleosos e com caspa; ele se lavava pouco e, na maioria das vezes, fedia. Com o passar do tempo, perdera todo interesse pela música: a Inglaterra havia ressurgido – Clash, Cure, Graham Parker & The Rumour, o mundo cintilante de Elvis Costello –, mas nada disso lhe interessava; já não comprava discos nem ouvia as fitas cassete que Marco gravava para ele. Também já não lia livros nem jornais, apenas o *Trotto Sportsman*. Seu linguajar havia descambado para expressões não muito felizes, totalmente estranhas ao vocabulário da sua geração: "nos trinques", "ó-ka" (para ok) ou até mesmo "positivo e operante", "volta e meia", "moral da história", "lá pelas tantas", "nesse tocante", "deveras". Não pensava nas garotas, encontrava tudo de que precisava entre as prostitutas do Parco delle Cascine.

Não, Marco ainda queria bem a ele, mas como amigo Duccio Chilleri já não era praticável, e não por sua fama de Inominável. Ao contrário, valendo-se de sua impunidade, Marco continuava a combater essa fama com obstinação e até mesmo com heroísmo, quando se tratava de convencer alguma garota da qual estivesse a fim: "Vocês estão loucos", dizia, "não entendo como podem realmente acreditar nisso". E, quando os outros se punham a desfiar a lista de acidentes, desgraças e aborrecimentos que ocorriam sempre que Duccio estava por perto, Marco tornava a desaprová-los, brandindo com indignação a prova definitiva: "Mas olhem para mim, santo Deus! Vivo saindo com ele. Nunca me aconteceu nada. Vocês sempre saem comigo – e nada. Que bobagem é essa que estão dizendo?".

Mas, a essa altura, era impossível remover a crosta que se havia solidificado ao redor da figura de Duccio Chilleri; por isso, para contrariar o argumento de Marco, surgira a teoria do olho do furacão. Dizia o seguinte: assim como não sofre nenhuma consequência quem se posiciona no centro dos vórtices ciclônicos que devastam regiões costeiras e cidades, quem mantivesse estreito contato com o Inominável, como fazia Marco, não correria nenhum risco; no entanto, desviar-se minimamente dessa condição – por um encontro casual, uma carona e até um simples cumprimento de longe – já era suficiente para se ter o mesmo fim das aldeias varridas do mapa por esses furacões. Isso resolvia tudo: permitia que os amigos de Marco continuassem a brincar, mas também a acreditar seriamente no mau agouro causado pelo Baron Samedi (outro apelido com o qual Duccio Chilleri era identificado, além de Loa, Bokor, Mefisto e Ypso), e que Marco continuasse a sair com eles, mas também a criticá-los por sua superstição. Era um equilíbrio – o único possível. A teoria do olho do furacão.

Essa coisa (1999)

Marco Carrera
A/C Adelino Viespoli
Via Catalani 21
00199 Roma
Itália

Paris, 16.12.1999.

Chegou, claro que chegou! Chegou, e ninguém percebeu. É uma carta forte, Marco, e, como sempre, não sei o que dizer.

É verdade, não estou feliz, mas a culpa não é de ninguém, a culpa está toda dentro de mim. Não, errei, eu não devia escrever "culpa", talvez devesse dizer a "coisa", não a culpa.

Nasci com essa coisa, que arrasto comigo há trinta e três anos, e não depende de ninguém, depende apenas de mim, assim como o sentimento de culpa não depende de ninguém; só que a pessoa não nasce idiota e, portanto, tem esse sentimento.

O que posso te dizer? Digo que sim, você teria a oportunidade de ver se o que pensa e escreve é verdadeiro, sem precisar ser rico e bonito. Agora você é inocente como um passarinho, não tem nenhuma culpa, pode recomeçar tudo do zero, pode até errar se quiser; afinal, depois poderia voltar atrás.

Eu não, Marco, estou em uma situação bem diferente e teria de mudá-la por completo, por culpa minha, e depois talvez realmente não tivesse mais paz. Mas sei que você me entende, porque é como eu, ama da mesma maneira, temos pavor de fazer mal a quem está perto de nós.

Acho que você é a melhor parte da minha vida, aquela sem mentiras, sem enganos nem dores de cabeça (você <u>acabou</u> de me ligar, perdi o fio da meada), a parte com que se pode sonhar, também à noite, porque continuo a sonhar com você.

Continuará sendo um sonho? Vai acontecer tudo? Vai acontecer alguma coisa? Estou aqui e espero, não quero fazer nada, quero que as coisas aconteçam por si sós. Eu sei, é uma teoria babaca, porque nunca acontece nada comigo, mas não posso tomar decisões, não sobre essa coisa, não nesse momento.

Em todos esses anos, talvez eu tenha treinado para não fazer nada, para poder me sair bem nessa coisa. Que coisa? Não sei, não sei, estou começando a delirar, vou parar por aqui.

Luisa

Um menino feliz (1960-1970)

Marco Carrera passou a infância sem se dar conta de nada. Não se deu conta dos conflitos entre sua mãe e seu pai, da intolerância hostil por parte dela, dos silêncios exasperantes por parte dele, das brigas noturnas em voz baixa, para que os filhos não ouvissem, mas que sua irmã, Irene, quatro anos mais velha, escutava escrupulosamente e registrava na memória com precisão masoquista. Não se deu conta da razão daqueles conflitos, daquela intolerância, daquelas brigas, que para sua irmã, no entanto, eram tão claras; ou seja, não se deu conta de que sua mãe e seu pai, embora fossem dois *déracinés*, dois desenraizados (ela, Letizia – nome antifrástico –, originária de Salento, na Puglia; ele, Probo – *nomen omen*, o nome é um presságio – originário da província de Sondrio, no norte da Itália), realmente não haviam sido feitos um para o outro, não tinham praticamente nada em comum; aliás, talvez não existissem duas pessoas mais diferentes na face da Terra: ela, arquiteta, cem por cento pensamento e revolução; ele, engenheiro, cem por cento cálculo e habilidades manuais; ela, sugada pelo tobogã da arquitetura radical; ele, o melhor fabricante de maquetes da Itália central – e, por isso, Marco não se deu conta de que, sob o flácido bem-estar no qual ele e seus irmãos eram criados, a união de seus pais havia falido e produzia apenas amargura, recriminações, provocações, humilhações, sentimento de culpa, rancor e resignação; vale dizer, ele não se deu conta de que seus pais não se amavam nem um pouco, pelo menos não no sentido que se costuma dar a esse verbo, "amar-se", que pressupõe reciprocidade, uma vez que em sua união o amor existia, sim, mas era em mão única, inteiramente por parte dele em relação a ela, um amor infeliz, portanto, heroico, canino, irredutível, indizível, autodestrutivo, que sua mãe nunca conseguira aceitar nem retribuir, mas, por outro lado, tampouco rejeitar, sendo evidente que nenhum outro homem no mundo poderia, algum dia, amá-la assim; por isso, esse amor tinha se tornado um tumor, sim, um estorvo maligno que proliferava, dilacerava sua família por dentro e a mantinha presa à infelicidade na qual Marco Carrera, sem se dar conta, tinha crescido. Não se deu conta, não, de que aquela infelicidade transudava das paredes de sua casa. Não se deu conta de que, naquela casa, não se fazia sexo. Não se deu conta de que as atividades febris de sua mãe, a arquitetura, o design, a fotografia, a ioga e a psicanálise eram apenas tentativas de encontrar um ponto de equilíbrio, tampouco de que, entre essas atividades, estava incluída a de trair seu pai, mesmo que de maneira desajeitada, com amantes pescados entre os intelectuais que, naqueles anos, talvez pela última vez na história, davam prestígio internacional à cidade de Florença, os "pastores de monstros" do Superstudio e do Archizoom[1] e seus seguidores, entre os quais ela se incluía, embora fosse mais velha, sendo de família suficientemente rica para poder permitir-se dedicar

---

[1] Superstudio e Archizoom: grupos fundados por arquitetos italianos nos anos 1960, que pregavam uma arquitetura radical e utópica. "Pastores de monstros" era como Adolfo Natalini, um dos fundadores do Superstudio, definia os integrantes do grupo. (N. T.)

seu tempo às iniciativas de seus jovens ídolos sem ganhar uma lira. Não se deu conta, não, de que seu pai sabia dessas traições. Por toda a sua infância, Marco Carrera não se deu conta de nada, e somente por isso sua infância foi feliz. Aliás, mais do que isso: por não ter duvidado, como sua irmã, de seu pai e de sua mãe, por não ter entendido logo, como ela, que não eram absolutamente duas figuras exemplares, chegou até a tomá-los como modelos, sim, e a imitá-los, estruturando-se em uma complicada miscelânea de características extraídas de um e de outra – as mesmas que, na tentativa deles de união, mostraram-se inconciliáveis. O que havia herdado de sua mãe durante a infância, enquanto não se dava conta de nada? E do pai? E o que, ao contrário, acabaria rejeitando por toda a vida, por causa de uma e do outro, depois que se deu conta de tudo? De sua mãe herdou a inquietude, mas não o radicalismo; a curiosidade, mas não a ânsia de mudança. De seu pai, a paciência, mas não a prudência; a inclinação para suportar, mas não para se calar. Dela, o talento para o olhar, sobretudo através do visor das máquinas fotográficas; dele, a habilidade para os trabalhos manuais. Além disso, como a enorme distância entre seu pai e sua mãe se anulava de repente quando se tratava de escolher os objetos, ter crescido naquela casa (ou seja, ter se sentado desde o nascimento naquelas cadeiras, adormecido naquelas poltronas e naqueles sofás, ter comido àquelas mesas, estudado àquelas escrivaninhas, à luz daquelas luminárias, circundado por aquelas estantes modulares et cetera) lhe havia transmitido certa sensação arrogante de superioridade, típica de certas famílias burguesas dos anos 1960 e 1970; a impressão de viver, senão no melhor dos mundos possíveis, pelo menos no mais belo – um primado que tinha como prova os objetos acumulados por seu pai e sua mãe. Por isso, e não por nostalgia, mesmo quando se deu conta de tudo o que nunca havia funcionado em sua família e até quando sua família, tecnicamente, já não existia, Marco Carrera sempre teria dificuldade para separar-se dos objetos que a tinham circundado: porque eram belos, ainda belos, para sempre belos – e essa beleza havia sido a cola precária que mantivera unidos seu pai e sua mãe. Após a morte de ambos, Marco chegou a inventariar esses objetos, um por um, na dolorosa perspectiva de vendê-los junto com toda a casa da Piazza Savonarola (seu irmão, aferrado à decisão de nunca mais pôr os pés na Itália, teria dito ao telefone a expressão "desfazer-se de tudo"), mas com o resultado oposto de prender-se a eles pelo resto de seus dias.

Por outro lado, a ordem obsessiva com a qual seu pai mantinha as próprias coisas – sem exigir que os outros também o fizessem, há que se dizer, mas não por isso menos absoluta, intimidatória e, no fim das contas, até violenta – fez dele uma pessoa desdenhosamente descuidada, enquanto a mãe foi responsável por sua irreprimível aversão à psicanálise, posteriormente destinada a demonstrar-se crucial em seu relacionamento com as mulheres, pois quis o destino que todas as mulheres de sua vida, a começar justamente por sua mãe e por sua irmã Irene, para prosseguir, aos poucos, com amigas, namoradas, colegas, esposas, filhas, todas, mas todas mesmo, fossem sempre governadas por tipologias heterogêneas de terapia analítica, dando-lhe a confirmação, na pele de filho, irmão, amigo, namorado, colega, marido e pai, de uma intuição primitiva: a "psicanálise passiva", como a chamava, era muito danosa. Nenhuma delas, porém, preocupava-se com isso, nem mesmo quando ele começou a se queixar. Danos, diziam-lhe, qualquer família e qualquer tipo de relacionamento causam em qualquer pessoa; considerar a psicanálise mais responsável do que – digamos – a paixão pelo xadrez era um preconceito. Talvez até tivessem razão, mas o preço que Marco Carrera estava destinado a pagar por aqueles danos sempre o faria sentir-se no direito de pensar a questão da seguinte maneira: a psicanálise era como o cigarro, não bastava não fazer uso dela, também era preciso proteger-se de quem dela fazia uso. Só que a única maneira conhecida de se proteger da psicanálise alheia era ir, por sua vez, à análise, e ele não pretendia ceder a esse respeito.

De resto, não havia necessidade de um analista para fazer as perguntas certas: por que cargas d'água, com tanta mulher no mundo que não ia ao analista, ele se relacionava apenas com aquelas que iam? E por que preferia expor a elas, que o chamavam de superficial, sua teoria sobre a psicanálise passiva, e não às mencionadas mulheres não praticantes, junto às quais obteria um sucesso previsível?

Um inventário (2008)

Para: Giacomo – jackcarr62@yahoo.com
Enviada – Gmail – 19 de setembro de 2008 16:39
Assunto: Inventário Piazza Savonarola
De: Marco Carrera

Caro Giacomo,

você continua a não me responder, e eu continuo a te escrever. Quero te manter informado sobre o trabalho que tenho feito para vender a casa da Piazza Savonarola, e certamente não será seu silêncio que vai me deter. A novidade é que liguei para Piero Brachi (lembra-se dele? Aquele do STUDIO B, onde todos os móveis da nossa casa foram comprados por duas décadas), que agora, com mais de setenta anos, administra um site de leilões de decoração, especializado em design dos anos 1960 e 1970, e lhe pedi uma estimativa das peças contidas na residência. Como eu imaginava, algumas são bem valiosas, e o resultado foi uma avaliação impressionante, mesmo considerando que, pelos conhecidos acontecimentos que levaram ao esvaziamento daquela casa e à ruína da nossa família, trata-se, em sua maioria, de objetos em ótimo estado de conservação. Segundo Brachi, há muitos iguais a eles expostos no MoMa.

Portanto, é necessário tomar uma decisão sobre o que fazer com eles quando vendermos a casa, considerando que, se os deixarmos lá dentro, não teremos nenhum acréscimo sobre o preço de venda. Podemos confiá-los ao próprio Brachi, que se encarregará de vendê-los aos poucos através de seu site, ou dividi-los de acordo com nossas exigências ou afeições. Peço que considere a questão que estou colocando, Giacomo, a qual, por razões evidentes, não é um mero assunto de dinheiro: trata-se de tudo o que resta de uma vida e de uma família que não existem mais, mas das quais você e eu fizemos parte por mais de vinte anos; e mesmo que as coisas tenham terminado como terminaram, acredite, não há razão para "desfazer-se de tudo", como você disse na última vez que me respondeu, piorando ainda mais a situação. Enfim, Brachi ficou comovido ao rever todas aquelas coisas tão bonitas, que ele próprio nos havia vendido: não posso acreditar que você não queira nem mesmo dar um palpite sobre o que fazer com elas. Garanto que não haverá o que discutir, vou fazer exatamente o que você disser, desde que aceite que não é justo jogar tudo fora como se fossem objetos sem nenhum valor. As coisas são inocentes, Giacomo.

Portanto, anexo a seguir o inventário com todas as estimativas que Piero Brachi me entregou. É bem sucinto, impessoal, como pedi a ele e como imagino que você prefira, embora até ele soubesse muitas coisas íntimas de cada um desses objetos: para quem havia sido comprado, em que cômodo da casa se encontrava etc.

Inventário da mobília da casa da Piazza Savonarola:
2 sofás dois lugares Le Bambole, *metal, couro cinza, poliuretano, Mario Bellini para B&B, 1972 (20.000 €)*
4 poltronas Amanta,* *fibra de vidro e couro preto, Mario Bellini para B&B, 1966 (4.400 €)*

1 poltrona Zelda, madeira tingida em tom jacarandá e couro em cor natural, Sergio Asti, Sergio Favre para Poltronova, 1962 (2.200 €)
1 poltrona Soriana, aço e couro anilina marrom, Tobia e Afra Scarpa para Cassina, 1970 (4.000 €)
*1 poltrona Sacco,** poliestireno e couro marrom, Gatti, Paolini e Teodoro para Zanotta, 1969 (450 €)
1 poltrona Woodline, madeira curvada a quente e couro preto, Marco Zanuso para Arflex, 1965 (1.000 €)
1 mesinha de café Amanta, fibra de vidro preta, Mario Bellini para B&B, 1966 (450 €)
1 mesinha baixa 748, teca marrom, Ico Parisi para Cassina, 1961 (1.100 €)
1 mesinha baixa Demetrio 70, plástico laranja, Vico Magistretti para Artemide, 1966 (150 €)
1 mesa La Rotonda, cerejeira natural e cristal, Mario Bellini para Cassina, 1976 (4.000 €)
1 estante modular Dodona 300, plástico preto, Ernesto Gismondi para Artemide, 1970 (4.500 €)
2 estantes modulares Sergesto, plástico branco, Sergio Mazza para Artemide, 1973 (1.500 €)
1 luminária de teto O-Look, alumínio, Superstudio para Poltronova, 1967 (4.400 €)
1 luminária de mesa Passiflora, perspex amarelo e opalino, Superstudio para Poltronova, 1968 (1.900 €)
1 luminária de mesa Saffo, alumínio prateado e vidro, Angelo Mangiarotti para Artemide, 1967 (1.650 €)
1 luminária Baobab, plástico branco, Harvey Guzzini para Guzzini, 1971 (525 €)
1 luminária Eclisse, metal vermelho, Vico Magistretti para Artemide, 1967 (125 €)

1 luminária de mesa Gherpe, folhas de perspex vermelho e aço cromado, Superstudio para Poltronova, 1967 (4.000 €)

1 luminária de mesa Mezzachimera, acrílico branco, Vico Magistretti para Artemide, 1970 (450 €)

3 luminárias de teto Parentesi, metal e plástico, Achille Castiglioni e Pio Manzù para Flos, 1971 (750 €)

12 luminárias de teto e de parede Teti, plástico branco, Vico Magistretti para Artemide, 1974 (1.000 €)

1 luminária de leitura Hebi, metal e plástico branco corrugado, Isao Hosoe para Valenti, 1972 (350 €)

3 luminárias de mesa Telegono, plástico vermelho, Vico Magistretti para Artemide, 1968 (1.800 €)

3 escrivaninhas Graphis, madeira e metal laqueado de branco, Osvaldo Borsani para Tecno, com gavetas, 1968 (3.000 €)

1 mesa TL 58, contraplacado e nogueira maciça, Marco Zanuso para Carlo Poggi, 1979 (8.500 €)

3 porta-objetos de parede Uten.Silo 1, plástico vermelho, verde e amarelo, Dorothee Becker para Ingo Maurer, 1965 (1.800 €)

4 gaveteiros com rodízio Boby, polipropileno e ABS prensado, branco, verde, vermelho e preto, Joe Colombo para Bieffeplast, 1970 (1.000 €)

7 cadeiras com rodízios Modus, metal e plástico de várias cores, Osvaldo Borsani para Tecno, 1973 (700 €)

4 cadeiras de escritório, aço cromado e couro, Giovanni Carini para Planula, 1967 (800 €)

7 cadeiras Plia, alumínio e plexiglass transparente, Giancarlo Piretti para Castelli, 1967 (1.050 €)

4 cadeiras Loop, vime, França, anos 1960 (1.200 €)

4 cadeiras Selene, poliestireno bege, Vico Magistretti para Artemide, 1969 (600 €)

4 cadeiras Basket,* aço e ratã bege, Franco Campo e Carlo Graffi para Home, 1956 (1.000 €)

1 cadeira Wassily Modelo B3, couro marrom e aço cromado, Marcel Breuer para Gavina, 1963 (1.800 €)

1 tecnígrafo a mola, madeira com braços de ferro, Ing. M. Sacchi para Ing. M. Sacchi srl, 1922 (4.500 €)

2 mesas de cabeceira vintage, teca marrom, Aksel Kjersgaard para Kjersgaard, 1956 (1.200 €)

1 cabideiro Sciangai, madeira de faia natural, De Pas, D'Urbino e Lomazzi para Zanotta, 1974 (400 €)

1 porta-guarda-chuva Dedalo, plástico laranja, Emma Gismondi Schweinberger para Artemide, 1966 (300 €)

1 máquina de escrever Valentine, metal e plástico vermelho, Ettore Sottsass e Perry A. King para Olivetti, 1968 (500 €)

3 telefones Grillo, Marco Zanuso e Richard Sapper para Siemens, 1965 (210 €)

1 rádio Cubo ts522, aço cromado e plástico vermelho, Marco Zanuso e Richard Sapper para Brionvega, 1966 (360 €)

1 sistema Hi-Fi integrado Totem,* Mario Bellini para Brionvega, 1970 (700 €)

2 receptores para radiodifusão FD 1102 n. 5, Marco Zanuso para Brionvega, 1969 (300 €)

1 toca-discos RR 126 Mid-Century,* com amplificador e caixas de som integradas, baquelite e madeira bege, plexiglass, Pier Giacomo e Achille Castiglioni para Brionvega, 1967 (2.000 €)

1 toca-discos portátil Penny, Musicalsound, 1975 (180 €)

Os objetos assinalados com * foram avaliados em menos de 50% do seu valor porque não funcionam ou estão em mau estado de conservação.

Estimativa total 92.800 €

Entende, Giacomo? Aquela casa é um museu. Me diga, de verdade, o que quer fazer com todas essas coisas, e eu o farei. Mas não me diga para me desfazer delas.
Ah, espero que você tenha percebido que, no que se refere aos asteriscos, estamos empatados: cada um de nós quebrou um toca-discos...
Um abraço,

Marco

Aviões (2000)

Em 1959, ano de seu nascimento, o número de passageiros de aviões havia superado o dos passageiros de navios. Essa era uma informação que Marco Carrera tinha a impressão de ter sempre sabido, pois seu pai a repetia desde quando ele ainda era incapaz de compreendê-la; um fato histórico, de acordo com seu pai, que adorava ler livros de ficção científica, nos quais a mobilidade do futuro era profetizada no céu muito antes do que na terra e na água. Contudo, como ocorre com as coisas sabidas desde sempre, Marco Carrera acabou por subestimar essa informação, que foi catalogada entre as inofensivas fixações de seu pai, e não entre as sementes mais poderosas de seu quadro cármico. No entanto...

No entanto, os aviões, e o voo em geral, eram uma das sementes mais poderosas de seu quadro cármico. Na falta de muitas outras ocasiões macroscópicas para fazê-lo anteriormente, Marco se deu conta disso de repente, aos quarenta e um anos, em uma daquelas manhãs que existem apenas em Roma, quando estava sentado na cerca de madeira debaixo dos pinheiros da Via di Monte Caprino, lendo as acusações caluniosas que Marina, a essa altura sua ex-mulher, havia inventado contra ele na denúncia absurda, apresentada ao tribunal. De fato, um dos lugares mais bonitos do mundo, isto é, o chamado

Granarone[2] do Palazzo Caffarelli (bonito não pelas intrínsecas qualidades arquitetônicas, que não tem, mas por sua posição, que domina todo o lado sudoeste da colina do Campidoglio até o rio Tibre, ou seja, a área em que se encontram as ruínas dos templos de Jano, de Juno Sóspita, da Esperança, de Apolo Sosiano, de Santo Homobono e do Pórtico Republicano no Fórum Holitório, além da basílica de São Nicolau em Cárcere e da Rocha Tarpeia em sua totalidade e de três quartos do Teatro de Marcelo; na Idade das Trevas, tornara-se pasto para cabras, e por isso foi rebatizada de "Monte Caprino"; no final do século XVI, foi requalificada pela construção, justamente em seu ponto mais alto, do Palazzo Caffarelli no Campidoglio, por parte da antiga e homônima família da nobreza municipal romana; em meados do século XIX, foi adquirida, com palácio e tudo, pelos prussianos, e por eles enriquecida com outros edifícios mais simples, entre os quais o mencionado Granarone, para onde foi transferido o Instituto Germânico de Arqueologia; depois, em 1918, após a derrota do Império Prussiano, inteiramente readquirida pela municipalidade de Roma), além de servir como sede da Advocacia Capitolina, naqueles anos abrigava o departamento da Casa Comunal, onde os atos judiciários são conservados e notificados aos interessados. Em outras palavras, as pessoas que eram objeto de alguma queixa, denúncia ou de ações judiciárias tinham de retirá-las ali, no Granarone. Depois que dali saíam – é humano –, alheias à exuberante beleza do lugar, apressavam-se em rasgar o envelope selado para ler

---

[2] Em português, granário, nome pouco usual para designar um depósito de grãos. (N. T.)

imediatamente o conteúdo – apoiadas em uma árvore, talvez, sentadas no chão ou, como Marco Carrera naquela manhã, na cerca de madeira. Ao redor dele, outros três infelizes na mesma situação: um mecânico muito jovem em macacão de trabalho, um homem bem-vestido, com o capacete ainda na cabeça, e um homenzarrão imundo, de cabelos grisalhos, todos absorvidos pela leitura dos respectivos documentos – um deles, o do mecânico, certamente era do mesmo tipo e da mesma natureza que o entregue pouco antes a Marco Carrera, pois o rapaz, ao lê-lo, comentava-o em voz alta ("Mas vejam só essa!", "Maldita!", "Essa filha da puta!"), aparentemente ameaçando espancar a folha que tremia em sua mão. Todavia, sua agressividade parecia mais defensiva do que ofensiva, e sua expressão, mais assustada do que raivosa, exatamente como estava para acontecer com Marco Carrera. Porque ali, naquela manhã espetacular, naquela moldura repleta de história e de beleza, ao ler aquela denúncia, após meses de incerteza, ele descobriu exatamente com quanta ferocidade sua ex-mulher havia decidido livrar-se dele e com quais modalidades.

De fato, depois que o plano A havia sido desarmado pela iniciativa de seu psicanalista, que rompera o segredo profissional e revelara a Marco Carrera as intenções que ela andava fantasiando, Marina tinha recorrido ao plano B, por certo menos sanguinolento, mas igualmente imbuído de ódio e portador de tribulações: um pedido de separação por culpa, no qual eram despejadas nas costas dele todas as acusações que se podiam conceber contra um marido e um pai – todas falsas, naturalmente, mas o estrago já estava feito: diante do juiz, antes de poder contestar a gravidez extramatrimonial que, a essa altura, já havia expirado, o abandono do lar conjugal, o ato de impedir que a filha de ambos convivesse normalmente com ele e todas as outras maldades já postas em prática (nem era o caso de mencionar o plano A, visto que, além do mais, o psicanalista que o havia frustrado nunca testemunharia em um processo), como estávamos dizendo, antes de chegar a contestar tudo isso, ele teria de defender-se das acusações de violência física e psicológica, sequestro de pessoa, agressões e abusos contra a filha, reiterada infidelidade conjugal, ameaças de morte a todos os parentes eslovenos de sua esposa, não cumprimento das obrigações matrimoniais, evasão fiscal, violações das leis de construção civil – tudo. Tudo falso, é preciso repetir (aliás, a evasão fiscal havia sido dela, de Marina, ele havia apenas tentado acobertá-la, e as violações das leis de construção civil se referiam à remota ampliação da casa de Bolgheri, realizada, é verdade, por baixo do pano, mas por seus pais, e remontava ao maldito verão no qual sua irmã havia morrido, ou seja, a 1981, ou seja, a vinte anos antes, ou seja, sete anos antes que ele e Marina se conhecessem), e tudo acompanhado por uma reles narrativa de histórias até falsas (os famosos detalhes, nos quais o diabo se esconderia), com exceção de um único episódio que realmente havia acontecido – insignificante, sem dúvida, naquele contexto absurdo, mas verdadeiro e claramente colocado ali, junto com todas aquelas falsidades, com o objetivo de lembrá-lo de que, embora fosse vítima de calúnias terríveis, ele não era inocente. Um episódio ocorrido quando Adele ainda era bebê, portanto, dez anos antes. No verão. Em Bolgheri, justamente. Sua memória o havia sepultado, mas ele permanecera vivo, é evidente, pois, quando Marco o leu naquela denúncia, o fato retornou à sua mente com toda a sua ardente verdade.

Julho.
Início da tarde.
Penumbra.
Brisa do mar que move a cortina.
Canto frenético de cigarras.

Ele e Marina estão cochilando no quarto (diga-se de passagem, justamente o que foi construído ilegalmente, em 1981). Junto à cama, do lado de Marina, o berço onde dorme a menina.

Lençóis frescos. Travesseiro fresco. Fresco perfume de recém-nascido.

Paz.

De repente, um estrondo. Algo fragoroso, prolongado, desastroso, assustador, terrível, apocalíptico. Arrancado da sonolência na qual, um instante antes, ele flutuava, Marco se encontra em pé, trêmulo, ofegante, apoiado em um pinheiro, do lado de fora da porta do quarto, com o coração inchado de adrenalina e a respiração estrangulada na garganta. É um estado que dura cinco segundos, talvez dez; depois, Marco entende o que aconteceu e, ao mesmo tempo, dá-se conta de ter saltado para fora do quarto, no qual haviam ficado sua mulher e sua filha; por isso, volta e abraça Marina, que está sentada na cama, também despertada com um sobressalto, ainda sem entender o que aconteceu e aterrorizada, e ele a tranquiliza e a ajuda a acalmar-se, explicando-lhe o que foi aquilo – enquanto a menina, por sorte, continua a dormir serenamente. Cinco segundos, talvez dez…

Como foi dito, Marco Carrera havia sepultado essa lembrança, mas, naquela manhã, deparou-se com ela por inteiro, mais viva do que nunca, fruto da memória alheia, único acontecimento verdadeiro naquela orgia de mentiras vomitadas sobre ele, com o objetivo de pintá-lo como o mais desprezível dos homens. Na acusação que sua mulher lhe dirigia, ele "a abandonava covardemente no quarto, junto com a menina, fugindo sozinho ao primeiro sinal de perigo, que, no caso, era representado pelo estrondo produzido por um avião militar que rompia a barreira do som no céu acima deles, portanto um evento inofensivo, mas que poderia ter sido bem mais grave e ameaçador".

E era verdade.

Sem dúvida, naturalmente a acusação referida na denúncia não dizia que seu estado havia sido apenas um reflexo, nem que sua ausência havia durado apenas cinco ou dez – ainda que tivessem sido quinze – segundos: ao contrário, dava a entender que sua fuga havia sido um ato voluntário e teria durado o tempo necessário para que ele fugisse sozinho do perigo iminente, abandonando a esposa e a filha à própria sorte. E isso, naturalmente, não era coisa que se fizesse. Mas a denúncia também não dizia em que ele havia pensado naqueles poucos segundos de abandono, antes de voltar a si e recomeçar a se comportar como marido e pai. Não dizia para onde tinha voado sua mente naquela repentina e insana bolha de terror – sua única e verdadeira culpa entre todas as culpas inexistentes que Marina havia inventado, que ela não podia conhecer e, subitamente, ressurgia junto com a lembrança que, por sua causa, havia sido apagada.

Foi quando Marco Carrera se deu conta de que aquela associação com os aviões, feita por seu pai a respeito do ano de seu nascimento, era, na realidade, uma profecia: não havia notado isso antes, quando escapara de um desastre aéreo, nem quando se casara com uma comissária de bordo, achando que ela também havia escapado do mesmo desastre; ao contrário, percebia isso nesse momento, ao ver-se culpado de uma única acusação entre cem que lhe eram notificadas – não tanto sua fuga, quando um caça da aeronáutica militar da base vizinha de Grosseto havia produzido o estrondo sônico acima de sua cabeça, quanto o que pensara por poucos segundos, espoliado pelo susto, enquanto arfava apoiado em um pinheiro, olhando com ansiedade para a sebe de pitósporos que o separava do jardim dos vizinhos. Digamos dez segundos: Luisa Luisa Luisa Luisa Luisa Luisa Luisa Luisa Luisa Luisa…

Certa frase mágica (1983)

Marco Carrera
Piazza Savonarola 12
50132 Florença
Itália

Paris, 15 de março de 1983.

Oi, Marco,

imagino que você esteja se perguntando quem te escreve à máquina de Paris, inclusive o endereço no envelope. Talvez você já tenha se apressado até o final da carta para ver a assinatura, talvez tenha olhado o remetente, onde, porém, só pus minhas iniciais, ou talvez (é a possibilidade que prefiro) tenha tido uma intuição e logo entendido que sou eu. Seja como for, sou eu. Sou eu que te escrevo de Paris, Marco, com a máquina de escrever do meu pai. Eu, sim, que não dei sinal de vida desde que nos mudamos para cá.
 O que ando fazendo? Como estou? Estudo. Gosto do lugar aonde vou estudar todos os dias. E assim por diante. Não é para dizer essas coisas que te escrevo.
 Penso muito em você. Você é a única pessoa italiana em quem acabo pensando, além de outro rapaz que não consigo

tirar por completo da cabeça. Penso nele nos momentos ruins, e em você nos momentos bons. Não apenas quando, como hoje, visto sua malha vermelha. Penso em você no táxi, sobretudo, nas famosas altas horas, quando você gostava de sair para comprar pãezinhos quentes, mas tinha medo de encontrar sua mãe com os amigos dela. Penso em você no táxi enquanto volto para casa, tarde da noite, meio bêbada, depois de uma festa, e me sinto como você disse que me via, certa vez: "alegremente desperdiçada".

Eu nunca tinha andado de táxi. Acho que, em Florença, nunca peguei um táxi sozinha. Não sabia a maravilha que é andar de táxi à noite. Apanhá-lo agitando a mão da calçada, como nos filmes. Eu não sabia absolutamente nada sobre táxis. Por exemplo, aprendi que, se a inscrição "Taxi Parisien" estiver acesa na cor laranja, significa que o táxi está ocupado, mas, se estiver na cor branca, o táxi está livre. E, se estiver acesa de branco, juro, basta erguer o braço para o carro parar. É extraordinário. Mas talvez você já saiba disso, aliás, com certeza já sabe. Eu, não, não sabia. E, quando estou em um táxi, e acabei de dar o endereço para o motorista, e o carro acabou de partir, deslizando por ruas e praças iluminadas e desertas, começo a sentir que todas as coisas que fiz na longa noite que acabou de terminar se dissolvem: dissolvem-se os rostos dos rapazes com os quais dancei, bebi, fumei; dissolvem-se as banalidades, dissolve-se tudo, e me sinto bem. É nesses momentos que me acontece de pensar em você. Sinto que todas as coisas supérfluas me abandonam, e me dou conta de que, se você tirar da minha vida todas as coisas supérfluas, a única que sobra é você.

No entanto, não é fácil pensar em você. Sobretudo depois do que aconteceu. E tenho pouquíssimas ocasiões, pouquíssimas imagens para lembrar. Quase sempre me refugio naquela em que você está sentado no sofá da minha casa, em Bolgheri, com um fone de ouvido e um walkman que te isolam do mundo, enquanto eu e meus amigos estamos comendo ravióli. Deve ser a hora, deve ser o táxi, mas essa me parece uma bela recordação.

E, às vezes, sonho com você.

Esta noite, por exemplo, sonhei com você: por isso te escrevo, infringindo ao contrário a promessa que eu havia arrancado de você – nem me lembro por quê – de não me escrever nunca mais, você a mim.

Foi um sonho muito bonito, Marco. Límpido. Sereno. Pena que acordei na metade. Lembro-me bem porque, depois, não consegui mais dormir e passei horas pensando nele. Eu estava deitada em uma rede, em uma espécie de pátio mexicano, com um imenso ventilador de teto girando bem devagar, e você estava sentado em um canto da rede, vestido de branco, e me balançava. Jogávamos um jogo estranho e ríamos de um modo que acho difícil explicar. Você me desafiava a pronunciar uma frase mágica, e eu não conseguia. A frase era muito estranha, eu a escrevi assim que acordei: "Aos dezoito anos, os beneditinos me ensinaram a falar; consegui aprender alguma coisa". Juro que a frase era essa. E eu não conseguia repeti-la, sempre errava, e, quanto mais errava, mais nós ríamos e, quanto mais ríamos, mais eu errava. Por fim, para te dar uma ideia do quanto ríamos, nem você conseguia mais repeti-la. Seu pai chegou no pátio mexicano, lacônico como sempre, e nós pedimos a ele para pronunciá-la, e ele tentava e errava. Você não imagina o quanto nós dois ríamos, e, depois de algum tempo, também ele, que continuava a tentar e a errar. Não conseguia, não havia o que fazer: às vezes dizia "aos dezoito anos, os franciscanos…" ou "…me aprenderam a falar…". Era realmente uma frase mágica, e nós morríamos de rir. Depois, acordei. Contando, assim, parece um sonho *bobo, mas juro que não era. E não havia nenhum embaraço entre nós. Nem mesmo com seu pai. Tudo corria muito bem. Também, pudera, era um sonho.*

Ainda sob a influência do sonho, levantei-me, saí, fui para a ginástica (vou à ginástica) e assisti a um fenômeno extraordinário: neve com sol. Juro. Debaixo do Arco do Triunfo caíam flocos enormes, pesados, molhados, mas, acima dele, o céu estava claro e iluminado, e a Notre-Dame, lá no fundo, cintilava ao sol. E não era mais um sonho, era verdade. E me dou conta de que esta é uma carta muito incoerente, mas não tem problema. Espero apenas que não te cause nenhum constrangimento, que não te crie problemas "sem fundamento". (Agora me lembro de que a última vez que te vi foi naquela academia, há um século. Você parecia desconfortável.) Por isso, é importante continuar a pensar em você, nos táxis, e, se possível, sonhar com você, como nesta noite. Além do mais, sonhar com você significa que estou dormindo. Sabe, estou cansada da insônia e daquele outro cara que, de vez em quando, aparece inesperadamente na minha cabeça. Se não se importa, te mando um abraço.

Luisa

A última noite de inocência (1979)

Quando tinham cerca de vinte anos, Marco Carrera e Duccio Chilleri começaram a frequentar cassinos estrangeiros – na maioria das vezes, na Áustria e na Iugoslávia –, porém Marco já estava cansado das longas viagens de carro, que Duccio planejava meticulosamente, com muitas paradas em bordéis e restaurantes. Sem contar o fato de que aquelas dez, doze horas fechado com ele no habitáculo do Fiat X1/9 de seu amigo tinham se tornado uma situação realmente difícil de suportar. Marco Carrera achava que os deslocamentos deveriam ser mais profissionais, sem aquele espírito estudantil, sem prostitutas e inteiramente voltados a otimizar os resultados do jogo. Na realidade, como dissemos, a amizade que o Inominável ainda nutria por ele, a vontade de aprontarem juntos e a excitação de dividirem o tempo tinham se apagado em Marco: nele sobrevivia apenas o desejo de comparecer aos cassinos na companhia daquele extraordinário companheiro, especialista em estratégias para ganhar na roleta, com uma inspiração extrassensorial no *craps* e um instinto ferino no *blackjack*. Por isso, um dia assumiu o controle da situação e decidiu que, daquela vez, viajariam de avião, embora Duccio Chilleri tivesse medo de voar. Foram necessárias quatro noites inteiras para desmontar sua aversão aos *pássaros de ferro*, utilizando – e isso era o cúmulo – os mesmos argumentos racionais e antissupersticiosos que ele opunha a todos os outros amigos para combater o medo que tinham do Inominável. No final, conseguiu o que queria, e, em uma perfumada tarde de maio, os dois compareceram ao aeroporto de Pisa com a perspectiva de um longo fim de semana no cassino de Liubliana, onde já tinham estado no ano anterior, de carro, e ganhado uma bolada. Na realidade, a viagem também seria longa, porque Marco havia arranjado um voo *charter* muito barato, de uma companhia iugoslava chamada Koper Aviopromet, que, por alguma razão, porém, dividia o trecho entre Pisa e Liubliana com uma enigmática escala em Larnaca (Chipre). Graças a esse absurdo, o tempo de viagem se quadruplicava, mas, misteriosamente, era abatido em proporção inversa no custo das passagens.

Na hora de embarcar, Duccio Chilleri estava muito nervoso. Marco lhe dera alguns tranquilizantes subtraídos da farmácia particular de sua irmã, grande consumidora de psicotrópicos – mas a inquietação do amigo não havia diminuído. Já sentados em suas poltronas, Duccio começou a dar sinais de nervosismo ao observar o desgaste dos assentos e compartimentos de bagagens – um indicativo, segundo ele, da pouca manutenção do aparelho –, mas o que mais o aterrorizava eram as pessoas que continuavam a subir a bordo. Gente feia, repetia ele, gente marcada. Olhe para eles, repetia, parece que já estão mortos; olhe aquele ali, repetia, olhe aquele outro; é como ver a foto no jornal. Marco continuava a lhe pedir para relaxar, mas a ansiedade do Inominável crescia cada vez mais.

De repente, Duccio se levantou, enquanto as pessoas continuavam a subir a bordo, e pôs-se a gritar, perguntando se havia alguém famoso a bordo, um jogador de futebol, um ator, um VIP – alguém a quem a vida já tivesse sorrido. Os passageiros, que a duras penas estavam percorrendo o corredor para chegar a seus assentos, olhavam para ele com espanto; um deles lhe perguntou qual era o problema. Vocês, respondeu Duccio Chilleri, porque vocês já estão mortos e querem me matar. Marco Carrera o agarrou pelos ombros e o fez sentar-se de novo, tentou de tudo para acalmá-lo, com delicadeza, abraçando-o, suportando o fedor de restaurante impregnado em seu casaco e, ao mesmo tempo, procurando acalmar também as outras pessoas ao redor, que começavam a ficar nervosas. Não é nada, repetia, e Duccio rebatia: Claro, vamos todos morrer aqui dentro e não é nada. Assim, resmungando, com o rosto entre as mãos, a ponto de chorar, mas controlado pelo amigo, parou de incomodar os outros e pareceu conformar-se. No entanto, quando uma comitiva de escoteiros entrou na aeronave, a situação se agravou de repente. Duccio Chilleri rebelou-se: Não! Escoteiros, não! Parou na frente do primeiro da fila, um rapagão peludo e corpulento, particularmente ridículo no uniforme de chefe de patrulha: Aonde vocês pensam que vão? O rapagão ficou desconcertado, talvez o tenha confundido com um comissário de bordo, porque lhe mostrou o cartão de embarque. Fora daqui! Saiam, xô! Marco ficou novamente em pé para acalmá-lo, mas, desta vez, Duccio Chilleri tinha perdido o controle: agarrava e sacudia a cabeça dos escoteiros aterrorizados – Assassinos!, gritava, vão embora! –, e, quando alguns começaram a reagir, desencadeando uma série de empurrões e insultos, Marco Carrera entendeu que o fim de semana em Liubliana tinha ido para o brejo. Fazendo-se passar por médico – estava apenas no segundo ano de medicina, o que se via a quilômetros de distância –, diagnosticou ao amigo um ataque epilético de tipo B (assim, inventado na última hora) e pediu que a porta do avião fosse aberta para levá-lo de volta ao solo. A tripulação parecia não acreditar que se livraria daquele maluco; desse modo, depois de recuperarem diretamente na pista a bagagem que estava no porão do avião (na época, o aeroporto de Pisa era administrado de maneira bastante improvisada), os dois rapazes voltaram ao terminal enquanto o avião começava a se mover. De resto, assim que desceu ao solo, Duccio Chilleri se acalmou no mesmo instante – aliás, exibindo uma absurda euforia, como alguém que literalmente voltasse ao mundo depois de sair do inferno. Marco Carrera, por sua vez, estava furioso, mas, para evitar outro papelão grotesco diante de todos, esforçou-se para controlar a própria raiva, fechando-se em um silêncio sombrio. Sombrio e, aos poucos, também sinistro, porque, enquanto dirigia o carro para voltar a Florença e separar-se de Duccio quanto antes, com a raiva trovejando no peito e a vergonha, sim, que o impelira a fugir como um ladrão, temendo que a notícia do espetáculo dado por ambos se espalhasse também fora daquele avião; portanto, enquanto estava ali, dirigindo na estrada, pela primeira vez os contornos do que havia acontecido se mostraram a ele do modo como teriam aparecido a qualquer outra pessoa. O que havia acontecido naquele avião? Havia acontecido que seu amigo Duccio Chilleri, com uma crise de pânico, havia mandado pelos ares um fim de semana organizado com zelo. Para Marco, era isso que havia acontecido – *apenas* isso: mas, aos olhos de qualquer outra pessoa que conhecesse Duccio Chilleri, o que havia acontecido? Que coisa enorme e assustadora havia feito o Inominável dentro daquele avião?

Bastou a Marco identificar-se com qualquer um de seus outros amigos para sentir um aperto no estômago, do qual, aliás, não conseguiu mais se livrar. E ainda à noite, depois de ter deixado o amigo na frente de casa, sem nem sequer se despedir dele, e de ter inventado uma mentira aos pais sobre a mudança de programação para o fim de semana, ficou revirando de um lado para outro na cama, pensando e repensando nos rostos efetivamente muito anônimos dos companheiros de viagem, abandonados à própria sorte naquele avião, nos pobres e inocentes escoteiros, que sabe-se lá aonde pensavam ir, nas comissárias de bordo eslavas, com pesada maquiagem, ingenuamente aliviadas ao verem o Inominável e ele desembarcarem da aeronave após aquela presepada oracular – quando, ao contrário, de acordo com a teoria do olho do furacão, deveriam ter feito uma corrente humana para impedir seu desembarque...

Enquanto Marco Carrera se atormentava desse modo, suando entre os lençóis, incapaz de pegar no sono e menos ainda de desfrutar do perfume do jasmim-estrela que filtrava pela janela entreaberta, ao largo da costa setentrional de Chipre, a tragédia já se havia consumado, mas ele ainda não sabia: o DC-9-30 da Koper Aviopromet, em vão aguardado na pista do aeroporto de Larnaca, já havia sido engolido pelo mar da Cilícia; as pessoas nas quais Marco pensava com aquele misto de piedade e preocupação já estavam todas mortas; a lembrança da *fatwa* que o Inominável havia lançado sobre elas já estava anulada para sempre de suas consequências, e ele era o único na face da Terra a ter noção disso.

Ainda sem saber dessas coisas, Marco Carrera acabou adormecendo – tarde, preocupado, mas adormeceu –, e, em uma vida rica de muitas outras noites, aquela foi para ele a última noite de inocência.

Urania (2008)

Para: Giacomo – jackcarr62@yahoo.com
Enviada – Gmail – 17 de outubro de 2008 23:39
Assunto: Coleção dos Romanzi di Urania
De: Marco Carrera

Caro Giacomo,

hoje eu gostaria de te falar da coleção (quase) completa dos Romanzi di Urania do papai. Mesmo incompleta, também essa coleção tem alto valor comercial, considerando-se o cuidado que o papai sempre teve com a preservação desses livros, o papel de seda com o qual encapava cada um deles para protegê-los e o consequente e espantoso estado de conservação em que se encontram após cinquenta ou sessenta anos; mas não é disso que quero te falar. A meu ver, esses livros deveriam ser seus, pelas razões que ainda vou te dizer, e, como ocupam pouquíssimo espaço, se não os quiser, posso guardá-los para você, mas não penso nem de longe em vendê-los.

Voltando ao que interessa. A coleção. Vai do número 1 ao número 899, ou seja, de 1952 a 1981. Faltam apenas seis volumes, que são os seguintes, pelas seguintes razões:

N.º 20, "Pedra no céu", de Isaac Asimov, de 20 de julho de 1953.

Estranho – não te parece? – que, depois de 19 números comprados regularmente, o papai, aos 27 anos, recém-formado, tenha deixado de comprar justo esse, aparentemente um dos mais belos livros escritos pelo seu autor preferido. Na verdade, ele o havia comprado, pois, na estante do seu escritório, onde seus Urania sempre foram mantidos (no inventário feito por Brachi no mês passado, que enviei para você, esse móvel é chamado de "estante modular Sergesto", e você certamente se lembrará dele, pois tinha um idêntico no seu quarto, que ainda está lá, cheio de "Tex" e outros gibis que você lia), na estante, como eu estava dizendo, entre o volume anterior, de número 19, "Prelúdio ao espaço", de Arthur C. Clarke, e o posterior, de número 21, "Terror no mundo", de Jimmy Guieu, há um papelzinho no qual se lê "emprestado a A.", com a data "19 de abril de 1970". Você há de convir comigo que, com certeza, A. é o amigo dele, Aldo Mansutti, ou melhor, "Aldino", como ele o chamava, que morreu naquele acidente absurdo de moto, do qual tanto se falou em casa e que fez nossos pais relutarem tanto em comprar a lambreta para nós. Lembro-me bem de quando fomos todos ao funeral desse Aldino; com certeza, eu estava no ensino fundamental, provavelmente no sexto ou no início do sétimo ano – portanto, devia ser justamente 1970. De maneira que deve ter acontecido o seguinte: o papai emprestou o livro para o Aldino, pôs o papelzinho no lugar que ele ocupava na estante, como um lembrete, porque era apegado à sua coleção, mas pouco depois o Aldino morreu e, obviamente, papai não pensou em pedi-lo de volta para a mulher dele – a Titti, você deve se lembrar da Titti Mansutti, que revi poucos dias atrás por conta de outro assunto que ainda vou te contar e que está bem velhinha. Ainda mais *considerando que, já àquela altura, ou seja, em 1970, a coleção não estava completa, pois faltavam outros cinco números, quais sejam: o 203, o 204, o 449, o 450 e o 451. Continue comigo, Giacomo, não pare de ler. Vamos tentar entender por que estão faltando esses cinco volumes.*

N.º 203, "A maré baixou", de Charles Eric Maine, de 10 de maio de 1959, e n.º 204, "A humanidade em fuga", de Gordon R. Dickson, de 24 de maio de 1959.
No lugar desses na estante, não havia nenhum papelzinho, sinal de que não foram emprestados e de que, dessa vez, ele realmente não os havia comprado. E entendi o motivo ao refletir um pouco sobre as datas: a famosa queda da Irene da cadeira de alimentação. Você se lembra? Devem ter contado centenas de vezes para nós: a Irene cai da cadeira de alimentação na cozinha da casa da Piazza Dalmazia, bate a cabeça e fica dois dias em coma no Hospital Meyer, a mamãe jura que vai parar de fumar se ela se salvar, a Irene se salva, a mamãe não para de fumar, a Irene se recupera totalmente, porém, mais tarde, identifica naquela queda a causa de todos os seus distúrbios posteriores... Bem, nós dois nem tínhamos nascido ainda, mas temos de reconhecer que a coisa mais dramática que aconteceu na nossa família, pelo menos até a morte da Irene, foi essa sua queda da cadeira de alimentação. Tão dramática – eis a razão – que impediu o papai, por duas vezes, ou seja, por vinte e oito dias, de comprar seu romance da coleção Urania. Agora não há mais ninguém que possa nos dizer em qual período do ano isso aconteceu, mas talvez você se lembre de que o que deixou essa história ainda mais dramática foi o fato de a mamãe estar grávida de mim. (Dramático, por que não, também o fato de ela não ter conseguido parar de fumar nem mesmo considerando que estava grávida.)

Na minha cabeça, sempre a imaginei com o barrigão, tentando socorrer a menina que cai e desmaia, depois na ambulância ao lado dela, depois à sua cabeceira no Hospital Meyer, mas, na realidade, basta supor que ela estivesse apenas no segundo mês de gravidez, e tudo faz sentido. Nasci no dia 2 de dezembro, certo? O que significa que fui concebido no início de março. Os dois números que faltam são do mês de maio, portanto justamente por volta do segundo ou terceiro mês. Quer dizer, nada de barrigão, mas isso explica por que o papai perdeu aqueles dois números: era a Irene na UTI, a Irene em observação, a Irene que tinha acabado de voltar para casa do hospital. Depois, um mês mais tarde, quando o perigo havia passado, ele tornou a comprar os romances regularmente (n.º 205, "O planeta coberto", de Robert Randall, de 7 de junho de 1959) e continuou por mais de sete anos, sem falhar nem uma única vez, até que se chega a três números que não constam da sua coleção, quais sejam:

N.º 449, "Os genocidas", de Thomas M. Disch, de 20 de novembro de 1966; n.º 450, "Há sempre uma guerra", de vários autores (Walter F. Moudy, Poul Anderson, Robert E. Margroff, Piers Anthony, Andrew J. Offutt), de 4 de dezembro de 1966; e n.º 451, "Do poder divino", de Mack Reynolds, de 18 de dezembro de 1966.

Aqui, a razão é evidente: a inundação, com o papai nos botes do município, empenhado em salvar animais na planície alagada, e depois na Biblioteca Nacional, salvando livros com os Anjos da Lama.[3] Você vai se perguntar: mas, se não

---

[3] Referência aos voluntários, provenientes de várias regiões da Itália e do exterior, que, por ocasião da grande inundação ocorrida em Florença, em 4 de novembro de 1966, ajudaram a limpar e restaurar a cidade. (N. T.)

conseguiu comprar esses três números, como pôde ter comprado o volume 448, "As crisálidas", de John Wyndham, de 6 de novembro de 1966, quando o dilúvio ainda estava em curso e Florença estava literalmente debaixo d'água? E aqui, caro Giacomo, para explicar isso, temos de passar para a razão pela qual, na minha opinião, essa coleção deveria ficar com você. É algo que descobri absolutamente por acaso e, por isso mesmo, parece ser precioso. Pois bem. Aconteceu assim. Enquanto eu estava ali, passando os olhos pelos títulos da coleção, todos em perfeita ordem na estante Sergesto et cetera, deparei com um título e um autor que conhecia: "Tropas estelares", de Robert Anson Heinlein. Heinlein é um dos pouquíssimos escritores de ficção científica que li, e esse título me soou familiar por causa de um filme que eu tinha visto. Portanto, peguei-o, abri-o para verificar e, de fato, o título original era "Starship Troopers", que serviu de inspiração para um filme horrível do final dos anos 1990, chamado "Tropas estelares". Mas – esse é o ponto –, depois de ter visto isso, também vi na página anterior, ou seja, na primeira... como se chama aquela logo depois da capa, na qual se repetem o nome do autor, o título e a editora, como se chama? Aquela na qual os escritores fazem as dedicatórias, como se chama? Frontispício? Deixe-me ver. Sim, é isso mesmo, chama-se frontispício, "a página inicial de um livro", diz a Wikipédia, "ou aquela que o leitor vê primeiro logo depois de virar a capa". É ela. Como eu dizia, vi que no frontispício havia alguma coisa escrita a lápis na caligrafia do papai. Poucas linhas, que te reproduzo integralmente: "Bom dia, senhoras e senhores, estou para apresentar a vocês meu novo amigo... ou não, amiga... a senhorita Giovanna... ou talvez não, o senhor Giacomo... quem sabe?... Pronto, pronto, atenção... aí vem a enfermeira... ainda não dá para ver direito... agora, está abaixando... Senhoras e senhores, Giacomo chegou!".

Não é fantástico? A mamãe tinha acabado de dar você à luz, e ele estava ali, jovem, emocionado, isolado, sem nem sequer saber se você era um menino ou uma menina, em um corredor de hospital, fumando seus cigarros Muratti, matando o tempo no frontispício de um romance da coleção Urania. Bem diferente de nós, que, vestidos de avental verde, assistimos ao nascimento dos nossos filhos, já sabendo o sexo deles meses antes, e seguramos os ombros de nossas mulheres...

Por isso, na minha opinião, essa coleção deveria ficar com você, na sua casa de Chapel Hill, que vi apenas de cima, com o Google Earth.

Depois disso, chegamos também à explicação para aquele volume de 6 de novembro de 1966: após ter decifrado a escrita do papai no frontispício, fiquei um tempo ali, comovido, entressonhando (você se lembra desse verbo? Lembra-se de quem sempre o usava?); quando despertei, fechei o livro, e meu olhar pousou no quadradinho vermelho, no canto inferior esquerdo da capa, onde estavam escritos o preço (cento e cinquenta liras), o número do volume (276) e a data: 25 de fevereiro de 1962. Ora, acontece que você nasceu no dia 12 de fevereiro: como o papai fez para ter um livro que seria lançado treze dias depois? Aqui, porém, após um instante de desorientação, me acendeu uma luz. Lembrei-me de que, quando jogava tênis, eu assinava "Match Ball", que saía a cada catorze dias, e o fascículo sempre chegava em casa muitos dias antes da data marcada na capa, algo que, por algum tempo, acreditei que fosse um privilégio meu, como assinante, uma espécie de pré-lançamento, até que um dia descobri, de maneira bastante brusca, que também nas bancas os fascículos de "Match Ball" eram postos à venda muitos dias antes da data estampada na capa. Ao reparar nisso, a partir de então notei que o mesmo acontecia com muitos dos semanários que circulavam pela casa, como "Panorama", "L'Espresso" e até mesmo "La Settimana Enigmistica". Devia ser um artifício psicológico para transmitir uma impressão de frescor e evitar que o leitor, ao ter em mãos um jornal com a data de quatro, cinco ou seis dias antes, pensasse estar diante de conteúdos já ultrapassados. Embora não faça muito sentido, por alguma razão esse artifício também deve ter sido adotado pela editora Mondadori para os romances da coleção Urania; portanto, é mais do que provável que a data estampada na capa correspondesse ao último dos catorze dias nos quais o volume estava nas bancas. Isso significa que o romance que o papai levou para o hospital, em 12 de fevereiro de 1962, acompanhando a mamãe já com as dores das contrações (verifiquei no computador, era uma segunda-feira), tinha acabado de sair, fresquinho, com a data de treze dias depois; ou vai ver até que o comprou na banca do hospital, depois que a mamãe entrou na sala de parto.

  Eis a razão pela qual o papai tem o volume com a data de 6 de novembro de 1966, embora, naquele dia, já fizesse quarenta e oito horas que estava no bote do corpo de bombeiros para salvar animais à deriva em jangadas de feno: porque tinha saído treze dias antes.

  Depois dessa lacuna de três números de 1966, o papai não deixou de comprar mais nenhum volume, e isso – o que mais impressiona – por quinze anos, pois, a partir do número 452 ("O livro do Serviço Secreto", uma coletânea de contos de Asimov, Tucker, Van Vogt, Martino e Philip K. Dick), sua coleção segue sem interrupções até o número 899, "Comuna ano 2000", de Mack Reynolds. Quatrocentos e quarenta e sete volumes consecutivos, que ele comprou, encapou com papel de seda, leu e colocou no seu devido lugar na estante, enquanto o preço desses livros passava de duzentas a mil e quinhentas liras, e no mundo, na Itália, em Florença e na nossa família acontecia de tudo.

Deixei para o fim o último volume da sua coleção porque ele chega a ser um símbolo da ultimidade. Neste momento, ele está bem na minha frente: a capa branca com a arte gráfica em vermelho, a ilustração circular (um rapaz e uma moça em pé, em um parque, falam com um homem mais velho, sentado em um banco, os três nus, com outras figuras nuas entre as árvores ao longe), o título "Comuna ano 2000", o autor Mack Reynolds e, por fim, a data: 23 de agosto de 1981.

Só que 23 de agosto de 1981 é o dia do fim do mundo. No entanto, como vimos, na realidade esse volume saiu treze dias antes, ou seja, no dia 10, quando o fim do mundo ainda era impensável, e o papai certamente o comprou antes do feriado de 15 de agosto na banca de Castagneto, onde comprava os jornais, e certamente o leu em alguns dias, como sempre fazia, um pouco na praia e um pouco na cama, deitado do lado direito, virado para a mesa de cabeceira, de costas para a mamãe, visto que em agosto, quando estávamos todos em Bolgheri, por falta de espaço não podiam dormir separados. A partir de segunda-feira, 24 de agosto, o número seguinte estaria disponível nas bancas (talvez não na de Castagneto, talvez lá chegasse na terça ou na quarta-feira), mas isso, como todo o resto, de repente se tornou irrelevante para ele. E, dessa vez, para sempre. De modo que o número 899, "Comuna ano 2000", de Mack Reynolds, é o último livro da coleção Urania que o papai comprou e leu – o último da sua coleção (quase) completa, desde o número 1 até o 899. O último da sua vida.

Tudo bem, Giacomo, acusei você, e foi terrível fazer essa acusação. Mas, porra, já se passaram trinta anos. Peço desculpas por ter te acusado, peço desculpas por ter contribuído para tornar insuportável a vida em nossa família por uma porção de dias que, embora continuassem a se acumular uns sobre os outros, ainda estavam muito próximos daquele maldito dia.

Mas já se passaram trinta anos. Éramos garotos, hoje somos homens. Nem se quiséssemos poderíamos nos tornar dois estranhos. Quando os pais morrem, geralmente os irmãos brigam pela herança: seria bom se nós, ao contrário, nos reconciliássemos pela herança. Acima de tudo, seria típico da nossa família funcionar ao contrário.
Me mande uma resposta.

Marco

Gospodinèèèè! (1974)

Era domingo, de manhã cedo, e a Piazza Savonarola tinha desaparecido. As árvores tinham desaparecido; o céu tinha desaparecido; os carros tinham desaparecido. Não havia mais nada. Como no filme que tinha visto com a mãe no Natal, no qual a neblina cai e o avô se perde na frente de casa, a neblina havia caído e Marco Carrera também estava perdido na frente de casa. Em Florença, a neblina era um fenômeno raríssimo – sobretudo uma como aquela –, raríssimo. Ele quase não conseguia enxergar os próprios pés.

Era domingo, de manhã cedo, e era um dia absurdo. A circulação de veículos estava proibida – a *austerity*, como era chamada –, e isso já era uma piada: um ano de trabalho junto aos pais, de harmonia com sua irmã e seu irmão, de boas notas na escola, de demonstrações de bom senso, juízo e tolerância para convencê-los a comprar a Vespa e, tão logo obteve o triunfo, no exato dia do seu aniversário, entrou em vigor a lei de emergência que o proibia de utilizá-la aos domingos. Mas não era só isso. As razões para essa emergência eram absurdas: o petróleo tinha se tornado um bem a ser racionado – assim, bum, de repente? – e, por isso, a mesma regra valia para a gasolina. Para Marco Carrera, o que se ouvia nos telejornais não fazia sentido. Estava convencido de que, para que um bem se tornasse tão raro a ponto de precisar ser racionado, era necessário passar por um período intermediário, no qual as pessoas começassem a se dar conta do fato. Mas, naquele momento, tudo aconteceu de repente: uma guerra-relâmpago, uma decisão dos países da Opep de limitar as exportações de petróleo, e o fio tinha de ser tirado imediatamente da tomada. No período de um mês: lâmpadas apagadas à noite, fim antecipado de programas televisivos, proibição de utilizar o aquecimento nas casas e nada de veículos particulares aos domingos – inclusive as Vespas. Mas como? Era realmente tão fácil assim colocar a sua civilização de joelhos? E justamente quando ele, ao completar catorze anos, encontrava-se cara a cara com a vida adulta? Justamente quando havia deixado de lado as competições de esqui porque queria ter tempo para desfrutar da sua Vespa, aos domingos, mesmo no inverno, sem ter de ir a Abetone todos os fins de semana, durante todo o inverno e toda a primavera, para treinar e competir, treinar e competir, só para depois ver os abetonenses dispararem como uma flecha duas – para não dizer três – vezes mais rápido?

Não havia o que fazer. Estava a pé. E, naquele dia, como se não bastasse, havia a neblina.

Era domingo de manhã cedo. Marco Carrera tinha dado poucos passos e já hesitava, a poucos metros de sua casa, porque não conseguia orientar-se. Onde estava? Na calçada ou no meio da rua? Sua casa ficava à direita ou à esquerda? Na frente ou atrás? Não havia nem mesmo o barulho do tráfego para ajudá-lo.

Tinha um compromisso às oito e meia na estação – onde ele, Verdi, Pielleggero e as gêmeas Sollima pegariam o trem para Lucca, junto com o treinador e o diretor-assistente, para irem jogar na final do primeiro campeonato toscano em quadra coberta, categoria juvenil. (Essa era outra boa razão para abandonar o esqui: a partir daquele ano, graças à difusão das coberturas infláveis, havia torneios até no inverno, e era muito melhor para Marco Carrera concentrar-se no tênis o ano inteiro do que continuar a dividir-se entre o tênis e o esqui. De fato, embora não crescesse em estatura, estava ficando craque no tênis, cada vez mais preciso e agressivo – o que, aliado ao fato de que os adversários tendiam a subestimá-lo por causa da sua estatura, no último ano lhe havia permitido obter resultados surpreendentes. Já o esqui era uma questão de psicologia, não de estratégia; não havia um adversário direto: havia a força da gravidade; além disso, seu metro e meio e, sobretudo, seus quarenta e quatro quilos eram obstáculos contra os quais ele não podia lutar.)

Como estávamos dizendo, era domingo de manhã cedo, e os postes de luz da praça estavam apagados por causa da *austerity*. Ao redor de Marco não havia outra coisa além da neblina. Ele tinha de ir ao ponto da Via Giacomini para pegar o ônibus (pelo menos os ônibus estavam circulando) que o levaria à estação de Santa Maria Novella: tarefa que, no entanto, de repente se tornou muito difícil. Afinal, onde estava a Via Giacomini? Em relação à sua casa, ficava do outro lado da praça, margeando a lateral da igreja de São Francisco, mas – de novo – onde estava sua casa? Onde estava a praça? Onde estava a igreja?

O acidente foi repentino e assustador, como todos os acidentes. Um segundo antes, Marco Carrera estava perdido em meio àquela nuvem, sem nada ao redor, nem sons, nem pontos de referência, e, um segundo depois, já tinha acontecido tudo: o estrondo, a batida, a buzina que havia disparado e até mesmo os primeiros gritos humanos: tudo pareceu acontecer ao mesmo tempo, sem uma cronologia.

De resto, como bem dissera tio Albert, onde já não há espaço, tampouco há tempo.

Os primeiros gritos humanos consistiam em uma única palavra, nunca ouvida.

– Gospodinèèèè!

Uma única palavra, nunca ouvida, lançada na neblina como um foguete sinalizador. Como se dissesse (a ele, Marco Carrera, porque não havia mais ninguém ali): "Socorro! Estamos aqui! O acidente aconteceu aqui!".

Mas aqui onde?

– Gospodinèèèè!

Então, Marco caminhou na direção do grito. Ao dar os primeiros passos, teve a impressão de que o tempo também tornava a correr: a buzina disparada parou de berrar. Barulho de ferragens. Outras palavras incompreensíveis, pronunciadas por uma voz masculina – enquanto a que continuava a gritar "gospodinèèèè", sim, era feminina.

De repente, do muro branco de neblina saiu uma mulher, espantosamente próxima. Uma cigana. Estava com o rosto ensanguentado e desfigurado pelo grito que continuava a lançar: "Gospodinèèèè!". Nesse momento, o murmúrio da voz masculina também pareceu muito próximo, mas o homem que o emitia continuava invisível. Apareceu outro homem – um cigano idoso, com sangue escorrendo da testa até o pescoço –, mas não era ele quem murmurava. Ao lado dele, um Ford Taunus com as portas abertas e fumaça saindo do capô. Marco continuava a avançar naquela enorme xícara de leite, sem ter ideia do que fazer, sem ter ideia do que estava procurando. O outro carro, talvez? Estava procurando o outro carro? Por acaso estava tendo um pressentimento? Talvez tivesse reconhecido o outro carro pela buzina?

– Gospodinèèèè!
Ali estava o outro carro. Arremessado contra um poste, praticamente sem a frente. Ao que parecia, um Peugeot 504 – como o do seu pai. Ao que parecia, cinza-metálico – como o do seu pai. Com outro cigano, sim, mais jovem do que o primeiro, aparentemente ileso, que havia aberto a porta e, murmurando, estava, sim, tirando uma pessoa do habitáculo. Uma pessoa desmaiada, sim, ou morta.
Ao que parecia, uma moça.
Ao que parecia, sua irmã Irene.
– Gospodinèèèè!
Pai, me empresta o carro? Não, Irene, não comece. Mas eu preciso ir a Abetone, preciso ir a Bolgheri, preciso ir a uma festa em Impruneta, como vou fazer? Vá com alguém. Mas estou sozinha, não tenho com quem ir. Irene, você ainda não tem carteira de motorista. Mas eu tenho a provisória. E com a provisória você não pode dirigir sem uma pessoa do lado. Mas todas as minhas amigas dirigem assim. Você, não. Ah, por favor, vou com cuidado, juro. Não. Tem medo de que me parem? Sim. Mas não vão me parar! Eu disse "não". Pois vou pegar o carro mesmo assim. Não se atreva...

Quantas vezes Marco tinha ouvido essa ladainha nas últimas semanas! E quantas vezes, nessa e em todas as outras altercações entre seu pai e Irene, tinha torcido por ela, por sua inteligentíssima e atormentadíssima irmã – sua estrela polar, seu modelo de vida e juventude, sempre tomada por aquela inquietação, aquela raiva, aquele ímpeto, aquela veia azulada em relevo na têmpora que a tornavam diferente, nobre, rebelde, superior. Agora estava ali, no chão, diante dele, onde o jovem cigano a havia deitado e até tentado reanimá-la, infringindo – embora nenhum dos presentes soubesse disso – o mais banal de qualquer protocolo de primeiros socorros, mas, sem dúvida, com a melhor das intenções: pálida, sem ferimentos visíveis, inconsciente. Irene. Estaria morta?

– Gospodinèèèè!

Não, não estava morta, ao contrário, não tinha sofrido nada – só desmaiado, e Marco Carrera viria a saber disso um minuto depois. Mas o olhar que pousou nela durante esse minuto foi exatamente o mesmo que pousou em seu cadáver, sete anos mais tarde, às sete da manhã, no necrotério do hospital de Cecina: carregado com o mesmo desespero, com a mesma compaixão, além de raiva, impotência, horror e ternura. O olhar que, evidentemente, de um modo misterioso, ele sempre temera que estaria destinado a pousar nela se fosse mesmo verdade, como haviam lhe contado, que, em uma noite de São Lourenço, em Bolgheri, na mesma praia onde, de fato, ela viria a morrer, quando todas – sua mãe, a amiga de sua mãe, as filhas da amiga de sua mãe e a própria Irene – pediram a ele, então com menos de cinco anos, para exprimir um desejo logo após ter visto uma fantástica estrela cadente, sem nem mesmo saber o que significava, ele dissera: "Que Irene não *se suicidia*".

Irene, seu mito. Sua irmã, que nunca queria sua companhia, como, de resto, não queria a de ninguém, pelo menos entre os membros da família, razão pela qual, aos dezoito anos, naquela família, ela já havia se tornado uma cruz a ser carregada, para não falar da desgraça que sempre semeava ao seu redor – quedas, acidentes, fraturas, brigas, depressão, drogas, psicoterapias – e que germinava em uma espécie de paciente e generalizada compaixão por ela, sentimento que Marco, realmente único em todo o mundo, sempre evitara, continuando a compreendê-la, a justificá-la, a tomar as dores dela e a *amá-la*, mesmo diante de suas múltiplas maldades. Dentre as quais, se quisermos traçar uma classificação, naquela manhã, em meio àquela neblina, ela havia acabado de cometer a de número um.

Muitos anos após esse acontecimento, e mesmo após todas as outras desventuras que Irene lançaria sobre ele e seus familiares, incluindo, obviamente, a própria morte; muitos anos após a morte de seus familiares e – algo difícil de dizer – muitos anos após a morte – tão difícil que ele realmente não consegue dizer – de sua filha – pronto, está dito; muitos anos após *tudo*, pode-se dizer, Marco Carrera, já quase velho, quase sozinho, quase condenado a morrer também, teria sublinhado as seguintes palavras em um romance que estava lendo: "[...] que carregava escuridão e confusão dentro de si". Pensava nela, em Irene, que não tinha morrido naquela ocasião, em meio à neblina, nem em tantas outras, nas quais poderia ter morrido, mas que, no fim, acabou morrendo do mesmo jeito – jovem, muito cedo, efetivamente.

Era domingo de manhã cedo. *Gospodinè*, em servo-croata, significa "Oh Senhor".

Segunda carta sobre o colibri (2005)

Marco Carrera
Strada delle Fornaci 117/b
Località Villa Le Sabine
57022 Castagneto Carducci (LI)
Itália

Castelorizo, 8 de agosto de 2005.

Faça de conta que digo "verão",
escrevo a palavra "colibri",
coloco-a em um envelope,
desço com ele
até a caixa de correio. Quando você abrir
a carta, voltarão à sua lembrança
aqueles dias e quanto,
mas quanto mesmo, eu te amo.

~~Raymond Carver~~
Luisa

Um fio, um Mago,
três fissuras (1992-1995)

Deveria ser de conhecimento geral – mas não é – que o destino das relações interpessoais é decidido no início, de uma vez por todas, sempre, e que, para saber antecipadamente como as coisas vão terminar, basta olhar para como começaram. Com efeito, quando uma relação nasce, há sempre um momento de iluminação no qual também se consegue vê-la crescer, estender-se no tempo, tornar-se o que se tornará e acabar como acabará – tudo ao mesmo tempo. É possível vê-la bem porque, na realidade, tudo já está contido no início, como a forma de todas as coisas está contida em sua primeira manifestação. Mas se trata, precisamente, de um momento, e então essa visão inspirada desaparece ou é recalcada, e somente por isso as histórias entre as pessoas produzem surpresas, danos, prazer ou dor imprevista. Nós sabíamos disso, por um lúcido, breve momento, já sabíamos no início, mas depois, pelo resto de nossa vida, não soubemos mais. Como quando nos levantamos da cama, à noite, e andamos às cegas em meio à escuridão do quarto para ir ao banheiro, e nos sentimos perdidos, e acendemos a luz por meio segundo, e logo em seguida a apagamos, e esse clarão nos mostra o caminho, mas só pelo tempo necessário para ir dar nossa mijadinha e voltar para a cama. Da próxima vez, estaremos perdidos de novo.

Quando o distúrbio perceptivo de sua filha Adele se manifestou, por volta dos três anos de idade, Marco Carrera teve esse clarão, viu tudo, mas essa visão foi tão insuportável – tinha a ver com sua irmã, Irene – que logo em seguida ele a recalcou e continuou a viver como se ela nunca tivesse acontecido. Talvez, com a psicanálise, tivesse podido recuperá-la, mas, cercado como era por pessoas que recorriam a ela, Marco havia desenvolvido pela psicanálise uma aversão insuperável. Pelo menos era o que ele dizia. Já um psicanalista poderia dizer que essa aversão era justamente o mecanismo adotado para defender seu recalque. O fato é que o recalque foi imediato e muito profundo, tanto que a tal visão nunca mais veio à tona, mesmo depois que as coisas seguiram o caminho que tinham de seguir – como Marco Carrera, por um momento no início, soubera que seguiriam e, pelo resto de sua vida, não soube mais.

Dada a idade da menina, pode-se dizer que o surgimento de sua patologia coincidiu com o começo de seu relacionamento com o pai, até aquele dia bastante indefinido, e quem determinou essa coincidência foi a própria menina, com a primeira – provavelmente – resolução autônoma de sua vida. De fato, foi em um ensolarado domingo de agosto, enquanto ele e ela tomavam café da manhã na cozinha da casa de Bolgheri e a mãe tinha ficado mais um pouco na cama, que Adele Carrera comunicou a seu pai que tinha um fio preso às costas. Apesar da idade, explicou isso com muita clareza: um fio partia de suas costas para terminar na parede mais próxima, sempre. Por alguma razão, ninguém o via, portanto, ela era obrigada a estar sempre junto à parede, para evitar que as pessoas tropeçassem ou ficassem presas nele. E quando você não pode ficar junto à parede?, quis saber Marco. Como você faz? Adele respondeu que, nesses casos, tinha de ficar muito atenta, e, se alguém passasse atrás dela e ficasse preso em seu fio, ela precisava girar em volta da pessoa para liberá-la – e lhe mostrou como. Marco continuou a fazer perguntas. Mas todos tinham esse fio preso às costas ou só ela? Só ela. E não lhe parecia estranho? Sim, parecia estranho. Parecia estranho que só ela tivesse o fio ou que os outros não o tivessem? Parecia estranho que os outros não o tivessem. E em casa, perguntou, como você faz? Como faz com a mamãe, comigo? Mas você, explicou a menina, *nunca* passa atrás de mim. Pronto, foi ali, naquele momento, diante dessa revelação tão surpreendente – ele nunca passava atrás da filha –, que Marco Carrera sentiu um arrepio e que sua relação com ela se iniciou. E foi ainda nesse momento que viu, que soube, que se assustou – e, por isso, logo depois esqueceu-se de ter visto, sabido e se assustado.

Pelo restante do verão, o fio foi o segredo de ambos. Na realidade, Marco falou imediatamente a Marina, mas sem dizer à menina, pois ela lhe havia pedido para não contar a ninguém. Naquele agosto, Marina se esforçou para não passar mais atrás da filha – na praia, em casa, no jardim –, mas com poucos resultados, pois sempre se lembrava tarde demais. Nessas ocasiões, observava a pequena passar em sua frente, em sentido contrário, para desenredar o novelo, precisa, paciente, e se comovia. Depois, observava os avós, que não sabiam do caso e passavam *sempre* atrás dela – parecia que faziam de propósito –, e ela, que repetia o movimento inverso também com eles, com a mesma precisão, com a mesma paciência, e se comovia. Depois, observava a relação entre ela e o pai, que havia acabado de desabrochar, admirava o talento natural dele para nunca – verdade seja dita –, *nunca* passar atrás dela, e se comovia. Marco a via comover-se e se comovia. Para ambos, foi um verão comovente. Não passou pela cabeça de nenhum dos dois preocupar-se.

Em setembro, era chegado o momento de a menina ir para o jardim de infância, e Marco aproveitou a ocasião para convencê-la a contar também à mãe sobre o fio. Assim, na mesma cozinha, Adele repetiu a ela o que algumas semanas antes havia explicado a ele. Marina se comoveu. Depois, também fez algumas perguntas à filha, mas foram perguntas muito diferentes das que ele havia feito – mais práticas, menos românticas e, por essa razão, muito mais difíceis para a menina: quando havia percebido que tinha o fio? Do que era feito? Poderia se romper? Pelas respostas de Adele, ainda que confusas, Marco e Marina entenderam que a ideia de ter um fio nas costas surgira quando a menina assistira junto com eles a uma competição de esgrima das Olimpíadas de Barcelona: a esgrimista Giovanna Trillini, a equipe feminina de florete, o fio que os uniformes brancos traziam nas costas para transmitir ao placar os impulsos das estocadas – depois, a alegria com as medalhas de ouro, as máscaras de androide, das quais surgiam de repente rostos de meninas, sorrisos, cabelos: entenderam que tudo isso a havia impressionado. Não se preocuparam.

Decidiram não dizer nada às professoras do jardim de infância, pelo menos até ocorrer algum incidente. Não aconteceu nada. Era uma escola pequena e abafada, localizada em um apartamento do Largo Chiarini, perto da Pirâmide Cestia, um ambiente onde era fácil ficar perto das paredes sem dar na vista. Os problemas de Adele eram os mesmos de todas as outras crianças: a separação dos pais, a ambientação, os novos hábitos. Ninguém percebeu o fio. De resto, Adele continuava a ser muito calma e paciente quando alguém passava atrás dela: lentamente, repetia em sentido inverso os movimentos do outro para liberá-lo; e o outro, adulto ou criança, nem chegava a perceber. Já em casa, Marco e Marina brincavam com o fio: Marco fingia que o saltava ou tropeçava nele, e Marina, que o usava para dependurar a roupa. Durante o ano inteiro – um ano feliz –, não se preocuparam. Também no ano seguinte tudo correu bem, exceto por um único *incidente*, quando a escola levou as crianças para visitar uma propriedade agrícola em Maccarese, e Adele recusou-se a descer do ônibus. Normalmente, a menina não tinha nenhum problema em ficar ao ar livre, sempre arranjava um modo de administrar seu fio, mas, naquele dia, bateu o pé, e uma das duas professoras teve de ficar o tempo todo no ônibus com ela. À tarde, ao ir buscá-la e ser informada do ocorrido, a mãe entendeu imediatamente a razão do que as professoras chamaram de "capricho", mas estava com pressa e não lhe pareceu o caso de explicar a história do fio. No carro, porém, perguntou a Adele se sua decisão de não descer do ônibus tinha sido por causa do fio, e a menina respondeu que sim: havia muitos animais naquele lugar, e, com os animais, o fio se tornava muito perigoso. Disse isso com toda a lucidez e calma, como se realmente tivesse sido um escrúpulo de prudência, e Marina se comoveu. À noite, contou a Marco, que também se comoveu. Brincaram com o fio junto com ela. Não se preocuparam.

Mudaram de casa e, depois do verão, trocaram a escola da menina. Não porque fosse mais perto, ao contrário, era depois de Tor Marancia, na Via di Tor Carbone, entre a Appia e a Ardeatina, praticamente fora da cidade, mas também era muito melhor e mais bonita, com ar puro, em um casarão que havia pertencido a Anna Magnani – pelo menos de acordo com a versão de Marina: de acordo com

Marco, era, antes, uma complicação inútil da vida deles (essa história de que era sempre necessário mudar, melhorar, aumentar, crescer, sempre), ficava longe pra caramba, cheirava tão mal quanto a outra e custava bem mais. A versão de Marina prevaleceu apenas porque ela se comprometeu a levar e buscar a menina, *sempre* – e essa foi a primeira fissura entre os dois, a primeira lesão, que permaneceria visível na superfície ainda intacta de sua união, pois, obviamente, Marina não poderia sempre e, portanto, coube também a Marco gastar aqueles quarenta e cinco minutos no trânsito para levar ou buscar a menina na escola, com o resultado de que ambos passaram a se recriminar: ela, porque Marco fazia realmente o mínimo indispensável e não a ajudava o suficiente; e ele, porque Marina não respeitava o compromisso assumido. Além disso, os problemas logo se manifestaram na nova escola. A menina não queria ir e, na saída, sempre a encontravam sozinha, chorando em um canto. Marco interpretou esse fato como prova de que estava com a razão, mudar de escola tinha sido um erro, a menina estava sofrendo por aquele desenraizamento inútil, sentia falta das antigas professoras, das antigas amiguinhas et cetera, mas Marina perguntou a ela, na frente dele, se por acaso sua infelicidade tinha a ver com o fio, e a menina respondeu que sim – mas não disse mais nada. Antes mesmo que marcassem uma conversa com a diretora da escola, ela os convocou. Antes mesmo que a diretora lhes explicasse o motivo da convocação, eles lhe falaram sobre o fio. A diretora não reagiu bem à história. Pareceu escandalizada com o fato de uma coisa tão grave ter sido omitida e, quando Marco e Marina tentaram tranquilizá-la, explicando que não era tão grave assim e demonstrando, desse modo, o quanto vinham subestimando a situação há dois anos, ela deu uma bela bronca nos dois. Aquilo era um distúrbio, declarou, um evidente distúrbio perceptivo, provavelmente de natureza obsessivo-alucinatória, e tinha de ser tratado, não promovido. Ela era formada em psicologia infantil, disse, sabia o que estava dizendo, e deu aos pais despreparados o nome de um especialista a ser consultado quanto antes. Foi assim que um psicoterapeuta apareceu pela primeira vez também na vida da filha de Marco Carrera: o doutor Nocetti. Era uma espécie de homem-menino, de idade indefinida, com as costas curvas da velhice e o olhar vivo da infância, cabelos grisalhos, fracos e ralos, e a pele incrivelmente sem rugas. De seu pescoço pendia sempre uma correntinha com óculos que nunca ninguém o viu usar. Marco nunca conseguia ver, no modo de pensar do doutor Nocetti, nada em comum com o seu próprio, embora não restasse dúvida de que era uma pessoa inteligente: aquele homem parecia ter vivido em outro mundo, isso mesmo, ter lido apenas livros que Marco não lera, visto os filmes que ele não vira, ouvido músicas que ele não ouvira, e vice-versa. Em uma condição como essa, era impossível desenvolver com ele qualquer relação que não fosse exatamente a que estava sendo desenvolvida, e isso facilitou as coisas. Claro, dada a aversão que nutria pelos psicoterapeutas, ao confiar-lhe sua filha Marco teve de fazer um grande esforço de fé – na diretora que os havia mandado ali, nos diplomas dependurados na parede de seu consultório da Via dei Colli della Farnesina (outra viagem absurda de carro para chegar lá) e, sobretudo, na intuição de Marina, que, desde o início, afirmara sentir-se muito tranquila com aquele homem estranhíssimo. Feito esse esforço de fé, porém, a situação se simplificou: começaram a levar Adele ao consultório duas vezes por semana

(Marina, quase sempre; Marco, quase nunca), e a sensação que os acometera diante da diretora da escola, de serem pais despreparados e irresponsáveis, começou a desaparecer.

No entanto, nos dois primeiros meses, Adele não mudou seu comportamento em relação à escola, e levá-la até lá todas as manhãs continuou sendo uma tragédia; mas ela mostrou que estava gostando muito das duas consultas semanais com o Mago Manfrotto, como Nocetti se apresentava a seus pequenos pacientes (também nesse caso: que raio de nome era aquele? De onde o havia tirado?); e quando, em casa, com toda a delicadeza do mundo, perguntavam o que ela e o Mago Manfrotto faziam, fechados por cinquenta minutos naquela sala, Adele respondia simplesmente: brincamos. Nunca disse nada além disso, tampouco especificou de que brincavam. Até que, pouco antes do Natal, Marco e Marina foram chamados ao consultório da Via dei Colli della Farnesina – ambos, foi especificado, e sem a menina. Ignorando completamente a teoria deles sobre a esgrima nas Olimpíadas e sem revelar em quais elementos havia fundamentado sua opinião, o doutor Nocetti lhes informou que, de acordo com ele, aquele fio ligava a menina não às paredes, como ela dizia, mas ao pai: um vínculo estreito e exclusivo que havia sido fabricado com seu pai, evidentemente porque, de certo modo, temia perdê-lo.

Por mais inesperada que fosse, essa interpretação do fio de Adele soou bastante sensata para convencer ambos, tanto que, em vez de objetarem ou pedirem mais explicações, Marco e Marina dirigiram a ele, simultaneamente, a mesma pergunta: e então? Então, disse o Mago Manfrotto, seria bom se Adele passasse mais tempo com o pai. Muito mais tempo, se possível. O ideal, acrescentou, seria que passasse mais tempo com o pai do que com a mãe. Muito mais tempo – repetiu –, se possível. E era possível, claro que era possível – Marco ficava feliz quando estava com a filha –, mas isso significava revolucionar por completo suas funções dentro da família, que, de fato, estava estruturada um pouco à moda antiga, com o pai muito menos presente do que a mãe na vida da menina. E, embora se pudesse dizer tudo, menos que Marco tivesse herdado esse modelo de sua família de origem, também era verdade que se tratava – para ele, homem – de um modelo bastante conveniente: muito menos incumbências cotidianas, muito mais tempo à disposição para seus múltiplos interesses e, finalmente, porque nesse modelo sempre termina assim, quem lavava a louça era Marina. Mas pelo bem da menina se faz de tudo, imagine.

Portanto, revolucionaram sua vida. Marco se conformou em dirigir por quarenta e cinco minutos, duas vezes por dia, até Tor Carbone – mas sem mais nenhuma recriminação, pois, dessa vez, tratava-se justamente do bem de Adele – e em cuidar dela em todas as funções comuns que, até então, haviam sido assumidas por sua esposa. Passou a ficar mais tempo em casa, cortou drasticamente suas atividades secundárias (fotografia, tênis, pôquer) e reduziu a principal, de oftalmologista, renunciando a congressos e a alguns concursos; mas, para a própria surpresa, não encarou tudo isso como um sacrifício: ao contrário, descobriu que estava muito melhor do que antes. Já na vida de Marina, sem todos aqueles afazeres, de repente se abriu um abismo, e é necessário dizer que, nessa revolução, ela se mostrou bem mais despreparada do que ele, pois, pela primeira vez na vida, viu-se com muito tempo livre, e o tempo livre é um verdadeiro pesadelo para as pessoas instáveis. Diga-se de passagem, isso acabou gerando a segunda fissura entre os dois, pois, forçando um pouco o dito popular, é verdade que cabeça vazia é a oficina do diabo – ou, pelo menos, é verdade nesta história. Mas o estrago na união de ambos ainda estava longe de se manifestar: o que interessa aqui é o que aconteceu com o fio – e aconteceu que o fio desapareceu.

Aconteceu que, ao passar do papel do pai que voltava para casa do trabalho às oito da noite para o daquele que cuidava da filha – ou seja, que suportava o trânsito caótico para levá-la à escola, ao Mago Manfrotto, ao pediatra et cetera, que comprava roupas para ela, dava banho nela e preparava as refeições dela –, Marco também passou a administrar o poder de decisão sobre as atividades da menina. Foi ele quem decidiu, por exemplo, inscrevê-la, para o ano seguinte, na escola pública Vittorino da Feltre, perto de casa, na rua homônima do bairro Monti, e Marina teve de aceitar sua decisão, embora não estivesse de acordo (era uma defensora das escolas particulares), exatamente como Marco, em outros tempos, tivera de aceitar o jardim de infância nos cafundós da Via Ardeatina, embora não estivesse de acordo. Cuidar da menina lhe garantia o poder, eis uma verdadeira descoberta, e foi no exercício desse poder que Marco teve o lampejo decisivo quando pensou em inscrevê-la na esgrima. Pensou e fez, em uma tarde curta e leitosa de janeiro: levou-a a uma aula experimental e pronto; sem passar por nenhuma discussão com sua esposa, inscreveu-a na esgrima e começou a acompanhá-la, duas vezes por semana, comunicando a Marina quando o fato já estava consumado. Além do mais, que mal havia? Mesmo que sua ideia se revelasse errada, que dano causaria à menina um pouco de atividade física? Mas sua ideia não se revelou errada, ao contrário, funcionou, e o fio desapareceu quase de imediato. Na realidade, com as crianças não se usavam uniformes eletrificados, por isso o fio não desapareceu porque Adele começou a tê-lo de fato, como Marco havia esperado; mas a máscara, sim, era usada, e desde as primeiras aulas Adele se viu às voltas com aquele mundo feito justamente de máscaras, espadas flexíveis, movimentos bruscos e descargas de adrenalina, do qual proviria o fio, como ele e Marina haviam pensado anteriormente. Portanto, a esgrima, esporte sobre o qual Marco nada sabia, resolveu o problema do fio nas costas de sua filha e o fez do modo drástico como os problemas das crianças são resolvidos, quando se resolvem, ou seja: como se nunca tivessem existido. Sem dizer nada a ninguém, de um dia para o outro, Adele parou de girar ao redor das pessoas quando passavam atrás dela. Fim. Em casa, parou de falar no fio. Fim. Parou de bater o pé para não ir à escola e, na escola, parou de ficar sempre chorando por conta própria. Fim.

Para a grande surpresa de Marco Carrera, porém, o Mago Manfrotto não mudou uma vírgula da própria teoria: segundo ele, a esgrima continuava a não ter nenhuma relação com o caso, o fio tinha desaparecido porque se tornou inútil graças à presença constante do pai na vida da menina. Embora antes tivesse acreditado, tanto quanto Marco, na teoria da esgrima, Marina declarava ser da mesma opinião: o fato de o fio ter desaparecido assim que a menina começou a frequentar a academia era mera coincidência. Conclusão: no final, o problema do fio preso às costas da filha foi resolvido, sim; e foi resolvido no momento certo, ou seja, antes que ela começasse a frequentar a escola de ensino fundamental, onde o fio poderia se tornar muito mais complicado; e esse, sem dúvida, foi um sucesso, motivo de grande alívio para todos, sim – mas seu preço moral, e esse é o ponto, teve de ser inteiramente bancado por Marco, pois a história foi arquivada de acordo com uma única versão, segundo a qual o fio havia aparecido porque ele passava muito pouco tempo com a filha (vale dizer, por culpa dele), e não porque ele a acompanhara ao mundo fantástico de onde havia sido tirado (ou seja, por mérito dele), e sim graças à intuição do doutor Nocetti. Tudo bem, pensou Marco Carrera, não era a verdade, mas era uma versão que podia ser aceita. Um sacrifício que se podia fazer. No fim, a história dizia respeito a pouquíssimas pessoas (sua esposa, o doutor Nocetti, a diretora da escola e ele), e manter aberta uma disputa por causa disso não faria sentido. Desse modo, não contestou nada e agradeceu ao Mago Manfrotto. Em prol da paz. Pelo bem da menina. Sem recriminações.

Isso gerou a terceira fissura.

Válidas (2008)

A: Giacomo – jackcarr62@yahoo.com
Enviada – Gmail – 12 de dezembro de 2008 23:31
Assunto: Eficientes
De: Marco Carrera

O e-mail de hoje, caro Giacomo, é para te contar o que resolvi fazer com as três maquetes dos trenzinhos elétricos do papai. Não foi fácil, mas, no final, talvez essa tenha sido minha obra-prima. Fácil foi escolher um destino para as maquetes de arquitetura: a da Ponte all'Indiano, que ele ganhou de presente dos projetistas depois de ter vencido o concurso, eu doei à Faculdade de Engenharia, onde foi logo exposta no auditório. A do casarão Mansutti, em Punta Ala, levei para Titti, mulher de Aldino, que ainda está viva e até lúcida. Fazia, sei lá, uns trinta, quarenta anos que eu não a via, e, embora o casarão tenha sido vendido há tempos, ela aceitou a maquete e até ficou comovida. A da cúpula de Brunelleschi, aquela grande, não a pequena, que o papai já tinha dado de presente para não sei quem, estou falando da grande, com certeza você vai se lembrar porque, certa vez, levou uma bela bronca por ter brincado com os soldadinhos nela, eu a levei e dei de presente para a sede do Conselho de Engenharia de Florença, deixando todos admirados. Em troca, pedi que parassem de *mandar os boletos e os avisos de pagamento da anuidade do papai. Fiquei com a maquete da famosa ampliação ilegal de Bolgheri, embora seja a menos bonita. Depois, enfim, tem a casa de bonecas sobre a cascata, que ele havia feito para a Irene em perfeita reprodução daquela de Wright e em que não mexi: deixei-a no quarto de Irene; quando vendermos a casa, decidimos o que fazer. Resumindo, com essas foi fácil.*

O problema eram as três maquetes dos trenzinhos. Uma delas você nem chegou a ver, pois o papai a fez quando você já tinha ido embora: minimalista, muito engenhosa, com três metros e meio de comprimento e apenas sessenta centímetros de largura, permite o deslocamento de até onze trens ao mesmo tempo, de um modo que parece extraordinário. Na realidade, o segredo é banal: foi construída em dois níveis, um visível e outro, embaixo, invisível, escondido na espessura da base; assim, os trenzinhos que chegam ao final da maquete entram em um túnel, invertem o sentido da circulação, e uma agulha os faz descer para a parte inferior, onde dão marcha a ré sem que ninguém os veja; depois, tornam a subir do outro lado, sempre debaixo de um túnel, invertendo novamente o sentido e ressurgindo no início, como Stan Laurel naquela cena de "O Gordo e o Magro", quando aparece com uma escada no ombro, depois a escada passa, longa, longuíssima e, ao final, Stan Laurel também a carrega no ombro pela outra extremidade. Enfim, uma joia que não podia ser jogada fora. Mas as outras duas também, das quais, desta vez, você deve se lembrar: aquela imensa dos anos 1960 e a outra, em subida, que reproduz a curva de Piteccio da ferrovia Porrettana, eram bonitas demais para serem destruídas. Sei que não dá para vender a casa com esses trambolhos dentro, que ocupam um quarto inteiro. Por isso, comecei a buscar um modo de doá-las a quem soubesse apreciá-las. Lembrei que, nos últimos tempos, antes de piorar, o papai falava de uma supermaquete maravilhosa, construída no subsolo do Clube Recreativo Ferroviário, sabe? Onde também havia o círculo de tênis, perto do Parco delle Cascine? Ali. Pois então, fui até lá, e fazia mais de quarenta anos, Giacomo, desde a última vez que tinha posto os pés naquele lugar. Mudou muito, claro, e levei um tempão só para encontrar alguém que soubesse do que eu estava falando. O fato é que não é nada fácil encontrar os maquetistas que se reúnem naquele subsolo, eles não têm dias fixos nem horários definidos, e, quando não estão presentes, o subsolo fica fechado, e nenhum outro sócio do clube sabe de nada. Tive de ir atrás deles por um mês, mas, no fim, em uma manhã de sábado, consegui encontrar o presidente da associação dos maquetistas, um tal de Beppe, que estava jogando cartas com outros sócios. Assim que falei o nome do papai, ele largou a partida e me levou ao subsolo, embora estivesse fechado, e devo dizer que o papai tinha razão, a maquete construída naquela sala é realmente incrível. Beppe a colocou em funcionamento só para mim, e te garanto que é extraordinária, pois é um trecho de ferrovia urbana do tamanho da sala, com os edifícios em escala, as ruas, os carros, os homenzinhos, tudo. Enfim, expliquei a história para ele, que também concordou que aquelas maquetes não deveriam ser destruídas – assim, por princípio, pois não as tinha visto. Há que se dizer que falava do papai com enorme respeito, embora, evidentemente, o papai tenha administrado à sua maneira também a relação com ele, ou seja, com extrema reserva, apenas mencionando suas obras e falando, quando muito, a respeito de questões técnicas; por isso, Beppe não fazia ideia do que estávamos falando. Combinamos um encontro, para que ele viesse vê-las quanto antes – um mês depois, não me pergunte por quê. Quando chegou, ficou espantado, sobretudo com a da Porrettana, mas também com as outras duas, e disse que eles ficariam com as três. Por "eles" entendia a associação de maquetistas, da qual era presidente. Disse que uma delas, a que você nunca viu, era perfeita para a escola, porque eles têm até uma escola para ensinar os jovens a construir maquetes de trens, imagine só. Enfim, esse Beppe ficou entusiasmado, era só uma questão de arrumar um furgão grande o suficiente para poder levá-las: pegou meu número, deixou-me o dele e desapareceu, literalmente, por mais dois meses. Tentei ligar para ele algumas vezes, mas o telefone estava desligado. Também fui ao clube para saber dele, não por nada, mas talvez tivesse lhe acontecido algo grave, mas ninguém soube me dizer nada. Até que, duas semanas atrás, me ligou e disse que finalmente tinha encontrado o furgão. Marcamos uma hora, e na semana passada ele veio com os "meninos", como os chama (todos com bem mais de cinquenta anos), para pegar as maquetes. Você não imagina, Giacomo, o respeito que esses "meninos" mostraram pelo papai: eram seis, incluindo o Beppe, todos de chapéu na mão (todos usam chapéu do tipo Borsalino, como se costumava usar antigamente, não me pergunte por quê), maravilhados, com os olhos brilhantes na frente do trabalho cinquentenário dele. Um deles, gaguejando, disse que era uma grande honra para ele estar ali e até herdar as obras do Engenheiro, como todos o chamavam: ele era o ex-proprietário, agora aposentado, da loja onde o papai comprava os trenzinhos e conversava sobre coisas técnicas, e me confessou que ver as maquetes do papai sempre foi um dos seus maiores desejos, mas que o papai o deixava sem jeito, e, por isso, nunca lhe pediu. Mais uma vez, eu constatava que o papai nunca dera confiança a ninguém, e ninguém fizera nada para conquistá-la, razão pela qual, embora fossem devorados pela mesma paixão e apesar da grande consideração que dispensavam reciprocamente, viveram por décadas em dois universos paralelos, encontrando-se pouquíssimas vezes. Em Florença, entende? Não em Tóquio. Por fim, encerradas as formalidades, puseram-se ao trabalho: aplicaram, não sei como se chamam, umas braçadeiras especiais em cada uma das maquetes, a fim de protegê-las (como se fossem pequenas pontes reguláveis de compensado, parecidas com aquelas de papelão que as docerias usam nas bandejas de doces para que não fiquem amassados), depois as envolveram em plástico-bolha e as carregaram nos ombros. Uma delas, a grandona, não passava pela porta, e tiveram de descê-la com cordas pela janela. Levaram uma hora e meia. No fim, me agradeceram, todos comovidos, e foram embora no furgão, com Beppe na direção, dois ao lado dele e os outros três na caçamba, segurando a maquete grande para que ela não caísse, pois ficou um metro para fora do veículo. Para honrar a reserva com a qual o papai sempre os tratou, estou certo de que não voltarei a vê-los. Só que, para te dar uma ideia de que realmente devem ser uma espécie de seita secreta, ontem, que era domingo, fui à rotisseria de sempre para comprar o frango assado de sempre, e um dos atendentes, o mais velho, um sujeito bem magro, com uma cara grande, que parece de borracha, e dentes podres, que conheço há anos, aproximou-se de mim e cochichou no meu ouvido: "Fiquei sabendo que os meninos estiveram na sua casa". Não entendi do que ele estava falando, então, ele piscou para mim e sussurrou, ainda mais baixo, como se fosse um segredo que os outros clientes não deveriam ouvir nem mesmo sem querer: "As maquetes do seu pai, dizem que são muito válidas". Disse assim mesmo, "válidas".

Deu para entender como vão as coisas por aqui?

Não, talvez você não tenha entendido. Culpa minha, que não consigo explicar. Culpa minha.

Bom Natal.

Marco

Fatalities (1979)

Não houve sobreviventes. Esse foi o veredito da "tragédia de Larnaca", como foi chamada – como expressão linguística, de fato muito mais brutal do que "94 *fatalities*", que aparece no relatório com o qual o acidente foi registrado pelas autoridades de controle da aviação civil.

Como o avião havia decolado do aeroporto de Pisa, a maioria dessas *fatalities* era de nacionalidade italiana, e, obviamente, os jornais e telejornais mergulharam de cabeça no desastre; mas outras fatalidades, entendidas de acordo com o outro significado dessa palavra (casualidades, coincidências), passaram imediatamente a corroer o espaço que ela teria merecido. Antes de tudo, outro acidente aéreo, poucas horas depois, o mais grave da história americana (um DC-10 da American Airlines que caiu em fase de decolagem no aeroporto de Chicago, 271 *fatalities*), sobre o qual era necessário dar alguma explicação e que logo embaralhou as coisas, levando à irresistível – a essa altura, pelo modo como funciona o jornalismo – tentação de misturar os dois desastres, entrelaçando-os em um único bolo de horror, embora, na realidade, nada tivessem em comum, a não ser a marca dos aviões, aliás, de modelos diferentes. Mas, sobretudo, apenas três dias depois, a atenção do país inteiro foi hipnotizada pela prisão de Valerio Morucci e Adriana Faranda, os membros das Brigadas Vermelhas[4] mais procurados da Itália. Após mais cinco dias, ocorreram as eleições políticas antecipadas, que deram vida à VIII legislatura republicana, e, depois de uma semana, as primeiras eleições europeias. Adeus. Desse modo, o tempo à disposição dos jornais para escarafunchar detalhes e testemunhos da crosta da tragédia de Larnaca se reduziu drasticamente e não permitiu chegar a Marco Carrera nem ao Inominável, que haviam descido do avião na pista. Simplesmente, a narração parou antes. Deu-se muito destaque às "vidas interrompidas", sobretudo às dos jovens escoteiros que se dirigiam ao grande encontro internacional no castelo de Liubliana, mas não se teve tempo de ir muito além disso; na realidade, não se teve tempo nem mesmo de contar direito como foi o funeral após o retorno dos restos mortais à Itália, tampouco de anunciar a recuperação da caixa-preta no fundo do mar, pois, após apenas dois dias, a tragédia de Larnaca começou a deslizar para os resumos do dia, nos quais o espaço se comprime inexoravelmente.

Como teria sido a vida de Marco Carrera se a imprensa tivesse tido tempo de descobrir que ele havia sobrevivido àquele desastre, transformando-o em um personagem público? Como teria sido se pelo menos os juízes o tivessem descoberto? Com efeito, o que o rapaz, chocado, começou a esperar desde a manhã em que soube do desastre – jornalistas à porta de casa, intimações do Ministério Público – nunca aconteceu. E, se são claras as razões pelas quais a imprensa dirigiu cedo demais a própria atenção para outro lugar, as razões pelas quais nem mesmo os inquéritos

---

[4] Organização terrorista de extrema esquerda ativa na Itália nos anos 1970. (N. T.)

abertos pelas autoridades judiciárias e pela Direção Geral da Aviação Civil do Ministério dos Transportes chegaram a ele e ao Inominável foram totalmente inexplicáveis. Quer dizer, pelo menos até a análise da caixa-preta estabelecer que se tratara de uma falha estrutural, em tempos sombrios de terrorismo como aquele, o fato de dois rapazes de vinte anos fugirem de um avião duas horas antes que o aparelho fosse engolido pelo mar era uma pista que deveria ter sido levada em consideração. Mas nada. Não aconteceu nada. Um dos tantos mistérios italianos – pequeno em comparação aos outros, mas decisivo para o futuro dos dois rapazes.

De fato, aconteceu que, tendo permanecido assim, surpreendentemente excluídos de um evento no qual davam por certo que seriam envolvidos (porque, na realidade, estavam envolvidos), nenhum dos dois disse nada a ninguém. E aconteceu que, depois de terem ficado em silêncio por dois, três, quatro, cinco dias, pareceu-lhes impossível sair por aí de repente, contando que tinham descido daquele avião no último instante. Havia até mesmo a possibilidade de ninguém acreditar neles.

Na realidade, porém, o motivo que os manteve tão silenciosos e perplexos nos dias em que esperavam encontrar-se no centro das atenções era outro: o que seria do Inominável se soubessem o que havia acontecido naquele avião? Ainda que os dois não falassem sobre a poderosa maldição lançada sobre aquelas pobres pessoas, ainda que declarassem apenas ter descido do avião por um mal-estar banal, como poderia Duccio Chilleri aproximar-se de outro ser humano naquela cidade sem que este fugisse correndo, aos gritos de terror? Seria a confirmação final de todos os boatos a seu respeito; e o simples fato de Marco Carrera ainda estar no mundo, a confirmação científica da teoria do olho do furacão. Por isso, os dois rapazes não conseguiram tocar no assunto nem mesmo entre eles: nas duas ou três vezes que tentaram fazê-lo, um manto sombrio de constrangimento os tornou incapazes até mesmo de abordar a questão. O implícito impunha-se ao explícito.

Para dizer a verdade, Marco até teve uma oportunidade de falar a respeito com alguém, pois aquilo que ele considerava a intuição sobre-humana de sua irmã Irene a levara a entender tudo. Diga a verdade: o avião que caiu era o mesmo que você e seu amigo iriam pegar?, perguntou ela à queima-roupa alguns dias depois, ao entrar no quarto dele sem bater à porta, quando Marco estava deitado na cama ouvindo "Laughing", de David Crosby. Como ela havia feito para perceber era outro mistério para ele, pois Marco certamente não dissera em casa que iria a Liubliana, via Larnaca, para jogar, e sim a Barcelona para fazer turismo. Nem chegou a passar por sua cabeça que ela o tivesse espionado, como costumava fazer com todos os membros da família, que tivesse ouvido às escondidas ou até mesmo interceptado seus telefonemas, tirando do gancho o fone do aparelho da cozinha enquanto ele falava com o amigo no aparelho do próprio quarto, e, portanto, soubesse desde o início para onde iria e o que faria. Chocado como estava, pensou em uma confirmação dos poderes paranormais da irmã e assustou-se ainda mais. Assustou-se e, portanto, negou. Irene insistiu: por que não diz? Você se sentiria melhor. Marco negou de novo, mas determinou que, se ela perguntasse mais uma vez, ele abriria o jogo, só que Irene – fatalidade – não fez mais nenhuma pergunta: foi embora bruscamente, tal como havia chegado, e o deixou ali, como um palerma, incapaz até de se levantar da cama para virar o disco, uma vez que "Laughing" tinha acabado e era a última faixa do lado A do elepê (*If I Could Only Remember My Name*), e a agulha arranhava ameaçadoramente o sulco final.

Tchhh. Tchhh. Tchhh.

Como teria sido sua vida se ele tivesse respondido às perguntas de Irene ou se ela tivesse perguntado de novo? E, sobretudo, como teria sido a vida de Duccio Chilleri?

Sim, porque talvez, *talvez*, falar com Irene sobre a coisa mais louca que lhe havia acontecido realmente lhe permitisse nunca mais fazê-lo com mais ninguém; confessar a ela, inteligentíssima, as dúvidas que haviam começado a atormentá-lo sobre um universo realmente atravessado por forças ocultas, das quais seu amigo de infância realmente teria posse, talvez lhe permitisse dissipá-las. Marco esperou que, nos dias seguintes, a irmã voltasse a tocar no assunto, mas foi em vão – Irene não o fez. Esperou ser descoberto, convocado, interpelado pela imprensa e pelas autoridades, de modo que a questão se tornasse de domínio público, independentemente de sua vontade, mas ninguém deu o ar da graça. Tentou encontrar palavras para falar a respeito ao menos com seu amigo, mas essas palavras não existiam, e seu amigo nem era mais seu amigo. Por fim, tentou guardar todo aquele nó para si mesmo, mas nem isso conseguiu fazer. Falou, e o fez de maneira errada, desleal, um dia antes de sair de férias, com dois velhos amigos que quase não via e que tentou encontrar por acaso – mas não foi por acaso. Foi, de propósito, depois do jantar, ao bar da Piazza del Carmine, que sabia que eles costumavam frequentar, e o fez tomado por uma espécie de exaltação sinistra, como a do ex-viciado que decidiu voltar a se drogar. Dois velhos amigos com os quais não havia mais nada que conversar a não ser sobre os velhos tempos, as velhas proezas, as velhas chamas, as velhas aventuras do Inominável... Como não conseguiu fazer as coisas certas, fez a errada – a mais errada de todas.

O que fez?

Deixando-os perplexos, ou melhor, chocados, contou-lhes o que por dois meses não havia dito a ninguém, e o fez como se tivesse sempre sido um deles e concordado com eles – como se não tivesse sempre lutado bravamente contra aquele misto de cinismo e superstição com o qual Duccio Chilleri havia sido rotulado como pé-frio. Relatou exatamente as terríveis palavras pronunciadas pelo Inominável contra aqueles pobres coitados ("Vocês estão mortos! Vocês já estão mortos e querem me matar também!"); descreveu com imensa compaixão o alívio letal com o qual as comissárias de bordo, sem saberem de nada, fizeram-nos descer do avião; e descreveu a si mesmo como uma pessoa arrastada por uma profunda e perturbadora conversão – como aquele-que-havia-recebido-um-sinal-divino. Não era típico dele fazer isso e, de fato, não era o que queria fazer ou, pelo menos, não era o que pretendia fazer ao sair de casa, mas naquela noite, ao conversar com aqueles dois velhos amigos, despejar sobre eles sua angústia e impressioná-los como nunca havia impressionado ninguém, foi o que fez. E, ao fazer isso, entregou o amigo que salvara sua vida ao destino fatal que ele combatera e negara por anos – um destino do qual, a partir daquele momento, Duccio Chilleri já não poderia escapar pelo resto de sua vida.

No dia seguinte, sujo e leve como nunca estivera, foi à praia para se apaixonar por Luisa Lattes.

Uma desculpa errada (2010)

Quarta-feira, 20 de maio

Boa noite. Por favor, eu gostaria de saber se este ainda é o número do doutor Marco Carrera. Desculpe o incômodo

20:44

Sim, ainda é o meu número. Quem é?

20:44

Olá, doutor Carrera. Sou Carradori, ex-psicanalista de sua, imagino, ex-mulher. Espero não o incomodar por entrar em contato com o senhor depois de tanto tempo, mas, se eu o estiver incomodando, peço que me diga sinceramente e aja como se eu nunca lhe tivesse escrito. Do contrário, eu gostaria que me dissesse qual o melhor horário para conversarmos, amanhã ou quando preferir, pois preciso falar com o senhor

20:45

Pode me ligar amanhã de manhã, por volta das 9h30, mas com uma condição

20:49

Qual condição?

20:49

Que insira imediatamente "pelo" antes de "incômodo"

20:50

Digo numa boa, ok? Não se ofenda

20:50

Peço desculpas. Eu queria dizer desculpe pelo incômodo. Até amanhã. Obrigado

20:54

Até amanhã

20:54

Como foi (2010)

– Alô?
– Bom dia, doutor. Aqui é o Carradori.
– Bom dia.
– O senhor pode falar?
– Sim, posso.
– Não estou incomodando?
– Não, não está. Como vai?
– Bem. E o senhor?
– Também estou bem, sim.
– Ótimo, fico feliz.
– Me diga uma coisa, doutor Carradori: o senhor não se ofendeu ontem por causa do "desculpe o incômodo", não é? Porque eu estava brincando, mas nessas mensagens curtas nem sempre dá para entender quando alguém está brincando.
– Não, imagine. Fiquei envergonhado, isso sim, porque geralmente não cometo esses erros, mas ontem, não sei por quê, aconteceu.
– Claro, acontece. Pensei melhor, e minha resposta me pareceu um tanto mal-educada, já que mal nos conhecemos.
– Fique tranquilo, nem me passou pela cabeça ficar ofendido. O senhor também disse que estava brincando.
– Melhor assim. O que posso fazer pelo senhor?
– Bem, para ir direto ao ponto, o senhor poderia me contar como foi. Se não tiver nada contra, é claro.

– Como foi o quê?
– Sua vida. A vida de vocês. Nesses anos.
– Nada menos do que isso?
– Sim. Mas, antes, talvez seja melhor eu lhe dizer como foi a minha. Pode ser?
– Pode, claro.
– Porque, poucos meses depois que... enfim, depois do nosso encontro, dez anos atrás, deixei a profissão. Acabou. Fim. Em linguagem técnica, isso se chama *burnout*. Para simplificar, digamos que eu já não conseguia me encaixar no sistema de regras do qual havia saído ao procurar o senhor.
– Foi por culpa minha, então.
– Foi por *mérito* seu. Sabe que nem consigo mais pensar em trabalhar como analista? Eu não era livre. A psicanálise é uma armadilha.
– Nem precisa me dizer. E o que tem feito?
– Psicologia em emergências. Entrei em um programa na OMS que se ocupa de prestar assistência psicológica às populações afetadas por eventos catastróficos.
– Puxa vida! Que interessante!
– Nesses anos, fiquei muito pouco na Itália.
– Sorte sua.
– Acabei de voltar do Haiti, por exemplo. E daqui a duas semanas volto para lá.
– Um horror aquele terremoto.
– O pior desastre da História Moderna, pode acreditar. Algo que não podemos sequer imaginar.
– Imagino. Quer dizer, não...
– É um trabalho de verdade, doutor Carrera, realmente necessário. Pessoas que perderam tudo, crianças, velhos, que ficaram sozinhos no mundo e têm de viver, porque assim

estabelece o destino deles. Não é só um problema material. Pode acreditar, ajudá-los a conceber a própria vida é a coisa mais útil que eu poderia fazer.

– Acredito.

– Mas, confesso, muitas vezes nesses anos, apesar do enorme trabalho a ser realizado, das dificuldades, das privações e das frustrações, com frequência, porque em muitos lugares do mundo o psicólogo é rejeitado, especialmente por aqueles que mais precisam dele, enfim, apesar de uma vida plena, por assim dizer, muitas vezes nesses anos, juro que me peguei pensando no senhor.

– É mesmo? E por quê?

– Bem, em primeiro lugar porque, como eu disse, o senhor está ligado à razão pela qual me afastei da minha profissão. Enfim, se eu não o tivesse procurado naquele dia, se não tivesse decidido violar as regras que até então eu sempre havia respeitado, minha vida não teria mudado. E só Deus sabe o quanto era necessário que mudasse. Mas, sobretudo, pensei muitas vezes que não tinha mais nenhuma notícia do senhor, da sua filha, da sua esposa... da sua ex-esposa, certo? Vocês se separaram? Nem isso eu sei.

– Sim, sim, nos separamos.

– Está vendo, doutor? Depois de ter abandonado as regras impostas pela profissão que eu desempenhava, um vazio como esse deixa de ser suportável. Preciso saber o que aconteceu com a vida de vocês, pois intervim ativamente em vez de apenas observar, como eu deveria ter feito. O que aconteceu com vocês?

– Ela não me matou, como o senhor pode constatar.

– Já é alguma coisa.

– Nem eu a matei.

– Que bom. E o que aconteceu?

— Pois é, o que aconteceu: aconteceram tantas coisas... Aconteceu que veio à tona tudo o que o senhor já sabia, mas eu não, e nos separamos. Antes tarde do que nunca. Aconteceu que ela me acusou de coisas infames para conseguir fugir e foi morar na Alemanha com aquele sujeito, do qual certamente o senhor sabe muito mais do que eu.

— E a menina?

— Levou junto a menina, que, diga-se de passagem, hoje tem vinte e um anos. Mas não deu certo, por assim dizer, e no ano seguinte ela voltou à Itália para viver comigo.

— Graças a Deus. Eu insistia em sugerir isso a ela, sabe, quando ela, enfim, elaborava aquelas intenções que contei ao senhor. Eu insistia para que deixasse a menina com o senhor e fosse viver a vida dela com aquele homem, sem arrastá-la junto. E o outro filho? O que ela estava esperando quando deixou de ir ao meu consultório, que fim levou?

— Nasceu em Munique. É uma menina. Greta. Mas foi justamente quem complicou as coisas. Além do fato de que Adele, bem, também não ficou muito atrás...

— Como assim?

— É que retomou o fio. O senhor se lembra do fio nas costas, quando ela era pequena? A Marina lhe contou?

— Sim, claro.

— Então, nós o tínhamos eliminado com a ajuda de um colega seu, antes que Adele entrasse no ensino fundamental. Mas na Alemanha o fio voltou, e ela não saía mais de casa. Assim, eu a trouxe de volta para a Itália, para viver comigo.

— E o fio desapareceu de novo.

— Claro. Durante anos acreditei que fosse um reflexo ligado à esgrima, mas seu colega tinha razão, a esgrima não tinha nada a ver. O problema era eu.

— Entendo. E agora, como está?

– Adele?
– Sim.
– Bem. Está bem, sim.
– E sua ex-mulher?
– Ela não está bem. Ficou em Munique, mas se separou também do pai da outra menina. Não pode mais trabalhar, entre e sai das clínicas. Está seguindo uns tratamentos bem sérios.
– Sérios quanto?
– Honestamente, não sei. Sérios. Sei que, a partir de certo momento, começou a ver Adele só uma vez por ano, no verão; passavam duas semanas juntas em uma espécie de sanatório, na Áustria. Mas faz alguns anos que não a vê mais.
– Xiii... então aconteceu o pior.
– Eu diria que sim. É uma espécie de alma penada. Olhe, com todo o mal que ela me causou, não consigo ter ressentimento, porque ela literalmente desmoronou.
– E o senhor, como fez para cuidar sozinho da menina? Ficou em Roma? Foi morar em outro lugar?
– Doutor Carradori, como faço para lhe contar dez anos pelo telefone?
– Tem razão. Só me diga uma coisa, então: houve muita dor?
– Eu diria que sim. Bastante, sim.
– E agora? Passou? Pelo menos aquela profunda? Pelo menos para vocês dois, já que, para sua ex-mulher, temo que não passará nunca?
– Doutor Carradori...
– Só me diga se vocês levam uma vida normal, pelo menos vocês dois. Me diga pelo menos isso.
– Bem, sim. Vivemos uma vida quase normal.
– Vocês conseguiram.

– Essa é uma coisa que nunca se pode dizer, mas, sim, se entendo o que o senhor está pensando: não fomos aniquilados.
– Obrigado, doutor Carrera.
– Por quê?
– Por ter me dito essas coisas. De verdade. E me desculpe pela intrusão.
– Que intrusão, que nada! Foi um prazer conversar com o senhor. É que é impossível contar os anos assim, pelo telefone.
– Tem razão, não vou lhe perguntar mais nada, prometo. Só vou lhe dizer que eu estava aflito sobretudo pelo senhor e pela sua filha, porque, em relação à sua ex-mulher, eu sabia que não dava para ter nenhuma ilusão. Infelizmente.
– Pois é.
– Posso lhe perguntar uma última coisa, doutor Carrera? Não tem nada a ver com essa história, mas é algo que não sai da minha cabeça desde que nos vimos, dez anos atrás.
– Sim, claro.
– É uma bobagem...
– Diga.
– O senhor se chama Marco, certo? Marco Carrera. E é de 1959, como eu. Certo?
– Sim.
– De Florença.
– Sim.
– E jogava tênis quando jovem.
– Sim.
– Participava de torneios?
– Sim.
– Em Rovereto? Participou de algum torneio em Rovereto? Estou falando de 1973, 1974.
– Claro que sim. Era um torneio importante.

– Então, é o senhor mesmo. Rovereto, 1973 ou 1974, não me lembro do ano. Primeira rodada. Marco Carrera vence Daniele Carradori por 6-0 6-1.

– Está brincando...

– Sempre achei que o senhor me fez jogar aquele único *game* de propósito, para não me dar 6-0 6-0. Não se lembra, não é?

– Honestamente, não.

– Claro. Havia uma boa diferença entre nós. E, sabe de uma coisa? Mais uma vez, foi o senhor que me fez largar o tênis.

– Como assim? Jura?

– Sim. Depois daquela sova, na primeira rodada, com um *game* jogado apenas porque o adversário me deixou vencer, eu me dei conta de que o tênis não era para mim. Pelo menos, não naqueles níveis. E parei de me atormentar, de treinar e de participar de torneios. Essa também foi uma libertação.

– Entendo.

– Pelo visto, o senhor é quem me liberta das armadilhas.

– Terei sempre muito orgulho disso. O tênis de competição realmente é uma armadilha terrível. Larguei dois anos depois, do mesmo modo, levando 6-0 6-0 na primeira rodada do Torneo Avvenire. Meu adversário não me deixou nem mesmo um *game* de cortesia.

– Puxa vida!

– E sabe quem era? Sabe quem me libertou?

– Quem?

– Ivan Lendl.[5]

---

[5] Tenista tcheco naturalizado americano, foi um dos mais vitoriosos jogadores dos anos 1980 e do início da década de 1990, tendo sido o nome que ocupou durante mais tempo a primeira posição do ranking mundial. (N. E.)

— Não acredito.

— E ele era um ano mais jovem do que eu. Magro feito uma vassoura e com um único uniforme, que usou para jogar contra mim. Acho que foi o pessoal do Clube Ambrosiano que lhe forneceu os uniformes de troca. Ele venceu o torneio.

— Que história! Não está gozando da minha cara, não é?

— Juro que não.

— Bom, então isso lança um lampejo de glória também na minha carreira de tenista. Apenas um grau me separa do Lendl. Obrigada por ter me contado.

— É a velha história de sempre. O problema é ficar sabendo das coisas.

— Justamente. Agradeço.

— Então, agora o senhor vai voltar para o Haiti.

— Daqui a duas semanas, sim. Alguns trabalhos não podem ser interrompidos por mais de quinze dias.

— Nesse caso, lhe desejo um bom trabalho.

— Para o senhor também. E, mais uma vez, obrigado.

— De nada. Dê notícias quando voltar.

— Se está me pedindo, dou, sim.

— Acabei de pedir.

— Então, pode deixar.

— Até mais.

— Até.

Você não estava (2005)

Luisa Lattes
21, Rue la Pérouse
75016 Paris
França

Florença, 13 de abril de 2005.

Cara Luisa,

acabei de acordar de um sonho muito intenso, no qual você era a protagonista, e a única coisa que posso fazer é contá-lo a você.
Éramos jovens e estávamos em um lugar como Bolgheri, mas não era Bolgheri, não tinha nada a ver, embora todos nós nos sentíssemos em casa. E digo "todos nós" porque no sonho aparecem umas pessoas, mas eu estou sempre sozinho, do começo ao fim. Era um lugar de praia, mas, de novo, não havia praia: havia, antes, uma paisagem de outono americano, uma estrada incrivelmente longa, em descida, debaixo de árvores de folhas alaranjadas, e, no chão, um espesso tapete de pétalas de flores. Eu descia por essa estrada, sozinho, correndo, mas com roupa de cidade, com um casaco de camurça: à minha direita, havia casarões e jardins; à esquerda, as árvores; e, atrás delas, o mar – mas não dava para vê-lo e, para dizer

a verdade, nem para ouvi-lo; por isso, no fundo, não existia. No fim da estrada, quando a descida acabava, ficava sua casa, onde muitos convidados jovens se divertiam na piscina, embora não houvesse piscina. Os jovens eram aqueles com os quais você saía quando nos conhecemos, florentinos da gema, festeiros, de vinte anos, mas não eram eles. Com certeza eu não havia sido convidado. Já meu irmão, Giacomo, sim, havia sido convidado e entrava pelo portão com a toalha no ombro, olhando para mim com pena. Mas, sobretudo, Luisa, lá estava você, porque você estava em toda parte, porque todo aquele lugar era você, e você era tudo, desde o início da estrada, lá em cima, desde as árvores alaranjadas e a extraordinária colcha de pétalas sobre as quais se caminhava, e sua voz marcava um encontro comigo no final da tarde, depois da festa para a qual eu não havia sido convidado, "às quinze para as oito"; no entanto, Luisa, como Bolgheri, como o mar, como a piscina, você não existia. E eu fiquei dividido, partido ao meio: por um lado, a decepção por não ter sido convidado para a festa na piscina; por outro, o alívio de saber que não havia nenhuma piscina e, provavelmente, nenhuma festa; por um lado, a adoração por você, que estava em toda parte e tornava aquele lugar maravilhoso; por outro, a decepção com sua ausência, pois você não estava ali. Por um lado, a esperança absurda de ter minha parte de você naquele encontro marcado às quinze para as oito; por outro, a tristeza de ver Giacomo e os outros entrarem no seu jardim sem poder segui-los. Sua voz, Luisa, mantinha tudo unido, inclusive a mim, inclusive minha vida, uma espécie de voz em off, que chegava a pintar toda aquela beleza, mas você não existia. Não existia. Não existia.

Acordei com um sobressalto, cinco minutos atrás, e logo me pus a te escrever, porque não há outro modo de te dizer como estou. E, embora desperto, ainda estou dividido, Luisa, ainda estou partido ao meio: por um lado, estou feliz por existir um lugar no mundo onde você receberá esta carta; por outro, estou infeliz porque esse lugar não é aqui, onde acordei, onde estou te escrevendo, onde vivo e viverei todos os dias.

Um beijo,

Marco

Só que (1988-1999)

Como se faz para narrar a deflagração de um grande amor quando se sabe que acabou mal? E como se faz para descrever aquele, entre os dois, que é enganado – porque já no início há um engano –, sem que pareça um idiota? No entanto, é preciso narrar como Marco e Marina se conheceram, se apaixonaram, foram morar juntos e se casaram – só que será melhor não se afeiçoar à narrativa porque, a partir de certo ponto, ela não será mais a mesma. Foi assim que aconteceu. Foi assim que todos – todos, menos um, ou melhor, *uma* – acharam que aconteceu.

  Tudo começou com a participação de uma ex-comissária de bordo da falida companhia aérea iugoslava Koper Aviopromet em uma transmissão televisiva da Rai Uno, chamada de *Unomattina*, na primavera de 1988, durante a qual a jovem de nome Marina Molitor (de nacionalidade eslovena, naturalizada italiana e que, nesse meio-tempo, passou a trabalhar na Lufthansa como atendente em solo no aeroporto Leonardo da Vinci, em Roma), contou uma história comovente. De fato, era ela, e não sua colega Tina Dolenc, quem deveria estar em serviço no DC-9-30 que caiu no mar nove anos antes, na tragédia de Larnaca, mas havia sido substituída por ela no último instante para poder doar a medula à sua irmã mais velha, Mateja, que sofria de leucemia, no hospital Forlanini, em Roma.

Esse ato de generosidade (doar a medula não é brincadeira, menos ainda naquela época), concebido para salvar a vida da irmã, acabou salvando a ela própria e custou não uma, mas duas vidas: a da mencionada colega, morta em seu lugar no desastre aéreo, e a da própria irmã, que, não obstante, morreu poucos meses depois, após uma rejeição que tornou o transplante inútil. A jovem chorou ao contar sua história. Só que...

Quis o destino que Marco Carrera, inveterado não espectador de televisão, naquela manhã estivesse com 38,5 ºC de febre e em vez de ir, como todos os dias, ao hospital oftalmológico do Piazzale degli Eroi, onde prestava serviço desde que passara no concurso, no ano anterior, logo após terminar sua especialização, se jogasse no sofá de seu apartamento de um dormitório na Piazza Gian Lorenzo Bernini, no bairro de San Saba, atordoado pelos antibióticos, e ficasse cochilando na frente da televisão. Quis ainda o destino que sua televisão, quase sempre desligada, sobretudo de manhã, estivesse sintonizada na Rai Uno. E quis ainda o destino que Marco Carrera despertasse do torpor no qual havia precipitado justamente quando Marina Molitor contava sua história. Pois bem, é impossível uma pessoa se tornar necessária na vida de outra de maneira mais inesperada do que essa. Aquelas duas coincidências nefastas (ambos haviam perdido uma irmã mais velha e escaparam do mesmo desastre aéreo) fizeram com que Marco Carrera se apaixonasse de imediato por aquela jovem em lágrimas (sem dúvida, sua comovente beleza também ajudou).

No dia seguinte, empanturrado de paracetamol, não teve dificuldade para descobri-la no aeroporto, junto ao balcão de passagens da Lufthansa, onde ela dissera que trabalhava (não foi em relação ao seu trabalho que havia mentido), e, diante dos olhos maravilhados da moça, fazer a quadra no pôquer que o destino lhe havia servido. Resultado: um alvoroço imediato na vida alvoroçada de ambos e um sem-número de outras prodigiosas afinidades, descobertas durante uma tarde, além, obviamente, de uma atração física irresistível. A partir desse momento, o tempo os engoliu, e ir viver juntos, conceber uma filha, vê-la nascer e casar-se formaram uma coisa só, ao longo de apenas doze meses. Só que...

O pequeno apartamento da Piazza Bernini, o ninho de amor de ambos, depois o da Piazza Nicoloso da Recco, com um terraço aberto sobre Roma, a cumplicidade, o compartilhamento, a intimidade cada vez mais profunda, os domingos de inverno passados na cama, brincando com a filha e, quando a filha dormia, fazendo amor; aqueles de primavera, visitando Castelli, o lago de Bracciano, Fregene, Bomarzo, ou apenas fazendo piqueniques na Villa Pamphilj, na Villa Ada, na Villa Borghese, mas também as viagens rápidas pela Europa, aproveitando as passagens com desconto às quais Marina tinha direito, Praga, Viena, Berlim, a vidinha simples de ambos, os dois salários que davam acesso a pequenos luxos, como a babá ou a esposa do porteiro, que fazia faxina e preparava a comida, os Natais em Florença, nas ruínas da família dele, que Marco se iludia em reavivar um pouco com a própria felicidade, embora não fosse assim; as semanas em Koper, na casa da mãe dela, viúva de um policial, que tratava Marco como um salvador, um herói, um presente do céu, e isso também poderia ter despertado nele alguma dúvida, mas não despertou; a filha, que crescia e começava a se parecer com ambos, com Marina pela cor e pelo desenho dos olhos, e com Marco pelos cachos e pela forma do nariz, e que também começava a falar e a andar; depois, a surpresa de ter um fio preso às costas – e, portanto, os primeiros problemas, enfrentados, porém, com serenidade, coragem, confiança no futuro e disponibilidade para o sacrifício, a fim de que sua união saísse fortalecida, porque, quando há união, tudo se resolve, e, para fortalecer as famílias, nada melhor do que resolver os problemas juntos.

Só que...

Só que estava tudo errado, desde o início, tudo fingimento. É comum acontecer isso quando os casais se formam, depois as famílias – só que, nesse caso, o fingimento realmente era demais, e patológico demais; e o desastre, inevitável. Há que se dizer que nenhum dos dois era inocente. Aliás, foram justamente o fio preso às costas de Adele Carrera e o percurso realizado sob a condução do doutor Nocetti, com o objetivo de eliminá-lo, a romper a bolha que, até então, os havia protegido. Foi a inversão dos papéis que curou a menina – o pai que cuidava dela e a mãe que cuidava de si mesma – a provocar as fissuras que fizeram tudo desabar; mas, se a causa não tivesse sido essa, teria sido outra, com certeza, pois nesse vínculo realmente não existia nenhuma base, tampouco havia o futuro que Marco acreditara que haveria.

Nenhum dos dois era inocente. Não o era Marco, que, em seu desejo de felicidade, subestimou tudo por anos, todo sinal, todo ato, sistematicamente. E não se tratava apenas de não conseguir sequer vislumbrar a ruína para a qual estava galopando: sua responsabilidade também se estendeu à tola convicção de que alguns de seus comportamentos altamente destrutivos, que começaram um dia, em Paris, com um telefonema que não deveria ter feito a uma pessoa que não deveria ver, não produziriam consequências. Ao contrário, produziram muitas. Aconteceu que, em Paris para um congresso, Marco Carrera se viu pensando em Luisa. Não que naqueles anos não tivesse pensado nela: pensou, e muito, praticamente todos os dias, mas eram sempre pensamentos vagos e resignados com o que poderia ter sido e não foi, extenuados pela distância e posteriormente atenuados todo verão, em agosto, quando Luisa reaparecia diante dele, em Bolgheri, na praia, com o marido e os filhinhos – primeiro um, depois dois –, já distante, a cada ano mais distante da criatura que Marco havia adorado no período mais trágico de sua vida. No entanto, naquela tarde de céu muito alto, ele pensou nela como algo próximo e possível, e lhe telefonou do Hotel Lutetia, onde estava hospedado, durante uma pausa do congresso. Evocou uma de suas superstições românticas, que nunca funcionavam: se o número não fosse mais aquele, ou se ela não atender, ou se atender, mas não puder me ver, nunca mais vou ligar para ela. Não funcionou, pois o número ainda era o mesmo, Luisa atendeu no segundo toque e, meia hora depois, entrava no bar do Lutetia, onde ele lhe havia proposto encontrá-lo – empolgante e intacta, como se viesse diretamente do passado. Marco não a via desde o mês de agosto anterior, mas não falava com ela de verdade desde os tempos em que tinham deixado de se escrever, antes ainda que Marina entrasse em cena, quando um incidente dele com a República Italiana, durante uma tentativa de encontrar Luisa em Paris (que não deu certo porque Marco Carrera foi confundido com um terrorista homônimo foragido, pertencente aos Proletários Armados pelo Comunismo, depois, obrigado a descer do trem Palatino à uma da manhã, na fronteira ítalo-francesa, detido por um dia no quartel da Guarda de Finanças de Bardonecchia, levado para Roma em um furgão reservado, com quatro policiais de escolta, encarcerado no presídio Regina Coeli, interrogado sem advogado de defesa por dois procuradores-adjuntos, que pareciam os dois ratinhos das *101 histórias zen* – um alto e outro baixo, um do norte e outro do sul, um velho e outro jovem, um louro e outro moreno – e, por fim, brutalmente liberado, assim, com um "cai fora" e um chute no traseiro, sem nem sequer um pedido de desculpas), quando esse incidente, como estávamos dizendo, convenceu ambos de que um destino feroz os perseguiria sempre que tentassem ficar juntos e, a partir de então, desistiram. Mas é verdade que, se uma história de amor não termina ou, como nesse caso, nem sequer começa, ela continuará a perseguir a vida dos protagonistas com sua ausência de coisas não ditas, ações não realizadas, beijos não dados: é sempre verdade, mas, sobretudo, foi verdade para eles, pois, depois daquela tarde, daquele passeio pela Rue d'Assas e daquela inocente conversa, Marco e Luisa voltaram a se ver, o que, no caso deles, significou que voltaram a se escrever, com frequência, apaixonadamente, de maneira antiquada, como havia acontecido até dez anos antes e depois não mais. E isso não era nem um pouco inocente, pois ambos já estavam casados, tinham filhos, tinham de mentir. E pouco importa se a escalada que teve origem naquela tarde foi interrompida um passo antes que produzisse a satisfação que revolucionaria a vida de ambos: aquilo foi apenas um ato de masoquismo. Não, a inocência no encontro deles, se é que houve algum dia, não existia mais. Voltaram a se ver mesmo durante o ano, pois Marco procurou participar apenas dos congressos realizados em um raio de quatrocentos quilômetros de Paris (Bruges, Saint-Étienne, Lyon, Louvain), onde Luisa pudesse ir até ele – e como o fazia, o que inventava para o marido não era dito. De dormir em dois hotéis diferentes, passaram a reservar dois quartos diferentes no mesmo hotel, até que, fatalmente, viram-se passando a noite no mesmo quarto, em Lyon, em 24 de junho de 1998: e, enquanto no estádio de futebol local, denominado Stade de Gerland, a seleção francesa vencia a Dinamarca na fase final dos campeonatos mundiais, os dois, em seu quarto de número 554 do Collège Hôtel, 5 Place Saint-Paul, comiam um *club sandwich*, sentados na cama, assistindo a um filme antigo de Jean Renoir no canal Arte; e, terminado o filme, enquanto debaixo da janela os franceses comemoravam a vitória com um desfile de automóveis, eles selavam o próprio amor impossível com o ato masoquista supremo, *o voto de castidade*, concluído com insano entusiasmo enquanto, no walkman dela, com um fone de ouvido para cada um, ouviam a pungente versão de "Sacrifice", cantada por Sinéad O'Connor – "*and it's no sacrifice / just a simple word / it's two hearts living / in two separate worlds*"[6] –, na ilusão de que, sacrificando-se dessa forma, não estariam fazendo nada de mal, não estariam traindo ninguém nem destruindo nada. Nunca tinham feito amor e juraram um ao outro que nunca o fariam. Beijaram-se uma noite apenas – *aquela* noite, dezessete anos antes, enquanto Irene morria afogada nos Redemoinhos – e juraram um ao outro que nunca mais o fariam. Ele com trinta e nove anos, ela com trinta e dois, foram capazes de dormir na mesma cama sem se abandonarem ao que ambos desejavam havia anos, sem se beijarem, sem se acariciarem, sem nem mesmo se tocarem, sem fazerem absolutamente nada. Dois imbecis.

---

[6] Não é sacrifício, / apenas uma simples palavra; / dois corações vivendo / em mundos separados. (N. T.)

Mas, se Luisa tinha consciência de que seu casamento estava condenado e de que qualquer ato que realizasse contra ele, mesmo que fosse apenas recuperar a remota paixão por Marco Carrera e alimentá-la com aquela retórica infantil da abstinência, a encaminharia para uma nova vida, Marco acreditava realmente que poderia manter intactos seus dois grandes amores, acreditava realmente que fossem compatíveis. Acreditava realmente que bastaria *não consumar* seu amor por Luisa para não prejudicar seu amor por Marina, e essa foi sua colossal ingenuidade – tão colossal que se tornou culpa. Acreditar que algo tão intenso, que deixava sinais concretos – cartas escondidas que pediam apenas para serem encontradas, extratos bancários do cartão de crédito que esperavam apenas serem controlados e, mais adiante, e-mails arquivados na pasta "Conselho de Medicina" e trocas de SMS nem sempre completamente apagadas, que ressuscitavam como cadáveres do pântano ao toque casual de uma tecla –, acreditar que tamanha quantidade de documentos pudesse passar inobservada aos olhos de uma mulher como Marina Molitor foi um erro realmente crasso. Convencido de que o único perigo que ameaçava sua família era sua paixão por Luisa Lattes e de que ela estava sob controle, Marco Carrera cometeu esse erro e seguiu adiante, dia após dia, até quebrar a cara. Se é verdade que ninguém merece o que aconteceu a ele, também é verdade que ele chegou muito perto de merecê-lo.

Em relação a Marina, contar sua história é mais fácil. Basta colocar um belo "não" diante de tudo o que ela disse e mostrou a respeito de si mesma, e a missão está cumprida: *não* foi substituída por nenhuma colega no avião que caiu – simplesmente, naquele dia, estava de folga; *não* doou a medula à irmã – não era compatível; *não* se apaixonou por

Marco Carrera – apenas se deixou levar pelas consequências das próprias invenções; *não* ficou nem um pouco feliz com a gravidez – só orgulhosa de dar uma netinha para sua amada mãe; *não* foi nem um pouco feliz com Marco, nunca, em todos aqueles anos; ao contrário, acumulou em relação a ele um surdo e silencioso rancor; *não* foi fiel a ele, nem mesmo antes da relação fatal; e assim por diante. Simplesmente, *não* era a pessoa que se esforçava para ser, lutando uma dura batalha cotidiana. Toda manhã, Marina se levantava da cama e já começava a lutar. Todo dia. Consigo mesma. Com as próprias pulsões. Todo santo dia. Por anos e anos. A bolha que a seu marido dava a ilusão de felicidade, a ela garantia proteção contra o monstro que sempre quis devorá-la. Com o passar do tempo, foram vários os termos para indicar esse monstro e essa bolha, dependendo da formação do especialista que a tratava. Querendo adotar os utilizados por seu último terapeuta italiano, o doutor Carradori, a bolha deve ser chamada de *discurso*; e o monstro, *fora de discurso*. Pois bem, discurso e fora de discurso já estavam presentes e a governavam quando, ainda menina, de vez em quando ela dizia à professora, à mãe de uma amiga, à catequista que sua mãe e sua irmã haviam morrido e ela havia ficado sozinha no mundo. O luto era seu discurso. A depressão, a autolesão, a agressividade e a dependência (de substâncias, de sexo) eram o fora de discurso. Por isso, após uma adolescência tumultuada que, no entanto, não a impediu de conquistar o título de Miss Koper em 1977, nem de se tornar, no ano seguinte, a mais jovem comissária de bordo da pequena companhia aérea de seu país, o único período de paz que Marina conheceu em toda a sua vida havia sido gerado pela verdadeira morte de sua irmã mais velha – porque a leucemia a afetou de verdade e a levou embora de verdade. Essa tragédia foi seguida por anos de luto verdadeiro, e como para Marina o luto era o discurso, aqueles foram os únicos anos bons de sua vida. Os únicos anos bons foram os de luto – vale ressaltar. Mas o luto se extingue espontaneamente, mesmo quando nos esforçamos para mantê-lo vivo, e, após alguns anos, o monstro voltou a tomar conta da vida dela. De novo drogas. De novo sexo. Uma suspensão do trabalho por motivos disciplinares – na Lufthansa, onde, nesse meio-tempo, havia sido admitida. Era preciso fazer alguma coisa. O fato de ter conhecido casualmente uma roteirista do programa *Unomattina* gerou a ocasião: a história a ser repetida diante das câmeras era comovente, verossímil; o duplo luto, lamentado em sua aparição televisiva, tornou-se seu novo discurso. Queria apenas isso, Marina: queria apenas um luto no qual se refugiar; no entanto, essa história a lançou em um novo discurso, dessa vez, mais sólido, mais articulado e surpreendente, pois nunca concebido – o casamento. Como já foi dito que ninguém era inocente, convém esclarecer que sua mãe sabia muito bem de seu distúrbio, mas, como boa expoente da pequena burguesia eslovena, que, como todas as pequenas burguesias do mundo, considerava o casamento da filha com um médico a cura de todos os males, nada disse a Marco Carrera. Nem sequer passou por sua cabeça pensar em fazê-lo. Simplesmente, viu a salvação naquele homem e o venerou. E ver a mãe venerar Marco Carrera encorajava Marina a levantar-se todos os dias e lutar para fazê-la feliz. Só que...

Só que, um belo dia, a mãe de Marina morreu – prematuramente, aos sessenta e seis anos, de câncer no fígado. Perfeito, diriam alguns: um novo luto para Marina, verdadeiro, real, com o qual ela poderia seguir adiante por um bom tempo, talvez até para sempre. Mas não: essa morte, a morte da única pessoa que Marina Molitor havia amado em sua vida, a dilacerou. Não houve luto, mas raiva. Como assim? Todos os sacrifícios que ela havia feito pela mãe lhe pareceram ultrajados por essa sua fuga tão covarde. Que ousadia, a dela, morrer! E como a obediência de Marina poderia sobreviver a ela? Afinal, Marina tinha a impressão de que o discurso no qual se esforçava todos os dias para permanecer – aquele matrimônio triste, que havia levado adiante para que os outros fossem felizes – fosse, nem mais nem menos, uma ordem de sua mãe. Por ainda ser muito bonita, Marina também era muito cortejada por vários galanteadores – sobretudo no trabalho ou diante da escola de Adele, enquanto se ocupou dela, ou na academia em que se inscreveu quando, por causa do fio, Marco passou a cuidar da menina. Qual o sentido de ser *virtuosa*, então, se sua mãe estava debaixo da terra, sendo devorada pelos vermes? Voltou a dar para meio mundo. E, claro, nessas puladas de cerca – rapidinhas em cartórios desertos ou em quartos de hotel, bem como maravilhosas pausas para o almoço com sua esteticista de nome Biagia, uma suburbana vulgar do bairro de Mandrione, miudinha, toda tatuada e grande provedora de orgasmos –, Marina, que no discurso era heterossexual, mas fora dele era bissexual, reencontrava a alegria de viver de verdade, que para ela estava no risco, na devassidão, fora das malditas bolhas; mas ser mãe a freava, e ela ficava assustada só de pensar em misturar aquela desordem esplendorosa com os beijinhos na testa da filha, presa a um fio como uma marionete. Por isso, esforçou-se para encontrar outro discurso, para voltar à segurança, para não perder o controle. Uma relação. Uma relação estável, sim, com o galanteador no topo da hierarquia, como lhe teria sugerido sua mãe, um coroa grisalho e bronzeado, comandante da Lufthansa, com vinte e cinco mil horas de voo, mulher e duas filhas adolescentes em Munique, uma casa em Roma e outra nos Alpes austríacos, além de uma contagiosa paixão pelo *bondage*. Viam-se uma, no máximo duas vezes por semana – de acordo com o calendário dos voos dele, de média distância, centrados em Roma –, à tarde, na casa dele, na Via del Boschetto, e se divertiam, ah, sim, se divertiam muito. Marina contava tudo ao doutor Carradori com escandalosa sinceridade, e, por causa dessa sinceridade, ele realmente acreditava que poderia deter a deriva que a ameaçava. Às vezes, a repreendia; outras, a surpreendia mantendo o silêncio diante dos absurdos que ela lhe contava, mas, com toda a certeza, sempre acreditava nela: estava convencido de ter estabelecido um precioso canal de verdade com aquela mulher que havia transformado o fingimento em linguagem e de que esse canal era o único verdadeiro discurso ao qual Marina poderia ser direcionada, com a esperança de nele permanecer. De resto, essa situação tão precária parecia resistir: um ano, dois, dois anos e meio. Só que...

Só que Marco não percebia nada, não suspeitava de nada, deixava-se enganar com muita facilidade, e, quando uma mulher como Marina se perguntava por quê, não precisava esforçar-se para encontrar a resposta. Começou a procurar e logo encontrou as cartas: o idiota as guardava debaixo da tampa da caixa que continha as cinzas de sua irmã (que Marco havia conseguido obter no necrotério do cemitério de Trespiano, em Florença, onde, por cinquenta mil liras, um funcionário de nome Adeleno era conhecido por se mostrar disponível a violar a lei, abrir a urna selada, proveniente do forno crematório, e entregar ilegalmente as cinzas aos parentes que as requisitassem). Ou seja, ela nem chegou a fazer uma tentativa em vão, acertou no alvo logo de cara; em seguida, foi a vez do correio eletrônico, dos extratos do cartão de crédito, das contas dos hotéis, tudo. Por isso ele não percebia nada: o babaca estava tendo um caso com aquela vagabunda debaixo do seu nariz. Havia anos, caramba. Havia anos. Usavam um endereço de posta-restante, como no século XIX. No verão, em Bolgheri, faziam-se de bobos, mal se falavam, para não dar na vista, mas, durante o ano, viam-se e muito. Pensavam um no outro, sonhavam um com o outro, citavam canções e poemas um para o outro, sussurravam palavras doces, aquele nhe-nhe-nhem – na prática, fazia dezoito anos que se amavam, e achavam que poderiam se safar só porque não faziam sexo. Filho da mãe. Filha da mãe. Filhos da mãe. E ela se sentindo culpada...

Ora, chega a ser constrangedor comparar o que Marina mantinha escondido de Marco com o que ele escondia dela: não é sequer a história do homem de fuzil que encontra o outro com a pistola – na verdade, aqui se trata de uma bomba contra um estilingue. No entanto, a descoberta dessa traição – pouco importava se os dois imbecis não transavam, era uma traição, nas cartas se diziam coisas que davam vontade de vomitar – carregou Marina de uma maldade que ela nunca tivera e que fez dela uma pessoa realmente perigosa. Arremessada de novo para fora do discurso, a rede lançada pelo doutor Carradori já não era capaz de contê-la: a autolesão se combinou com a agressividade; a inteligência, com a crueldade; a sensibilidade, com a maldade; e Marina fez o que fez, e o que fez só foi menos terrível do que aquilo que por um triz não conseguiu fazer. Era uma criatura selvagem, Marina, selvagem e irrefreável:

para ela, sair definitivamente de qualquer discurso era o mesmo que voltar para casa após toda uma vida no exílio, e a onda de choque produzida por esse retorno não poupou nenhuma das pessoas que se encontravam no raio coberto por sua dor. Pois uma coisa é certa: Marina sofreu. Sofreu de maneira atroz com a morte da mãe e sofreu ao descobrir a traição de Marco. Sofreu muito ao fazer o que fez depois, sofreu ainda mais por não ter conseguido fazê-lo como queria e, por fim, depois de feito, sofreu assustadora e inefavelmente, e já sem salvação, quando se viu sozinha no centro da cratera que sua fúria havia produzido.

Só que, de novo, Marco viria a entender isso somente muitos anos depois, quando tudo se tornaria claro para ele, mas, a essa altura, de nada serviria. Entenderia que a culpa era sua. Ela havia apenas inventado um luto, mas ele caíra em cima dela e a arrastara com a história de que eram feitos um para o outro. Não eram feitos um para o outro. Na verdade, ninguém é feito para ninguém, e pessoas como Marina Molitor não são feitas nem para si mesmas. Ela só estava procurando um refúgio, um discurso para seguir adiante por mais algum tempo; ele estava buscando a felicidade – nada menos do que isso. Ela sempre mentira para ele, é verdade, e isso é ruim, é péssimo, porque a mentira é um câncer e se propaga, e se enraíza, e se confunde com a própria substância que corrompe – mas ele havia feito algo pior: acreditara nela.

Pare antes (2001)

Luisa Lattes
21, Rue la Pérouse
75016 Paris
França

Florença, 7 de setembro de 2001.

Diga-me, Luisa,

você mudou de ideia porque te ofereceram o contrato na Sorbonne ou porque sou muito rígido e intransigente? Com quais palavras na boca devo me lembrar de você: "te amo, mas não consigo fazê-lo" ou "todo homem tenta fazer coincidir a própria mulher com o próprio sintoma"? Não sei se você percebeu, mas você me deixou, supondo que estivéssemos juntos, e, ao me deixar, você usou duas línguas, duas razões, uma dupla potência de fogo. Na prática, você me deixou duas vezes, e isso me parece excessivo.

Por que, em vez disso, não dizemos que, após esse ano selvagem que passamos juntos, e infringimos todas as regras que havíamos imposto a nós mesmos, e galopamos diretamente para o cerne da questão, e o cerne da questão éramos nós dois, Luisa, você e eu juntos, você e eu FELIZES, quando chegou o momento de voltar para dentro das quatro paredes, por assim dizer, nos perdemos? Perdemo-nos porque apareceram aquelas razões práticas que eu e você, em vinte anos, nunca tivemos de enfrentar. Conseguimos muito bem não ficar juntos: quando finalmente pudemos ficar juntos, não conseguimos. Por que não dizer assim?

Eu, Luisa: no ano passado, estava desesperado, era um sobrevivente; vagava pela Europa como o judeu errante, apenas para passar um fim de semana com minha filha. Roma, Florença, Munique, Paris, para mim era tudo igual, porque eu já não tinha nada a perder. Minha força era, pura e simplesmente, a do desespero: uma força enorme e selvagem, como você pôde constatar, pois foi a você que a enderecei.

Você: estava na gaiola e não conseguia sair. Conseguia apenas mentir, a você mesma, a seu marido, a seus filhos, e mentir te mantinha na gaiola. Mas você salvou minha vida por um ano inteiro: aquelas segundas-feiras que passávamos juntos em Paris e aquele agosto em Bolgheri literalmente salvaram minha vida, e, ao me salvar, você parou de mentir, deixou seu marido, fez tudo o que nunca tinha encontrado forças para fazer. Saiu da gaiola.

Nunca fui tão feliz como fui com você quando estava desesperado: se naquela época você tivesse me dito o que disse ontem à noite, eu teria ido direto para os Redemoinhos, como Irene, juro. Mas nem passava pela sua cabeça me dizer aquelas coisas, você me dizia as palavras mais lindas que já me foram ditas e se dava conta perfeitamente de que nunca havia sido amada nem nunca mais seria amada como te amei naquele meu tempo desesperado. Porque foi um tempo desesperado, Luisa, maravilhoso e desesperado. E acabou. Por que não dizer assim?

Ainda te amo, Luisa, sempre te amei, e meu coração fica literalmente partido ao pensar em te perder novamente:

mas entendo o que aconteceu, o que está acontecendo; entendo e não posso impedi-lo. Só posso aceitar a sua decisão: tenho de novo minha filha agora, tenho de aceitar tudo. Mas te peço: vamos parar por aqui. Não venha me dizer que a razão pela qual está me deixando tem a ver comigo, como você tentou fazer na outra noite, e eu fugi: mesmo que seja assim, por favor, Luisa, não seja tão sincera, pare antes. Não destrua tudo só porque não quer mais dividir a sua vida comigo. Naquelas horas felizes, quando éramos infelizes, apenas conversamos a respeito: mas você não me prometeu nada, não precisa se sentir culpada. Agora você está livre e pode abrir qualquer porta, partir ou ficar, mudar de ideia quantas vezes quiser, sem destruir nada. É suficiente saber que te ofereceram um contrato; é suficiente saber que seus filhos sofreriam em Florença. É suficiente saber que não posso me mudar para Paris. Não há necessidade de acabar comigo.

As palavras que você me sussurrava até poucos meses atrás são a coisa mais bonita que já me aconteceu: deixe-me ficar com elas.

Lembre-se de que você é boa, Luisa. Pare antes de se tornar má.

Teu

Marco

Sobre crescimento e forma (1973-1974)

Certa noite, na casa da Piazza Savonarola, Marco, Irene e Giacomo Carrera ouviram os pais brigarem. Nunca acontecia de brigarem abertamente: na maioria das vezes, faziam isso às escondidas, sussurrando, para não serem ouvidos pelos filhos, com o resultado de serem ouvidos apenas por Irene, pois Irene os espionava. Para Marco e Giacomo foi a primeira vez. O tema da discussão era Marco, mas ele e seu irmão não se deram conta disso: somente Irene sabia, pois havia seguido a briga desde o início, enquanto os dois se uniram a ela atrás da porta do quarto da mãe somente quando começaram os gritos. O fato é que Marco não havia crescido de maneira regular: desde o primeiro ano de idade, seu desenvolvimento físico permanecera achatado nos percentis mais baixos e, a partir dos três anos, saiu realmente dos diagramas. No entanto, sempre foi muito bonito e proporcionado, o que, segundo Letizia, indicava uma intenção precisa da natureza em relação a ele – destacá-lo da multidão, diferenciá-lo, para deixar claro que lhe havia atribuído dons muito raros. Segundo ela, não restavam dúvidas de que a harmonia que o menino sempre encarnara – tudo bem, ele era miudinho, mas, ainda assim, brilhante, gracioso e, mesmo que fosse um pouco forçado dizer isso de um menino, *viril* – era inerente a um ritmo de crescimento completamente distinto; de fato, também seus dentes de leite caíram muito tarde. Não havia razão para se preocupar. De resto, tão logo esse déficit se mostrou evidente, ela inventou para seu filho o apelido mais tranquilizador de todos, *colibri*, para salientar que, além da baixa estatura, em comum com esse gracioso pássaro Marco também tinha, justamente, a beleza e a velocidade: física – notável, de fato –, que lhe vinha bem a calhar no esporte; e mental – declarada, mais do que qualquer outra coisa – na escola e na vida social. Por isso, ano após ano, ela sempre repetia o mesmo mantra: não havia razão para se preocupar, não havia razão para se preocupar, não havia razão para se preocupar.

Probo, ao contrário, ficou logo preocupado. Enquanto Marco era criança, esforçou-se para acreditar nas palavras tranquilizadoras da esposa, mas quando a adolescência começou a despontar sem que o corpo do filho manifestasse a intenção de desenvolver-se conforme o esperado, sentiu-se culpado. Como eles dois puderam deixar tudo por conta da natureza? Aquilo nada tinha de colibri, era uma doença. Como podiam ser loucos a ponto de não se preocuparem? O que não estava funcionando em Marco? Começou a interrogar a ciência, inicialmente, de maneira geral, sem expor o menino – mas depois, quando ele completou catorze anos, tornou-se realmente insuportável para Probo vê-lo empoleirado na pequena Vespa como um beduíno em cima de um camelo, e resolveu envolver o filho. O resultado foi uma série de consultas, exames e análises diagnósticas, ao fim da qual se estabeleceu que Marco sofria de uma forma de hipoevolutismo estatural (ah, muito obrigado, isso estava na cara) moderado e não grave (menos mal, mas isso também estava na cara), devido à insuficiente produção do hormônio do crescimento. O problema era que, naquela época, não havia tratamento: existiam protocolos experimentais, geralmente circunscritos a casos de hipoevolutismo grave, ou seja, nanismo. Somente um especialista, entre os tantos consultados, um pediatra endocrinologista de Milão, de nome Vavassori, declarou que poderia ajudá-los, graças a um programa que estava desenvolvendo havia alguns anos com resultados – garantiu – muito encorajadores. Eis a razão da briga. Probo comunicou a Letizia que tinha a intenção de inserir Marco nesse programa, Letizia replicou que era uma loucura, Probo rebateu que loucura era ter deixado que as coisas se dessem por conta própria durante todos aqueles anos, Letizia insistiu na história da harmonia e do colibri – e até aí haviam discutido em voz baixa, como sempre, e somente Irene os ouvira. A briga entrou em uma fase totalmente nova quando Letizia, para reforçar a própria tese sobre a necessidade de não interferir na natureza, mencionou um livro, aliás, não um livro, mas *o livro*, fetiche de sua geração de arquitetos ou, pelo menos, daqueles da sua panelinha, vale dizer, os mais inteligentes e internacionais, visto que devia ser lido em inglês, pois nem tinha sido traduzido em italiano: *On Growth and Form* [Sobre crescimento e forma], de D'Arcy Wentworth Thompson. A essa altura, um grito feroz sacudiu o casarão da Piazza Savonarola, geralmente silencioso, chegando, nítido e incongruente, aos ouvidos dos dois irmãos que assistiam à televisão: "ENFIE ESSE THOMPSON NO CU, ESTÁ OUVINDOOO?!".

A partir de então, a briga seguiu adiante como uma controvérsia acadêmica, mas gritada a plenos pulmões e recheada de insultos: os dois irmãos não estavam entendendo, Irene ria maliciosamente e não explicava. Letizia chamou Probo de pobre imbecil, Probo replicou dizendo que ela citava aquela merda de livro, mas nem sequer o tinha lido, assim como não o tinha lido nenhum daqueles professores babacas que o mencionavam a três por dois; Letizia viu-se, então, obrigada a resumir em palavras compreensíveis para um mentecapto o sentido do capítulo intitulado "Magnitude", no qual se demonstra, *matematicamente*, que, na natureza, forma e desenvolvimento são ligados por uma intrínseca e indissolúvel lei harmônica, e Probo a chamou de malandra, pois ela sempre citava esse capítulo, ou seja, o primeiro, pois era o único que havia lido; e assim por diante. A briga durou um bom tempo, indo muito além da faísca que a havia gerado – empregando, por parte dela, conceitos que um engenheiro fracassado não podia sequer sonhar em compreender, como a mandala junguiana e a arteterapia steineriana, e, por parte dele, reiterando sempre o mesmo convite, ou seja, o de enfiar a mandala e a arteterapia, bem como Jung e Steiner, no mesmo orifício destinado pouco antes a *On Growth and Form*. E foi ainda mais longe: Letizia estava farta, farta de verdade, não aguentava mais. Farta do quê, porra? Do esforço que tinha de fazer para suportar um babaca como ele. Pois que ela soubesse, então, o tamanho da encheção de saco que era para ele aguentar as besteiras dela. Ah, vá à merda. Vá você. Os dois meninos se preocuparam: os pais pareciam estar mesmo se separando. Mas Irene, em vez de perder tempo preocupando-se, agiu: "Que diabos deu em vocês?", gritou, batendo à porta, "Parem com isso!". Seus irmãos fugiram imediatamente para a sala, mas Irene não arredou o pé e permaneceu ali, junto à porta, para enfrentá-los. Já era maior de idade: na sua maneira de ver as coisas, ninguém deveria ir embora daquela casa antes dela – portanto, nada de separação. Sua mãe foi até a porta, pediu desculpas, seguida por seu pai, que também se desculpou. Irene olhou para ambos com desdém, disse apenas que, por sorte, Marco não havia entendido qual era o motivo da briga, o que foi suficiente para determinar (isso só pode ser dito a posteriori, mas pode ser dito) o futuro de ao menos três membros da família, para não dizer de quatro ou dos cinco: o de seus próprios pais e o de Marco, com certeza.

Com efeito, perturbados por terem levado uma bronca da filha, Probo e Letizia se sentiram tão culpados, tão mortificados e egoístas, que remendaram imediatamente o rasgo causado por aquela briga na rede tecida ao longo dos anos com tanto esforço e tanta hipocrisia em torno de seu ninho. De fato, havia algo de incansável e imodificável em sua relação, que eles nem sequer conseguiam explicar: nem Letizia à sua analista, durante as tumultuadas sessões que, havia anos, se concentravam justamente em sua incapacidade de separar-se de Probo, nem Probo a si mesmo, em seus longos e solitários dias à mesa de trabalho, com a mão firme, o olhar aguçado, o assobio no nariz de fumante e a mente que vagava longe, até abraçar por inteiro toda a sua desmesurada infelicidade. Por que continuavam juntos? Por quê, se no referendo de poucos meses antes ambos haviam votado pelo divórcio, com convicção? Por quê, se já não se suportavam? *Por quê?* Medo, poderíamos pensar – mas medo de quê? Sem dúvida havia medo, mas não era o mesmo medo – portanto, isso também os separava. Havia algo mais, algo desconhecido e indizível, que os unia – um único e misterioso ponto de contato, que mantinha ativa a promessa feita quase vinte anos antes, *quando desabrochavam as violetas,* como dizia uma canção de Fabrizio De André, lançada pouco antes – pouco antes em relação à briga, não à promessa, que era muito mais antiga, embora fosse exatamente a mesma: "Nunca vamos nos deixar, nunca, nunca". De resto, essa canção que falava deles também os separava, como tudo, e, como tudo, ao separar os dois, parecia desmembrar a família inteira, pois: Letizia e Marco a ouviam (mas separadamente, com discos e em toca-discos separados, sem nem mesmo que um soubesse da outra); Giacomo e Irene, não (um porque era muito pequeno, e a outra porque a achava maçante); e Probo ignorava placidamente sua existência. Mas não fazia diferença: os dois continuavam juntos, a família não se desmembrava, e o nó, cada vez mais frouxo, não se desatava. A faixa se intitulava "La Canzone dell'amore perduto" [A canção do amor perdido], mas o amor deles nunca se perdia; terminava com as palavras "por um amor novo", mas, para eles, nunca houve um amor novo.

Sem dúvida, a intervenção de Irene durante a briga entre seus pais tornou a uni-los. Sem dúvida, como já dito, determinou o futuro deles e o de Marco. Pois, a partir daquele momento, prevaleceu definitivamente a prudência, prevaleceu a compaixão, prevaleceu o esforço de negar o bem a si próprios em prol do chamado, e suposto, bem dos filhos. Não que pudesse funcionar; afinal, a Letizia e Probo não faltava inteligência para compreender uma coisa: a infelicidade permanece tal como é, mesmo que se torne uma escolha, e, se a partir de certo dia passa a ser o único verdadeiro produto de um matrimônio, é ela que se transmite aos filhos. No entanto, justamente a inteligência os protegeu da ilusão de que a infelicidade era um acidente que acontecia a eles de maneira inesperada, pois, se observassem o próprio passado com um mínimo de honestidade, ambos seriam obrigados a reconhecer que de felicidade nunca houvera nem sombra: sempre foram infelizes, mesmo antes de se conhecerem; os dois sempre produziram a infelicidade de modo autônomo, como certos organismos fazem com o colesterol, e viveram juntos o único breve intervalo de felicidade que conheceram na vida, no início de sua união, quando se apaixonaram, se casaram e tiveram filhos. Naquela noite, pararam de brigar no mesmo instante e permaneceram juntos, sem se suportarem, ferindo-se e brigando em voz baixa pelo resto dos seus dias.

No que se referia a Marco, esforçaram-se para atender às demandas um do outro. Letizia trabalhou duro para renunciar ao que sua analista chamava de o *mito do colibri* (o filho homem que permanecia criança, sua graça e sua beleza que permaneciam inacessíveis a qualquer mulher que não fosse ela etc.) e para aceitar o ponto de vista de Probo, segundo o qual era preciso fazer tudo o que fosse cientificamente possível para ajudá-lo a crescer – sacrificando nesse altar as brilhantes convicções em matéria de crescimento e forma, amadurecidas com a leitura (integral, independentemente do que dissesse Probo) de D'Arcy Wentworth Thompson. Probo tentou receber os juros corridos da situação não como uma afirmação pessoal, que o teria deixado ainda mais sozinho, mas como uma inesperada ocasião para voltar a compartilhar algo importante com a mulher, que, apesar de tudo, ele ainda amava. Por isso, levou Letizia a Milão, ao consultório do doutor Vavassori, para que ela o conhecesse e fizesse uma ideia de sua seriedade; encarregou-a de verificar por conta própria a solidez do percurso terapêutico que ele apresentava e se comprometeu a levar em conta a opinião dela ao amadurecer a decisão definitiva. Letizia repetiu sozinha toda a pesquisa que Probo – também sozinho – havia feito nos meses anteriores e se deu conta de que o protocolo proposto pelo especialista de Milão era efetivamente a única possibilidade séria que a comunidade científica da época era capaz de oferecer para ajudar Marco a crescer. Não foi como ter feito a pesquisa juntos, mas, pelo menos uma vez depois de tanto tempo, percorreram o mesmo caminho.

Primeira carta sobre o colibri (2005)

Marco Carrera
Via Folco Portinari, 44
50122 Florença

Paris, 21 de janeiro de 2005.

Marco, como você está?

Não me tome por louca, por favor, nem por hipócrita ou coisa pior, se apareço assim, do nada, como se nada fosse. É que sinto sua falta. Sinto sua falta. Bastou um verão, apenas um, sem ter ido a Bolgheri para eu me sentir sufocada. Percebo que preciso ver você, mesmo que apenas de relance, como sempre aconteceu todo mês de agosto há vinte e cinco anos; preciso conversar com você, mesmo que seja apenas para trocar duas palavras na praia. Preciso escrever para você. Resisti por três anos, não resisto mais: cabe a você decidir se vai me responder ou não. Saiba que, se não o fizer, terá minha compreensão, pois fui eu que me distanciei de você. Não me esqueci disso. Mas não é por isso que te escrevo, Marco. Te escrevo porque na semana passada esteve aqui uma amiga, que ficou por alguns dias antes de seguir viagem para Nova York, e trouxe uma cópia do jornal "Il manifesto" de algumas semanas atrás, porque nele havia uma reportagem sobre uma mostra relativa ao império asteca no Guggenheim, que ela queria ver. E essa reportagem é muito bonita, fala de animais sagrados, de sacrifícios humanos e do fato de que, para os astecas, o fim do universo inteiro estava próximo e era inelutável, mas poderia ser adiado se aos deuses fosse oferecido sangue humano. E, de repente, ao final, produzindo uma surpresa que fez meu coração disparar, fala de você.

"Diferentemente do hinduísmo, do islã e do cristianismo, nos quais o destino após a morte (reencarnações, paraíso, inferno) depende de como se viveu, para os astecas, o destino ultraterreno de cada um dependia de como e de quando a pessoa morria – exceto no caso dos reis, que eram deuses. O destino mais infeliz era o de quem morresse de velhice ou por doença: sua alma se precipitaria no nono e mais baixo nível do inferno, no escuro e empoeirado Mictlan, onde permaneceria até o fim dos tempos. Já quem morresse afogado ou fulminado por um raio iria para Tlalocan, reino de Tlaloc, o deus da chuva, onde viveria em meio a comida farta e copiosas riquezas. As mulheres que morressem no parto, ou seja, dando à luz futuros guerreiros, se uniriam ao sol por quatro anos, mas depois se tornariam espíritos assustadores, que à noite sempre vagariam pelo mundo. Por fim, os guerreiros mortos em batalha e as vítimas imoladas em sacrifício se uniriam aos ajudantes do sol em sua batalha cotidiana contra as trevas. Mas, depois de quatro anos, se transformariam em colibris ou borboletas.

E hoje, quando toda a civilização asteca afundou no Mictlan, ainda nos perguntamos que raio de povo era aquele cuja máxima satisfação após uma morte heroica era tornar-se um colibri."

Desculpe, Marco. Fiz uma grande confusão.
Desculpe.

Luisa

未来人 (2010)

Miraijin, que em japonês significa o *Homem do Futuro*, nasceu em 20 de outubro de 2010. Ou seja, para quem repara nessas coisas – e sua mãe, Adele Carrera, reparava –, em 20.10.2010. Esse nome e essa data estavam prontos desde que Adele comunicou ao pai que estava grávida. "Vai ser o homem novo, *papà*," disse-lhe (tinha crescido em Roma, dizia *papà*[7]), "vai ser o Homem do Futuro. E vai nascer em um dia especial." "Entendi," respondeu Marco Carrera, "mas quem é o pai?" Adele não disse. Mas como, mas por quê, mas que modos são esses, mas como você acha que: nada. Não disse. Adele era uma moça íntegra, de bem – o que, considerando o que havia passado, era um milagre –, mas também obstinada e, quando tomava uma decisão, inflexível. Nesse caso, já tinha tomado a decisão: não existia pai, ponto-final. Marco Carrera entendeu que não valia a pena insistir, entrar em conflito, impor-se: pela enésima vez em sua vida, encontrava-se diante do imprevisto, e havia aprendido que imprevistos devem ser aceitos. Mas não foi fácil. Tinha criado a filha esforçando-se para que ela se sentisse livre, desenvolvesse o próprio ponto de vista sobre as coisas, e, por isso, sempre imaginando que

---

[7] Em Florença, cidade do protagonista Marco Carrera, a forma mais usual para "papai" é *babbo*. (N. T.)

ela não tardaria a bater as asas – ele havia se preparado para isso. No entanto, descobriu que ela não tinha nenhuma intenção de bater as asas: queria ficar com ele. Disse-lhe isso com todas as letras e uma candura constrangedora: não tenho a menor intenção de me separar de você, *papà*, você foi um pai magnífico, ainda é, e, se é comigo, também vai poder ser com Miraijin, o Homem do Futuro. Mas como, mas que história é essa, mas o que você está dizendo, mas é diferente: nada.

Marco nutria um sentimento muito complexo em relação à filha: obviamente, ele a amava mais do que a qualquer outra coisa – e era verdade que, desde que a levara para morar consigo, dedicou-se a ela, sacrificando praticamente tudo; no entanto, também sentia pena dela ao pensar no estado ao qual sua mãe havia se reduzido e sentia-se culpado por não ter sabido dar a ela a vida normal à qual toda criança tinha direito; também se preocupava com ela, com sua estabilidade, embora o fio, que havia reaparecido em Munique durante o *annus horribilis*, tivesse desaparecido definitivamente assim que ela se mudou para Florença e, nos nove anos seguintes, Adele não tivesse mais demonstrado o menor sinal de afastamento da realidade. Marco tinha vivido aqueles nove anos de um só fôlego, e, pensando bem, eram incríveis o otimismo e a sensação de leveza que deles resultaram, considerando-se que também haviam sido os anos nos quais ele perdera Luisa, renunciara à carreira acadêmica, seus pais adoeceram e morreram um após o outro, ele reencontrara Luisa, rompera definitivamente com seu irmão e perdera Luisa novamente. Haviam sido um único e espantoso bloco de tempo, vivido constantemente à base de subterfúgios, por assim dizer, e que ele passou levantando-se de manhã bem cedo, trabalhando como um mouro, fazendo as compras, cozinhando, realizando um milhão de pequenas coisas cotidianas, cuidando de sua filha, de sua mãe, de seu pai e de todo o rebanho de coisas que o circundava. Marco havia *mantido unido* um pequeno e frágil mundo que, sem ele, teria se dissolvido com um sopro, e isso lhe deu uma força e um orgulho que, no passado, ele nunca conhecera; e, nesse meio-tempo, havia se preparado para ver esse mundo se dissolver igualmente, pois *todo termina*, ele sabia muito bem disso, e Veneza seria completamente submersa pela água ao longo de um milênio, *todo cambia*, e ele também sabia muito bem disso, e, após cerca de treze mil anos, devido ao fenômeno conhecido como "precessão dos equinócios", o Polo Norte na esfera celeste não seria mais indicado pela Estrela Polar, e sim pela Vega; mas havia vários modos de acabar e de mudar, e a ele havia sido dada a missão de ser o pastor que acompanha pessoas e coisas rumo ao fim digno, à mudança correta. Isso, por nove anos.

Naqueles nove anos, não houve um único dia desperdiçado, nem um só euro, nem um só sacrifício. Apesar dos inúmeros compromissos, naquele bloco de tempo ele havia encontrado um modo de incluir também momentos de pura paz, de puro divertimento, transmitindo, por exemplo, à filha sua paixão pelo mar – em Bolgheri, apesar das lembranças funestas, onde tudo havia permanecido como quarenta anos antes – e pela montanha – esquiando no inverno, mas não como havia feito quando menino, participando de competições e, ainda por cima, perdendo-as, mas desfrutando do prazer de se abandonar à força da gravidade em meio aos bosques e sabendo como fazê-lo sem correr riscos; e, no verão, caminhando naqueles mesmos bosques, como nunca fizera quando criança, procurando por animais selvagens para fotografá-los, possivelmente surpreendendo-os no único e brevíssimo instante em que se dignam a retribuir o olhar do homem antes de o classificarem como algo desinteressante e de voltarem a concentrar a própria curiosidade nas manifestações realmente importantes da criação: as pedras cobertas de musgo, os buracos na terra, as folhas caídas dos galhos. Adele retribuiu crescendo de forma saudável e cheia de vida, estudando com proveito nas mesmas escolas que ele havia frequentado, mantendo-se distante dos problemas que pululavam ao redor dos seus coetâneos e praticando muito esporte. Mas não esportes comuns. Depois de abandonar a esgrima, dedicou-se a um atletismo puro e não competitivo, direcionando as paixões básicas do pai pelo mar e pela montanha para as práticas que delas extraíam uma filosofia precisa de vida, o surfe e a escalada livre, para os quais descobriu ter grandes talentos. Isso a introduziu, ainda muito jovem, naquelas comunidades das quais não se sai mais, pois são comunidades mentais que reúnem em bando os não convencionais do mundo inteiro – Adele não era nada convencional, disso não restavam dúvidas –, que buscam praias, paredes, ondas e saltos memoráveis, mas, sobretudo, distância das inquietações burguesas, que torna os que a encontram menos propensos à infelicidade. Enquanto Adele era menor de idade, Marco a acompanhava com discrição a lugares extremos e lindos – Capo Mannu, La Gravière, Gorges du Verdon –, nos quais passava o dia inteiro por conta própria, fotografando animais ou observando de longe o grupo da filha enfrentar ondas e escalar, às vezes unindo-se a eles no jantar, mas geralmente jantando sozinho em algum lugar sugerido por seu *Guide Bleu* e aguardando o retorno da filhota ao *bed & breakfast* onde estavam alojados –, e Adele voltava sempre, espontaneamente, sem coerção, sempre sóbria e consciente da cautela que seus dezesseis anos sugeriam associar ao prazer da liberdade. Depois, já perto da maioridade, Adele começou a frequentar a tribo sozinha, e Marco aprendeu a ficar apreensivo durante suas ausências, a sentir-se sozinho e a desfrutar do seu reconhecimento quando ela voltava para encarar longos meses de estudo e trabalho. Porque Adele estudava e trabalhava. Inscrevera-se na Faculdade de Educação Física, que, por coincidência, localizava-se no pavilhão diante da clínica de oftalmologia do hospital de Careggi, onde Marco trabalhava, razão pela qual eles se viam com frequência e também com frequência almoçavam juntos; e havia começado a trabalhar meio período na academia onde treinava, dando aulas de ginástica aeróbica para senhoras da idade de Marco, mas também, quando a academia foi dotada com a parede equipada, um curso de escalada para crianças e iniciantes. Ganhava pouco, é verdade, mas certamente mais do que Marco conseguia tirar na idade dela com o jogo de azar em companhia do Inominável e, de todo modo, o suficiente para pagar sozinha pelas roupas, pela gasolina do Twingo e – não poderia faltar, mas, em seu caso, provavelmente também necessário – pelo psicanalista. Era realmente uma boa menina, mais do que ele poderia desejar, e era muito bonita – de uma beleza imediata e comovente, como a de sua mãe, mas mitigada por algumas graciosas imperfeições. Portanto, por tudo isso, ele tinha se preparado para vê-la bater as asas cedo. Tinha até mesmo planejado a separação: preparou-se para continuar a mantê-la por muitos anos – havia guardado dinheiro –, para lhe dar conforto e tempo de satisfazer as próprias paixões e especializar-se nos estudos, sem incorrer na preocupação das necessidades financeiras; também tinha se preparado para um dia vê-la deixar Florença, ou a Itália, ou a Europa, para talvez se estabelecer em algum paraíso no cu do mundo, e até chegou a acariciar a ideia de largar tudo para em algum momento ir ao seu encontro nesse outro lugar; também chegou a se preparar para vê-la grávida muito jovem, como de fato aconteceu, e para exibir uma expressão não muito contrariada quando ela lhe comunicasse o ocorrido, talvez apertando o braço de um daqueles rapazes de corpo perfeito que faziam parte de sua tribo. No entanto, como sempre acontece quando nos preparamos com antecedência para eventos futuros e pensamos que não negligenciamos nenhuma possibilidade, o gesto de Adele o pegou despreparado. "Vai ser o Homem do Futuro, *papà*." "Entendi, mas quem é o pai?" Nada. O Homem do Futuro nasceria sem pai, e Adele seria uma mãe solo satisfeita e cheia de vontade de viver, sem o menor remorso, a menor preocupação. Quanto à *função paterna*, essa seria desempenhada por ele, que tinha toda a competência para assumi-la.

Ora, de um lado, essa foi a maior declaração de amor que Marco Carrera já havia recebido, e ele não deixou de experimentar um prazer profundo, até sentir as pernas tremerem. De outro, porém, era evidente que havia algo inquietante nesse projeto. Nem era preciso evocar o fio atrás das costas para entender: o vínculo entre ele e Adele se revelava complicado, sobrecarregado, e o ambiente psicológico no qual Marco se via inserido desde menino, embora sempre rejeitado por ele, suscitou certos questionamentos. Não seria mórbido demais? Não seria *insano*? E se, por trás dessa recusa de Adele em dar um pai ao próprio filho, houvesse um dano sofrido após o desastre provocado por ele e Marina? Ou talvez algum tácito desastre pessoal seu, como havia acontecido com Irene, sem que ninguém percebesse – um abandono brutal ou a simples recusa, por parte do pai natural, em assumir a responsabilidade, recusa essa ocultada atrás daquela ousada proclamação de autarquia? E se Adele tivesse herdado da mãe a tendência a negar a realidade e a refugiar-se em uma bolha de fingimento? E se Marco Carrera fosse de novo chamado a responder pela estabilidade dessa bolha? E se fracassasse de novo? E, de todo modo, como cresceria esse homem novo, criado por uma mãe de vinte e um anos e um avô de cinquenta e um? Caso se tratasse de uma bolha, quanto tempo poderia durar?

Dali a poucos anos, o destino daria uma única e drástica resposta a todas essas perguntas, mas, naquele momento, era Marco Carrera quem tinha de responder à expectativa de sua filha, e não poderia ser uma resposta incerta. Seguiu o coração e aceitou tudo, passando a acreditar, ele também, na história do homem do futuro. Afinal, disse a si mesmo, por que não? Mais cedo ou mais tarde, esse homem novo terá mesmo de vir ao mundo, saindo de algum lugar. Lembrou-se de dois versos de João da Cruz que Luisa havia citado em uma remota carta de adeus (uma das tantas entre eles): "Para chegares ao que não sabes, / Hás de ir por onde não sabes".[8] Marco Carrera não sabia para onde iria nem fazia a menor ideia do lugar por onde passaria, mas, por amor à filha, decidiu passar por ele e ir até lá. Dali em diante, foi simples: tempos e obrigações foram ditados pela biologia, semana após semana, e Marco Carrera teve simplesmente de encontrar a justa distância a ser colocada entre si mesmo

---

[8] CRUZ, São João. *Obras de São João da Cruz*. Traduzida pelas Carmelitas do Convento de Santa Teresa do Rio de Janeiro. Petrópolis: Vozes, 1960. v. 1. (N. T.)

e o que acontecia no corpo de sua filha. Tinha apenas a experiência da gravidez de Marina, e a tomou como o todo do qual, por subtração, extrairia a parte a ser desempenhada. Acompanhá-la nos exames: sim. No curso de preparação para o parto: não. Colocar a mão na barriga para sentir os chutes: sim. Proibi-la de surfar ou escalar: sim. Aliviá-la de todas as incumbências práticas: sim. Contentá-la em seus caprichos de gestante: não. Amniocentese: não (Adele era contrária). Saber o sexo do bebê na ultrassonografia: não (idem). Nada de tabelas, nos moldes dos campeonatos de tênis, para decidir o nome ("Adele" havia sido escolhido dessa forma, vencendo "Lara" na final, que, na verdade, Marco teria preferido, uma vez que havia escolhido a especialização em oftalmologia por causa do Doutor Jivago, embora jamais tivesse confessado isso a alguém), porque o nome já havia sido decidido desde o início. Por outro lado, sim taxativo ao parto na água, com a devida obstetra – uma tal de Norma – e a devida estrutura de referência – o hospital de Santa Maria Annunziata –, também já taxativamente decididos por Adele; e, por conseguinte, não no de Careggi, onde era igualmente possível realizar o parto na água e onde Marco poderia garantir alguns privilégios à filha, e sim ao fato de que, nas biografias de Miraijin Carrera, o Homem do Futuro, dependendo do grau de precisão geográfica que se pretendesse alcançar, seria necessário escrever "nascido em Ponte a Niccheri", ou "nascido em Ponte a Ema", ou, de maneira mais burocrática, "nascido em Bagno a Ripoli", em cujo distrito o hospital selecionado se encontrava.

No entanto, sim a dedicar tempo e atenção a esse nome, Miraijin, e à sua origem, sobre a qual Adele pôde satisfazer toda a curiosidade de seu pai. Para começar, era composto pelos *kanjis* 未来 (transliterados com o sistema

Hepburn em "mirai", "futuro, vida futura", por sua vez produzido pela combinação de 未, "não ainda", com 来, "chegado"), e 人 ("jin", "homem, pessoa"). O homem do futuro, justamente. Em mandarim, os mesmos três *kanjis* se tornavam "wèilái rén"; em cantonês, "mei lai jan"; e em coreano, "mirae in"; mas o significado não mudava. Adele havia pescado esse nome em uma saga de mangás japoneses intitulada *Miraijin Chaos*, criada pelo grande Osamu Tezuka – ou seja, aquele que, segundo aprendeu Marco Carrera, era o "deus do mangá". Esse homem era o ídolo de sua filha, e ele nem sabia quem era – uma lacuna que, entretanto, foi preenchida pelo apaixonado relato feito por Adele de sua robusta biografia. *(Aqui vai ela, para quem estiver interessado:* 手塚 治虫, *isto é, Osamu Tezuka, nascido em Toyonaka City, cidadezinha do distrito de Osaka, em 1928, descendente direto do lendário samurai do período Sengoku Hattori Hanzō – 1541-1596 –, desde muito jovem fã dos filmes da Disney, que vê e revê dezenas de vezes – o mais visto teria sido "Bambi", cerca de oitenta vezes. Já no ensino fundamental, começa a desenhar histórias em quadrinhos, assinando-as com o pseudônimo "Osamushi", espécie de coleóptero adéfago com a qual, dada a semelhança com seu nome de batismo, se identifica – e já nessa época seus personagens são caracterizados pelo traço que, graças a ele, revolucionará o mangá, vale dizer, os "olhos grandes". Ainda menino, contrai uma rara e dolorosa enfermidade que incha seus braços e da qual se cura graças a um doutor que lhe transmite o desejo de também se tornar médico. Aos dezesseis anos, em 1944, vai trabalhar em uma fábrica para apoiar o esforço de guerra de seu país durante a Segunda Guerra Mundial. Aos dezessete, enquanto isótopos radioativos martirizam os sobreviventes de Hiroshima e Nagasaki, publica seus primeiros trabalhos, mas também inicia o curso de graduação na Faculdade de Medicina de Osaka, onde seu pedido de inscrição foi acolhido; aos dezoito, obtém os primeiros sucessos editoriais, em particular com a obra intitulada "Shin Takarajima", ou seja, "A nova Ilha do Tesouro", inspirada no romance de Robert Louis Stevenson, e, ao mesmo tempo, continua os estudos em medicina. Aos vinte e um anos, em 1949, publica sua primeira obra-prima aclamada, uma trilogia de ficção científica com os títulos "Zenseiki" [Lost World], "Metoroporisu" [Metropolis] e "Kitarubeki Sekai" [Next World]. Aos vinte e três, forma-se na Universidade de Osaka e publica "Ambassador Atom", obra na qual aparece pela primeira vez o Astro Boy, o meninorobô, destinado a se tornar seu personagem mais famoso. A partir desse momento, começa a transformar suas sagas em séries, primeiro passo rumo ao fatal desembarque no cinema de animação, enquanto continua os estudos, fazendo uma especialização e, em seguida, o doutorado. Aos trinta e um anos, em 1959, casa-se com Etsuko Okada, moça originária de seu distrito, mas chega muito atrasado à festa de casamento, porque estava empenhado em terminar algumas gravuras de um trabalho encomendado com urgência pelo editor. Aos trinta e dois, muda-se com a esposa para a periferia de Tóquio, onde constrói uma ampla casa-estúdio, que lhe permite reunir a família e acolher também seus pais idosos. Aos trinta e três anos, em 1961, após defender sua tese de doutorado sobre a espermiogênese e receber o título de PhD pela Faculdade de Medicina de Nara, antiga capital situada na ilha de Honshu, assiste ao nascimento de seu primogênito, Makoto, e inicia as obras para anexar à casa-estúdio o primeiro núcleo de seus estudos de animação, a Mushi Production. Entre os trinta e cinco e os quarenta anos, enquanto nascem as filhas Rumiko e Chiiko, com os parcos recursos do próprio estúdio independente cria a primeira saga de mangá de animação para a televisão – "Astro Boy", em branco e preto, sob o signo de uma proclamação que se tornaria tão famosa quanto ele: "Uma boa história pode salvar uma animação pobre, mas uma história pobre não pode ser salva por uma boa animação". A partir de então, seu talento começa a torná-lo célebre também no Ocidente, rendendo-lhe a estima e a visita de muitos mestres: Walt Disney, que ele havia conhecido durante a Feira Mundial de Nova York, em 1964, quer contratá-lo para a realização de um projeto de ficção científica, posteriormente abandonado; Stanley Kubrick, em 1965, que lhe propõe o papel de diretor de arte para "2001: uma odisseia no espaço", recusado a contragosto devido à impossibilidade de deixar a Mushi Production e mudar-se para a Inglaterra por um ano inteiro; e, mais tarde, durante um festival na França, Moebius, que fica fascinado com seu trabalho e aceita visitá-lo no Japão no ano seguinte; mas, sobretudo, o cartunista brasileiro Mauricio de Sousa, que se tornará seu amigo íntimo e será muito influenciado por seu estilo nos anos seguintes, até incluir, na prequela[9] de sua saga mais popular, a "Turma da Mônica", alguns de seus personagens, como o Astro Boy, a Princesa Safiri e Kimba. Tezuka publica a saga de Miraijin em 1978, em três volumes, antecipando de maneira bastante evidente a trama do filme "A outra face", gravado por John Woo quase vinte anos depois. É a história de um rapaz morto por um amigo que assume seu lugar em um programa espacial, no qual o assassino não havia sido admitido. O rapaz assassinado é ressuscitado por uma moça misteriosa; contudo, o assassino, que nesse meio-tempo*

---

[9] Obra literária ou cinematográfica que relata acontecimentos anteriores de determinada obra, muitas vezes revelando os mesmos personagens quando eram mais novos. (N. E.)

havia se tornado muito poderoso, consegue capturá-lo antes que ele possa retomar o posto que lhe cabe e o manda para o obscuro planeta Caos. Após lutas heroicas e sofrimentos indescritíveis, o rapaz consegue voltar também desse lugar para derrotar o amigo malvado e tornar-se o Homem do Futuro. Colecionador de coleópteros, apaixonado por entomologia, pelo Super-Homem, por beisebol e por música clássica, Osamu Tezuka dedica seus últimos trabalhos às figuras de Beethoven, Mozart e Tchaikovski. Morre três meses após ter completado sessenta anos, em fevereiro de 1989, de câncer no estômago, e suas últimas palavras, de acordo com o testemunho dos familiares que o assistem, dirigem-se à enfermeira que tira dele o bloco de desenho: "Por favor, me deixe trabalhar.")

Marco Carrera gostou desse personagem, assim como gostou da foto dele, que Adele guardava na agenda, com um belo rosto sorridente, óculos pretos com armação pesada, que Marco Carrera chamava de "óculos difíceis", e a boina na cabeça. Tranquilizava-o saber que um sujeito como ele estivesse relacionado à escolha de Adele de pôr um filho no mundo – até porque, pela idade e pelo imaginário, Tezuka parecia ligar-se diretamente a seu pai, o velho Probo, e à sua espaçosa coleção dos *Romanzi di Urania*; no entanto, essa simpatia pela pessoa não foi suficiente para fazer com que ele lesse as histórias em quadrinhos, como Adele lhe recomendava fazer – primeiro, porque eram em inglês e, segundo, porque ele nunca havia gostado de mangá e não tinha a intenção de mudar de ideia a esse respeito.

De modo geral, o Japão tinha muito a ver com esse homem novo que estava chegando. Marco entendeu isso quando os amigos de Adele, companheiros de surfe e escalada, começaram a visitá-la em casa e a ficar também para o jantar, uma vez que ela não podia acompanhá-los nas excursões. Nunca tinha acontecido antes, por isso, Marco nunca os vira dessa maneira, à paisana, em local fechado – e, no final, essa novidade também o tranquilizou, porque todos pareciam bastante normais e sensatos: enfim, sabiam se comportar também no mundo entediante dos oftalmologistas e da macarronada de forno, não falavam apenas de proezas físicas e de desafios à natureza. Eram educados, respeitosos. Gostavam de verdade de Adele. E todos amavam o Japão. Um, em particular, um tal de Gigio Dithmar di Schmidveiller, chamado de Migalha, destacava-se pelo carisma e pela competência: um rapaz louro e muito bonito, de modos tão nobres quanto seu sobrenome e excepcional nas escaladas (um pouco menos no surfe), mas, efetivamente, baixo, miúdo e leve o suficiente para merecer esse apelido quase difamatório, que Marco não pôde deixar de associar ao seu próprio, colibri, ainda utilizado por alguns de seus velhos amigos de infância, apesar do tratamento com hormônios que o fizera crescer de repente.

Esse Migalha falava indistintamente de samurais, xogunatos, livros de Murakami, filmes de Kurosawa, artes marciais, mangás, robótica, xintoísmo, sushi e cerimônia do chá, com ar de saber muito mais do que dizia; tinha uma voz bonita e uma linguagem rica, dava gosto ouvi-lo; e era estudante de engenharia, e não de língua, história e cultura japonesas, sinal de que havia buscado sozinho todo aquele conhecimento sobre o Japão por paixão – que, como todas as paixões, mostrava-se contagiante. Certa vez, disse uma coisa que Marco achou muito esclarecedora para compreender a escolha de sua filha: no Ocidente, para enfiar o fio no buraco da agulha, empurra-se o fio do peito para fora, enquanto no Japão se faz o oposto, o fio é conduzido de fora para o peito. A diferença, disse Migalha, estava toda nisto: Ocidente = dentro-fora, Japão = fora-dentro. Sem dúvida, esse Migalha era a fonte da paixão de toda a turma pelo Japão – e, portanto, aos olhos de Marco, ávidos por indícios mesmo depois de ter aceitado a escolha de sua filha, parecia outro *padrinho*, por assim dizer, outra referência masculina além dele próprio e de Osamu Tezuka, para esse seu neto que nascia sem pai. Para dizer a verdade, no início chegou a suspeitar que a criança pudesse ser fruto de sua costela, uma vez que Migalha era namorado da garota Alfa do grupo, chamada Miriam, mais velha do que Adele e muito amiga dela, razão que poderia muito bem justificar um segredo guardado com tanta obstinação; mas se convenceu de que não era possível, dadas a naturalidade e a leveza que Migalha manifestava em relação à gravidez de Adele. Também se perguntou se o pai não seria, por acaso, um dos outros, aquele Ivan de brinco cintilante, talvez, ou um que vinha menos, chamado Giovanni, bonito como o sol, que trabalhava como aderecista no cinema, mas também essas suspeitas logo se apagaram, sempre por causa do comportamento que os meninos – todos, tanto os homens quanto as mulheres – tinham com ela. Não, o pai não estava entre eles. Não era possível, porém, que não soubessem de nada, uma vez que o *malfeito*, como teria dito Probo Carrera, havia sido consumado no último mês de janeiro, durante uma das viagens deles para surfar entre Faro e Sagres, no Algarve, sul de Portugal, para onde todo inverno iam tribos de toda a Europa, atraídas pelas condições ideais, produzidas pela combinação de ondas gigantes das tempestades atlânticas com a proteção que o Cabo de São Vicente oferece àquelas praias. Mas, mesmo que a conhecessem, como era provável, tanto para eles quanto para Adele a identidade desse pai era realmente irrelevante, e nunca falavam a respeito; para eles e para ela, era totalmente sensato e natural que uma moça de vinte e um anos pusesse no mundo um filho daquele modo. Marco Carrera se esforçou para aderir a essa filosofia, embora ela contrariasse sua maneira de ver as coisas. Repetiu a si mesmo várias vezes o verso de João da Cruz, e uma noite até o citou durante o jantar, a todos aqueles jovens, justamente a respeito desse futuro que ninguém sabia direito como fazer para melhorar: "Para chegares ao que não sabes, / Hás de ir por onde não sabes". A citação lhe rendeu a admiração de todos, pois se encaixava bem na filosofia de vida deles, mas Marco Carrera continuava a pensar que a história era mais complicada.

Os meses voaram, e, no final, restava uma última decisão a ser tomada: deveria ser ele a se sentar, com as pernas imersas na banheira, abraçado a Adele durante as contrações e o parto, no lugar que cabia ao pai, não da gestante, mas do filho – sim ou não? Para Adele, não restavam dúvidas: sim. Obviamente, ela havia conversado a respeito com seu psicanalista – especificou –, mostrando, assim, que havia analisado a partir do próprio ponto de vista os motivos pelos quais Marco, do ponto de vista dele, poderia considerar a questão com certo constrangimento, e, como sempre em todos os momentos decisivos de seu relacionamento com as mulheres, Marco se sentiu cercado por aquelas – sabe-se lá quantas – horas em que haviam falado dele sem ele para chegarem a conclusões que diziam respeito a ele; mas, de novo, cedeu: sim, disse – esforçando-se para não demonstrar nem mesmo o oceano de incertezas que sua resposta tivera de atravessar. Assim, às onze da manhã daquele 20 de outubro, dia que, até então, havia sido a data de nascimento de poucas personalidades importantes da História – somente Arthur Rimbaud e Andrea della Robbia, pelo que Marco conseguira descobrir na Wikipédia –, mas que, naquele ano de 2010, de acordo com a profunda convicção de Adele, incontestavelmente passaria a ter o poder de afastar qualquer malefício, a previsão nunca posta em dúvida a respeito da expiração do prazo se revelou exata, e Marco Carrera se viu sentado com as pernas mergulhadas naquela banheira morna, junto à sua filha e à obstetra chamada Norma. Foi tudo muito mais rápido do que Marco, que não se esquecera do longuíssimo trabalho de parto de Marina, vinte e um anos antes, esperava. Também foi muito menos doloroso, a julgar pelos poucos e leves gemidos emitidos por Adele, bem como por seus movimentos fluidos ao mudar de posição para favorecer as contrações. Não sentiu nenhum constrangimento ao abraçá-la e segurá-la pelas axilas nem – e esta foi uma verdadeira surpresa – aquela sensação de impotência que permanecera associada à sua presença na sala de parto enquanto Adele vinha ao mundo em meio aos gritos e peidos de Marina. Ao contrário, Marco sentiu-se parte desse acontecimento, sentiu-se útil e estremeceu ao pensar que havia considerado a hipótese de não participar. Como sua filha havia sempre desejado e acreditado firmemente, tudo foi, de fato, *natural*, mas no significado literal e etimológico do termo, "daquilo que se refere à capacidade de gerar"; e, quando a expulsão se completou e a obstetra segurou o recém-nascido na água por mais dez, vinte, trinta segundos, ele não experimentou nenhuma ânsia, nenhuma impaciência: não tanto porque sabia que o líquido era o *habitat* do qual a criança provinha e a respiração era um reflexo que só se ativava quando deixava esse *habitat*, mas porque ele próprio estava imerso naquele líquido e sentia no próprio corpo em decadência o mesmo alívio que, naqueles mesmos instantes, invadia o corpo sólido e musculoso de sua filha e o tenro e novo em folha de Miraijin. Era a água a mantê-los unidos e a falar, tranquilizar e saber. Aquele meio minuto foi o lapso de tempo mais iluminado de toda a sua vida. Aquele caldo turvo que os continha, sua única experiência de família feliz.

Enquanto o recém-nascido era tirado da água e entregue à mãe, Marco Carrera se surpreendeu ao medir novamente toda a sua vida com o metro da experiência extraordinária que estava vivendo, espantado com o bem-estar que acabara de sentir, uma experiência que, em sua memória, evocava apenas luta, gritos e violência, e se perguntou por que o parto na água ainda era tão pouco praticado, por que não era escolhido por *todas*. Permaneceu em silêncio enquanto imprimia na memória Miraijin respirando tranquilamente pela primeira vez, lançando o primeiro vagido, abrindo os olhos (amendoados) também pela primeira vez, e nem sequer percebeu que era uma menina. Só tomou conhecimento disso pouco depois da voz de Adele, das primeiras palavras que ela pronunciou, quando todos ainda estavam imersos na banheira, com a menina junto ao peito e uma expressão de satisfação que todos os pais deveriam poder ver ao menos uma vez no rosto dos próprios filhos: "Viu só, *papà*? Começamos bem. O Homem do Futuro é uma mulher".

Toda uma vida (1998)

Marco Carrera
Posta-restante – Roma Ostiense
Via Marmorata 4 – 00153

Paris, 22 de outubro de 1998.

Caro Marco,

acabei de me dar conta de que não vou mais largar Giorgio Manganelli.
 Depois de terminar a tese, finalmente me pus a arrumar os livros, as anotações e todo o material que deixei por anos na escrivaninha. Sabe-se lá por que comecei a ler as fotocópias que inchavam o interior de um exemplar de "Centúria", livro que devo ter manuseado e lido dezenas de vezes quando trabalhava no doutorado. Eram três folhas, três poemas fotocopiados, certamente não usados para a tese porque não tinham nada a ver com ela; deixei-os ali, simplesmente, esquecidos, e os reencontrei ontem, quando decidi desalojar Manganelli da minha escrivaninha. Ao revê-los, lembrei-me imediatamente do dia em que os li em um livro do meu professor, da necessidade imediata e violenta que senti de fotocopiá-los: não outros, mas aqueles três. Deve ter sido, sei lá, em 1991 ou 1992, tínhamos nos perdido e não

nos escrevíamos mais fazia algum tempo. Eu havia acabado de voltar a Paris, vinda de Bolgheri, era setembro e, como todo mês de setembro, eu estava sob a sua influência, sob a influência dos dias absurdos que tínhamos acabado de passar naquele maldito lugar, tão plenos e tão vazios de você. Li esses poemas e os quis, porque falavam de nós. Fiz uma cópia e os coloquei dentro do livro do qual, naquele momento, achei que nunca me separaria. Depois, veio o dia em que me esqueci dele, depois também o dia em que deixei de manusear "Centúria", embora o livro permanecesse ali, obstruindo minha escrivaninha sem razão aparente. Por fim, ontem, veio o dia em que decidi me separar também do livro, colocá-lo na estante junto aos outros, com a intenção de me libertar da fixação por Manganelli, que, aqui na Sorbonne, enfraquece qualquer esperança de progresso acadêmico. Portanto, foi justamente no momento da última separação que esses três poemas apareceram, e tudo recomeçou do zero.

Seguem os poemas:

1.
Temos uma vida inteira
para NÃO vivermos juntos.
Nas estantes de Deus,
os gestos possíveis se cobrem de poeira:
as moscas querubínicas mancham
nossas carícias;
estão empoleirados como corujas
os sentimentos empalhados.
"Mercadoria não entregue" – gritará o anjo de latão –
dez caixas de vida, de possibilidades.
E teremos uma morte para morrer:
uma morte casual, desnecessária,
distraída, sem você.

2.
Eu queria te ver:
quero a fantasia dos teus cabelos
inaugurando gritos
de liberdade em horas demasiado lentas; a revolta
dos teus pulsos terrestres
que movem inícios de bandeiras
e acusam a hesitação, o desespero
cauto, o tempo.
Ocorre-me o grito de um olhar
e, além da violência da tua existência,
exijo o gesto de um sorriso teu.

3.
De ti me salvo,
Entrando em acordo com tua presença:
Com palavras amigáveis, prudentes,
Induzo-te a não existir.
Não temo teu rosto.
Se o conheço, trata do nada.
Grumo casual de mim mesmo
Inexistência feminina:
Somente assim me salvo do teu sangue;
Porque sempre me amedrontas
Se te aproximas do nada a alguma coisa.

Essa história parece inventada, eu sei. Mas você me conhece e sabe que não sou de inventar histórias porque não tenho imaginação. É verdadeira, Marco, assim como é verdade que, no pé da página da terceira folha, transcrevi com caneta azul – também nesse caso me lembro exatamente quando o fiz, e por quê, e o que tinha acabado de beber, e o tempo que *fazia, mas não pretendo te aborrecer – estas palavras de GM, que, a esta altura, já se tornou meu carcereiro:*

"Sabes, portanto, que essa é a descrição do nosso amor, que eu nunca sei onde estás, e tu nunca sabes onde estou?"

Com um abraço (pelo correio é permitido),

Luisa

Nos Redemoinhos (1974)

Irene Carrera optou pelos Redemoinhos em uma noite de agosto, e, em toda a família, o único a perceber isso foi Marco, que tinha quase quinze anos, mas parecia ter doze por causa de sua insuficiência hormonal.

    De resto, as oscilações de humor de Irene, seus escândalos, suas rebeliões, os períodos sombrios de silêncio, suas recuperações ilusórias, os ímpetos de amor e otimismo, depois, de novo a tristeza, a raiva e as besteiras cometidas de propósito, para chamar atenção, ainda, aos dezesseis, aos dezessete, aos dezoito anos, elevaram o limiar de alerta dos seus familiares, que tinham se habituado às suas intemperanças. Era acompanhada por um terapeuta muito bom, em Florença, um psicanalista chamado Zeichen, que, no entanto, no mês de agosto, como todos os psicanalistas, estava de férias. Na verdade, tinha deixado um número, para o qual Irene poderia ligar em caso de necessidade: mas era um número estrangeiro, com um prefixo desconhecido, *longo*, que dissuadia. Inicialmente, Irene enfrentou o mês de agosto com coragem, tentando até aproveitá-lo: uma viagem à Grécia, planejada com duas amigas para depois das provas finais do ensino médio, mas que não se concretizou porque uma delas foi reprovada; outra viagem para a Irlanda, concebida para substituir a primeira, mas que nem chegou a ser programada de fato; algumas intenções, cheias de boa vontade, de passar alguns dias em Versilia, onde muitos de seus amigos diziam se divertir, mas que caíram no vazio como, de resto, acontecia todos os anos. De modo que, já perto da metade do mês, Irene se sentiu sufocada na casa de Bolgheri, onde havia passado todos os verões, e realmente se iludiu, achando que, tendo atingido a maioridade, obtido a carteira de motorista e sido aprovada nos exames finais da escola com a nota máxima, poderia fugir dali naquele ano. No entanto, bastou a desistência de uma amiga para cancelar todos os projetos, trazendo à tona, de maneira repentina, a violenta pobreza de suas relações sociais – ao mesmo tempo, uma das consequências, mas também das causas de sua depressão. O pai, que cozinhava e lia; a mãe, que tomava sol e lia; os irmãos mais novos e hiperesportivos; os passeios com o velho veleiro corroído pela maresia; suas amizades locais, que se aglomeravam nas discotecas infrequentáveis da região; o doutor Zeichen, sepultado sob aquele prefixo desconhecido; e, naquele ano, também a preocupação com o tratamento que Marco, seu irmão mais novo, teria de enfrentar logo após o verão, sem saber de nada – tratamento esse que, mesmo com a trégua estabelecida justamente sobre a decisão de enfrentá-lo, e, portanto, sem brigas, ainda era tema da conversa de seus pais toda santa noite, e Irene os ouvia às escondidas.

Em uma dessas noites de agosto, portanto, com o tempo que já tinha fechado e o vento úmido do sudoeste varrendo a costa, Irene se levantou da mesa após um parco jantar de sobras, dizendo que iria até a praia amarrar o veleiro à barraca, uma vez que, para a noite, estava previsto um aguaceiro. Como se isso fosse normal – mas não era normal: era seu pai quem tinha fixação por aquela pequena embarcação e sempre se preocupava em protegê-la, não Irene. Aquele pai que, sem perceber nada, disse a ela: "Faz muito bem", e foi para o quarto. Já Marco entendeu no mesmo instante que Irene iria dar cabo de si mesma na água, naquele pequeno e funesto trecho de mar diante da barraca deles, chamado de Redemoinhos, onde a água era sempre turbulenta e as correntes arrastavam para o fundo, mesmo quando não havia onda. Onde, sobretudo desde que a família Carrera começou a passar férias naquele lugar, outras quatro pessoas morreram afogadas – e todas, sempre se ouvira dizer, tinham se suicidado. Enquanto Irene saía de casa com uma velha corda de cânhamo enrolada no ombro, Marco ficou aterrorizado ao constatar que nem mesmo sua mãe, ocupada em enxaguar a louça, nem seu irmão Giacomo, que a enxugava, fizeram o menor gesto para impedi-la. Ficou aterrorizado, mas, ao mesmo tempo, compreendeu que cabia a ele salvar sua irmã, que havia algo entre ela e ele, e imediatamente esse pensamento lhe infundiu coragem. Não disse nada, abriu a porta da cozinha e saiu.

O céu estava encoberto, carregado de chuva. A luz fuliginosa do crepúsculo já estava desvanecendo, o ar estava quente e pegajoso. Ouvia-se distintamente o rumor do mar bravo. Marco saiu correndo pelo jardim e pegou o caminho rumo às dunas, ao fundo do qual viu a regata branca de Irene aparecer rapidamente. Acelerou o passo para se aproximar dela, mas Irene o percebeu e, sem nem mesmo se virar, gritou para ele voltar para casa. Marco não obedeceu – ao contrário, já que havia sido descoberto, aproximou-se ainda mais. Se não tivesse a intenção de se afogar nos Redemoinhos, naquele momento Irene o teria esperado e ficado contente que seu irmão a acompanhasse para amarrar o veleiro à barraca: mas ela não ficou contente e lhe repetiu para voltar para casa, desta vez virando-se para ele e assumindo um tom mais ameaçador. Novamente, Marco não parou e até apertou o passo. Então, ela parou e deixou que ele a alcançasse e, quando Marco a alcançou e parou a seu lado, sem saber o que fazer, com as mãos ela o girou como um pino de boliche e lhe deu um chute no traseiro, que o pegou de surpresa e o fez cair no chão. "Vá embora!", gritou, e voltou a andar – dessa vez, correndo. Marco se levantou e correu atrás dela. Embora fosse bem menor do que ela – de resto, sempre fora bem menor do que qualquer pessoa –, sentia uma força estranha, suficiente para impedi-la de jogar-se na água. Sem dúvida, se alguém estivesse ali, pediria ajuda, por segurança, mas não havia vivalma; já tinham quase chegado à duna, e Marco se sentia pronto para saltar em cima de sua irmã, detê-la, derrubá-la se necessário e mantê-la presa ao chão até ela se render. Ele era ágil, veloz, sabia lutar: com aquele chute, Irene o havia surpreendido, mas não aconteceria uma segunda vez.

Bem perto da duna, onde o rugido do mar se fazia mais forte, Irene parou de novo e se virou. Marco, que a seguia a alguns passos de distância, também parou. Ambos estavam ofegantes. A moça fitou o irmão com um sorriso feroz, que o assustou, e começou a estalar no ar a corda de cânhamo como se fosse um chicote. Caminhando para trás, dirigiu os estalos do chicote para ele, que continuava a segui-la, concentrado na extremidade do cânhamo, que o fustigava a um palmo do rosto. Mantinha os olhos fixos naquela cabeça vibrante de serpente para não os pousar no rosto de Irene e ver de novo aquela expressão diabólica.

Chegaram à praia. Irene deixou de açoitar o ar e parou ao lado do veleiro. De fato, o barco estava desprotegido, muito próximo da água: se a maré subisse, o mar poderia levá-lo embora. Os Redemoinhos estavam ali na frente, espumavam no mar obscuro, que continuava a crescer, impulsionado pelo vento do Sudoeste. Irene parou para fitá-los, atenta como um cão de caça, e Marco tomou fôlego, pronto para reconhecer o instante em que deveria saltar em cima dela para segurá-la neste mundo. Mas Irene deu um passo para o lado e literalmente abraçou a proa da pequena embarcação, acariciando o compensado marítimo, corroído pela maresia, como quem acaricia a cernelha de um cavalo. Ainda com todos os músculos prontos para disparar, Marco ficou a observá-la, de costas, enquanto ela prendia o cânhamo em torno do mastro com um nó, depois amarrava a outra extremidade ao redor do quadril. Deixou que ela puxasse o barco até a barraca, o que ela fez caminhando para trás, sem cilindros de borracha, sem rolos de madeira, aos trancos, com força pura; ele não interveio, não a ajudou. Quando o veleiro estava seguro, Irene soltou a corda do quadril e a amarrou na barraca com outro nó, depois se virou; dessa vez, Marco olhou em seu rosto, na escuridão que caía; olhou bem para ela, e a expressão assustadora de quando ela açoitava o ar já havia desaparecido.

Voltaram para casa, esforçando-se para sincronizar os passos e permanecerem abraçados, mas ao contrário em relação à norma: ele, o homem, cingindo-a pela cintura, e ela, a mulher, com o braço nos ombros dele. De vez em quando, ela o coçava com o polegar, mas de leve, como uma formiga, entre os dois nervos que temos atrás do pescoço.

Weltschmertz & Co. (2009)

Para: Giacomo – jackcarr62@yahoo.com
Enviada – Gmail – 12 de dezembro de 2009 19:14
Assunto: Dor Universal
De: Marco Carrera

Caro Giacomo,

surgiu algo inesperado, e preciso contá-lo a você, porque você é a única pessoa neste mundo à qual ele pode interessar ou que, de todo modo, tem a ver com ele.
    Estive na casa da Piazza Savonarola, para verificar se estava tudo em ordem. Não me pergunte por que faço isso. De vez em quando, vou até lá dar uma olhada. A casa está se deteriorando aos poucos, deveria ser esvaziada, arrumada, ao menos alugada, já que vendê-la não é o caso enquanto durar essa crise; mas, por enquanto, tudo o que consigo fazer é ir até lá, de vez em quando, para ver se não há vazamentos, avarias, problemas. Enfim, se não se deteriora por inteiro. Mandei desligar o gás, mas a água não; do contrário, mesmo querendo, não daria sequer para limpá-la. Não vou lá para fazer faxina, isso nem passa pela minha cabeça (afinal, para quem?); vou para dar uma olhada. Para que não se deteriore por inteiro. Você, que não quis mais pôr os pés lá, será que me entende? Talvez não. Mas não é sobre isso que quero te falar.

Enfim, ontem estive na casa. E, em certo momento, não sei por quê, tive o impulso de entrar no quarto da Irene. Eu sabia que tinha ficado tudo intacto, entrei nele tantas outras vezes, quando ainda vivia lá e mesmo quando eu voltava de Roma para as festas. Eu sabia que a mamãe e o papai sempre o mantiveram intacto, limpo, com a cama feita, pronta, como se a Irene estivesse para voltar a qualquer momento. Eu abria a porta, entrava e olhava: a cama, a colcha azul, a escrivaninha em ordem, a estante em desordem, a luminária bonita, a luminária feia, o violão em seu tripé, os discos, o toca-discos, o armário com o pôster de Jacques Mayol, o de Lydia Lunch, a casa de boneca sobre a cascata, que o papai havia feito especialmente para ela, aquela joia absoluta. Eu entrava, olhava e ia embora. Para dizer a verdade, antes eu fazia isso mais do que agora: hoje, quando vou até a casa só para ver se há algum problema, nunca entro lá, geralmente porque tenho a certeza de que, a essa altura, daquele quarto não pode vir mais nenhum problema, nunca mais. É um quarto em paz, se é que você entende o que quero dizer. Mas, ontem de manhã, não sei por qual razão, entrei. E não me limitei a olhar: sentei-me na cama, violando a pureza da colcha azul. Acendi a luminária bonita. Sentei-me à escrivaninha. Bom, se em todos esses anos, que realmente são muitos, você tivesse me perguntado o que havia sobre a escrivaninha da Irene, no seu quarto em paz, eu teria respondido: "Nada". Quer dizer, teria dito que havia a luminária bonita, o mapa-múndi da National Geographic sob o vidro e o baixo-relevo emoldurado do "Rocky Horror Picture Show", que Irene nunca pregou na parede – ou seja, como eu disse, nada. Mas alguma coisa havia, sim, sempre houve e há. Um livro. Um daqueles livros velhos, bem conservados, com capa sem ilustrações, revestida com papel de seda como proteção, como os livros da coleção Urania do papai. Talvez por ser quase da cor da escrivaninha, nunca o notei. Um livro de poemas. "Muitas estações", é o título. De Giacomo Prampolini, autor do qual eu nunca tinha ouvido falar. Peguei-o e o acariciei, como o papel de seda te convida irresistivelmente a fazer. Depois, abri-o ao acaso. Na realidade, não foi ao acaso: abri onde ele, o livro, queria ser aberto, ou seja, na página 25, onde havia uma folha de caderno dobrada, que caiu sobre a escrivaninha. Antes de abrir a folha de caderno, li o poema impresso naquela página. Este poema:

> Por ti deixada,
> sabes que sofrerei;
> contas com isso, e sei que pensas:
> mais forte serei.
>
> Nosso amor é feito apenas de certezas!
>
> Mas... mas
> toda a tua desventura
> fará parte de minha agrura;
> e eu sofrerei teu mesmo mal
> sem um sorriso esperar.
> Na madrugada, as copas indiferentes
> dos choupos oscilam ao vento;
> homem e mulher se vão, ausentes,
> eternas figuras do tempo.

Não sei, Giacomo, mas me parece o poema mais triste que já foi escrito. Depois, peguei a folha que tinha caído no chão e a abri. Estava escrita com a caligrafia da Irene, com caneta-tinteiro azul. Li:

Junho de 1981

Weltschmertz & Co.

Weltschmertz (sublinhado) – Dor Universal. Cansaço do mundo. Jean Paul. Tolkien. Elfos. Giacomo Prampolini, "Muitas estações".

Anomia (sublinhado) – Émile Durkheim, "O suicídio" (1897)

Dukkha (sublinhado) – Sânscrito. Condição de sofrimento. Tradução literal: difícil de suportar (sublinhado)

O Bhagavad estava em Savatthi e disse: "Bhikkhus, eu vos ensinarei o surgimento e o desaparecimento de dukkha. Ouvi, prestai muita atenção às minhas palavras, eu falarei".
"Muito bem, venerável", responderam os bhikkhus. E o Bhagavad transmitiu seu ensinamento:
"O que é, ó bhikkhus, o surgimento de dukkha?"
"Na dependência do olho e dos objetos visíveis, surge a consciência ocular; com o encontro dessas três, surge o contato. Na dependência do contato, surge a sensação; na dependência da sensação, surge o desejo. Essa, ó bhikkhus, é a origem de dukkha."
"Na dependência do ouvido e do som, surge a consciência acústica; na dependência do nariz e do odor, surge a consciência olfativa; na dependência da mente e dos objetos da cognição, surge a consciência mental; com o encontro dessas três, surge o contato; na dependência do contato, surge a sensação; na dependência da sensação, surge o desejo. Essa, ó bhikkus, é a origem de dukkha."
"E o que é, ó bhikkhus, o desaparecimento de dukkha?"

"Na dependência do olho e dos objetos visíveis, surge a consciência ocular; com o encontro dessas três, surge o contato; na dependência do contato, surge a sensação; na dependência da sensação, surge o desejo. Apenas com a completa cessação desse desejo pelo caminho do arahat, cessa o apego; com a cessação do apego, cessa bhava [o devir, N.d.T.], com a cessação de bhava, cessa o renascimento; com a cessação do renascimento, cessam o envelhecimento e a morte; e, portanto, cessam o sofrimento, o lamento, a dor física, a perturbação da mente e a agonia. Desse modo, ocorre a cessação de toda essa massa de dukkha. Essa, ó bhikkhus, é a cessação de dukkha."

Ela estava bem pior do que todos nós imaginávamos, Giacomo.

Levei o livro para casa e o li de um só fôlego. O poema da página 25 é, de longe, o mais bonito e o mais triste. E, no final – quase me passou despercebida –, escondida sob a aba da sobrecapa, de cabeça para baixo, enfim, para que ninguém visse, encontrei esta frase, escrita a lápis, em letras miúdas, como se ninguém devesse lê-la:

"É preciso tomar muito cuidado ao desabafar, Lorenzo. Sempre"

Lorenzo?
E quem diabos é esse Lorenzo?
Não sabíamos nada dela, Giacomo. Ela sabia tudo de todos nós, mas nós não sabíamos nada dela.

Abraço a tela.

Marco

Gloomy Sunday (1981)

Domingo, 23 de agosto de 1981.

    O lugar é Bolgheri, ou melhor, aquele trecho de costa ao sul da Marina di Bibbona, que alguns chamam de Renaione, outros de Palone, e a família Carrera, por sua vez, chama genericamente de Bolgheri, entendendo não o vilarejo em torno do castelo da Gherardesca, e sim diretamente o pinheiral e a praia situados abaixo – que, de resto, também ainda fazem parte, quase por inteiro, do patrimônio dessa nobre estirpe. Nesse selvagem trecho de costa, no início dos anos 1960, os cônjuges Carrera conseguiram comprar uma pequena casa em ruínas logo atrás das dunas, com um pedacinho de pinheiral ao redor. A intenção deles era fazer daquele lugar um símbolo da felicidade, que, com dois filhos pequenos e um terceiro em vista, estavam convencidos de poder espalhar pelo mundo. A reestruturação das ruínas foi feita por ambos, em harmonia: Letizia cuidou da forma, e Probo, do crescimento, já que, ao longo dos anos, a casa foi constantemente ampliada e embelezada, com e sem autorizações, e, por isso, transformada de pequena e rústica que era em um elegante retiro no coração da Maremma. Pena que, nesse meio-tempo, a harmonia entre Letizia e Probo tenha se exaurido, e a obstinação em passar as férias ali, todos os anos, todos juntos, parecesse mais um vício de autoflagelação que qualquer outra coisa.

Outro lugar a ser mencionado a respeito dessa mesma noite é um restaurante na praia de San Vincenzo, inaugurado apenas um ano antes e destinado a conquistar uma excelente reputação.

E outro, ainda, é o golfo de Baratti, sobre o qual há pouco a dizer: é uma das maravilhas do mundo.

A família Carrera inteira está na casa de Bolgheri. A massa com ragu feita por Probo quatro dias antes, requentada e consumida várias vezes, a ponto de parecer regenerar-se sozinha como o javali de Odin,[10] já acabou. Por ser domingo, a senhora de nome Ivana, que vem de Bibbona para cozinhar e fazer faxina, não apareceu: portanto, não há nada para o jantar. Os dois membros da família que normalmente se ocupam de enfrentar essa emergência são Probo e Marco, mas, nessa noite, ambos são distraídos por compromissos mais urgentes. Probo porque irá com Letizia a San Vincenzo, ao restaurante chamado Il Gambero Rosso, para comemorar os cinquenta anos da viúva do seu amigo Aldino Mansutti: foi ele, Probo, quem descobriu esse extraordinário restaurante à beira-mar e convenceu Titti a dirigir quarenta e cinco minutos de Punta Ala até lá. Foi ele quem reservou, é ele quem vai pagar, será a sua festa, embora a festejada seja ela. O vazio que deixa em sua casa é o último de seus pensamentos.

Já Marco tem pela frente um evento que mudará sua vida: convidou Luisa Lattes para jantar, a moça que mora na casa vizinha e pela qual está apaixonado há dois anos, e ela aceitou. Mas não é um convite como outro qualquer,

---

[10] Referência ao Sæhrímnir, animal que, segundo a mitologia nórdica, era ræessuscitado e cozinhado todos os dias para os deuses e os guerreiros mortos em batalha. (N. T.)

por três motivos: 1, porque Luisa só tem quinze anos, e ele vinte e dois – o que significa que Marco se apaixonou por ela quando ela tinha treze; 2, porque sua família e a de Luisa não se entendem há anos, ambas convencidas de recitar a parte da vítima na velha comédia dos vizinhos malvados. A origem foi a acusação difamatória que o pai de Luisa (um advogado enorme, arrogante e reacionário, que no ano seguinte será capaz de se mudar com toda a família para Paris "por medo dos comunistas") fez à mãe de Marco anos antes, dizendo que ela teria dado uma almôndega envenenada a seu amado pointer, que passava noites inteiras latindo e, efetivamente, enchendo o saco. Na realidade, o ódio implacável se dá justamente entre Letizia e o advogado: mamãe Lattes e Probo Carrera, de temperamento semelhante, sempre se mantiveram à margem, limitando-se a suportar os acessos de fúria dos respectivos cônjuges, enquanto os filhos primeiro fizeram amizade – como é lógico em lugares desolados como aquele, onde não é fácil encontrar uma alternativa ao vizinho de casa –, depois se apaixonaram uns pelos outros, de maneira mais ou menos secreta. O embargo foi suspenso por Irene, quatro anos antes, ao começar a namorar Carlo, irmão mais velho de Luisa; um rapaz básico, por assim dizer, todo esportivo, louro e modelo de filho dedicado, que em circunstâncias normais Irene teria desprezado, mas que, à luz daquela pendenga familiar, tornava-se a encarnação do fruto proibido – e, portanto, foi beijado o verão inteiro na praia, sob os olhos rancorosos dos beligerantes, até ser descartado como um saco de adubo em setembro, em Florença, quando ninguém mais estava vendo. Mais recentemente (há dois anos, como dissemos), houve a paixão fulminante que acometeu Marco ao ver Luisa, que havia crescido de repente em relação ao verão anterior, senão em idade, porque tinha apenas treze anos, pelo menos, e de modo perturbador, no físico – mas também no cérebro, evidentemente, considerando que o olhar fatal de Marco a interceptou sentada na areia, com as costas apoiadas na barraca, concentrada na leitura de nada menos do que *Doutor Jivago*, ou seja, o livro preferido dele. Os dois anos que se seguiram a esse olhar, Marco os viveu na pura e simples espera de que Luisa alcançasse uma idade na qual as atenções dele em relação a ela não parecessem insanas, e neste verão lhe pareceu evidente que esperar outro ano antes de se aproximar significaria perder a prioridade que ele está convencido de ter sobre ela – uma espécie de *ius repertoris*, direito de autor, vamos chamá-lo assim, como o de seu pai sobre Il Gambero Rosso ou o de Irene sobre a música de Nick Drake. Mas o que decididamente torna esse convite para jantar algo escandaloso é o motivo de número 3, que Marco não conhece, mas Luisa, sim: na mesma manhã, Giacomo, que tinha acabado de voltar de uma viagem a Portugal, feita com a namorada após as provas de conclusão do ensino médio – Giacomo, sim, seu impetuoso, musculoso, irascível e generoso irmão mais novo, tão diferente dele, tão bonito, elegante, bronzeado, mas também frágil e melindroso, até mesmo complexado –, ao final de um idêntico e longo percurso de aproximação, igualmente secreto e atormentado, aliás, ainda mais secreto e atormentado, considerando-se que faz justamente dois anos que está namorando, fez a Luisa o mesmo convite – e ela, que já havia tomado sua decisão desde menina e, portanto, antes de todos, recusou. E embora Marco certamente não tenha dito em casa com quem sairia naquela noite, Giacomo, ainda magoado com a recusa recebida, pressentiu o pior – pois vira seu irmão e Luisa conversando sem parar na praia. Portanto, ele também não está com cabeça para pensar em comida.

Irene, por sua vez, chegou ao extremo. Dá para ver. Dá para ver muito bem. Dá para ver pelos olhos fundos nas órbitas, pelo olhar despedaçado, pela veia azulada em relevo na têmpora, pelos cabelos endurecidos de sal, sem nem mesmo o rabo de cavalo, pelo andar fantasmagórico enquanto caminha pela casa com os fones de ouvido do walkman – e, sobretudo, pela música que está escutando, se alguém se desse ao trabalho de ouvi-la: "Gloomy Sunday", a canção húngara dos suicidas, responsável, segundo a lenda, por dezenas de atos irreparáveis na Budapeste dos anos 1930, devido à sua irresistível tristeza, aqui ouvida na versão ácida, sussurrada, desafinada, desesperada e sem a estrofe acrescentada pelos americanos com o objetivo de edulcorá-la (*dreaming, I was only dreaming,* ou seja, era tudo um sonho, e o protagonista não se mata de verdade), recentemente lançada por Lydia Lunch, heroína de Irene, e gravada por ela repetidas vezes nos dois lados da fita, que há dias é a única a tocar no walkman vermelho, dado de presente de Natal pelos irmãos. Sim, essa canção é um alarme que soa há dias, mas ninguém o ouve. Sim, Irene chegou ao extremo, mas ninguém o vê.

Não o vê nem mesmo Letizia, que não está com a menor vontade de acompanhar o marido no jantar e, portanto, se visse o que se passa com Irene, poderia usar a situação como pretexto para ficar em casa e cozinhar para a filha um prato de espaguete; em seguida – desde que visse que Irene chegou ao extremo, mas não o vê –, poderia perguntar a ela se não tem vontade de conversar um pouco, talvez recebendo em troca um enfático "vá à merda", que, dada a situação, poderia revelar-se uma salvação. Mas não o vê: Letizia não vê o elefante a galope que está para cair em cima de sua família. Está insatisfeita e desanimada, como sempre. Sente uma leve dor de cabeça, como sempre. Não tem vontade de fazer o que está para fazer, mas o fará, como sempre.

Nessa noite, na casa dos Carrera, ninguém pensa em comida, ninguém pensa em Irene – e a casa se esvazia. Primeiro sai Marco, que deve realizar um falso movimento em razão da guerra entre as duas famílias. Despede-se e sai, com a cabeça na maquinação arquitetada junto com Luisa. Em breve, ela também sairá, de bicicleta, rumo à casa de sua amiga Floriana, cúmplice da armação, como a ama de Julieta. Contudo, em vez de parar na casa da amiga, seguirá direto e chegará à Casa Rossa, onde o encontrará à sua espera. Deixará a bicicleta no local e entrará no Fusca com ele, que já decidiu aonde a levará: ao lugar mais lindo do mundo. Pela primeira vez, aos vinte e dois anos, Marco está para ser feliz e sabe disso. Sem ainda ter falado a respeito, sabe que seu amor por Luisa é correspondido. Sabe o que vai acontecer – mais ou menos –, e, na sua cabeça, não há lugar para mais nada.

Depois saem Probo e Letizia. Bem-vestidos, Probo realmente de bom humor, Letizia por fingimento – mas apenas no início, pois descobrirá, assim que entrar no carro e para sua grande surpresa, que o bom humor de seu marido nessa noite é contagiante. Mais do que bom humor propriamente dito, que para ela é um exagero, aquilo que, para sua surpresa, Letizia começa a experimentar é uma ternura medicamentosa e fraterna pelo marido, ao vê-lo tão entusiasmado, tão concentrado na festa, ele, que nunca está no centro de nada – há muitos anos, nem mesmo no de sua atenção. De resto, tampouco estará nesta noite, pois a festejada é essa viúva esquelética, que sempre ostenta joias extravagantes, e a estrela da conversa será, como sempre, seu marido Aldino, amigo de infância de Probo, morto já há onze anos naquele acidente absurdo. Um acidente impropriamente definido como "de moto", mas apenas porque ele estava montado em sua Guzzi V7 Special nova em folha, percorrendo a Estrada Estatal Aurelia, na altura da igreja de São Leonardo, entre Pisa e Livorno, e tinha acabado de atravessar a ponte sobre o rio Arno quando foi atingido em cheio por um cesto contendo cento e setenta litros de água, que se desprendeu do gancho baricêntrico do helicóptero Bell Model 206, denominado Jet Ranger, pertencente à vizinha base militar americana de Camp Darby e utilizado, junto com os recursos do corpo de bombeiros italiano, nas operações para apagar um vasto incêndio que se havia alastrado nas colinas ao sul de Pisa e ameaçava o centro habitado de Fauglia. Justamente a respeito desse acidente, já remoto no tempo, mas ainda vivo e lancinante em seu coração, justamente nessa noite, durante o trajeto rumo ao Gambero Rosso e enquanto percorrem a mesma Estrada Estatal Aurelia no qual ele ocorreu (apenas cerca de cinquenta quilômetros mais ao sul), Probo decide expor a Letizia seu conceito de elaboração do luto, de seu ponto de vista de engenheiro, que acabará por enternecê-la ainda mais. Dirigindo no crepúsculo, conta a ela uma coisa que nunca lhe disse e que diz respeito a seu esforço para demonstrar algebricamente o absurdo daquela morte atroz e inaceitável – e, ao fazer isso, embora não soasse de todo lógico, para aceitá-la. Pôs na cabeça, diz a ela, que tinha de calcular o valor probabilístico daquele acidente. Conseguiu ter acesso a todos os dados recolhidos pela investigação realizada: rota do helicóptero, velocidade, altitude do voo, peso do cesto, a ser somado com o da água transportada, velocidade do vento e velocidade da motocicleta no momento do impacto. A partir disso, com complicados cálculos, começou a obter dados que diziam exatamente o contrário do que ele pretendia demonstrar: em vez da extrema improbabilidade daquele evento, eles provavam que se tratava do inelutável resultado de um rígido campo de forças que não deixava nenhuma saída. Então, prossegue ele, mudou a abordagem e procurou pensar na questão como ela, Letizia, teria feito, ou seja, de modo simples e criativo – e, aqui, Letizia se enternece ainda mais. Bastou um cálculo fácil, apenas um: quantos metros aquele helicóptero percorria em um segundo? Um cálculo simples, dispondo de todos os dados que ele já tinha: quarenta e três. A cada segundo, o helicóptero percorria quarenta e três metros. E Aldino? Qual era a velocidade de Aldino, expressa em metros por segundo? Vinte e três e meio. Como todos aqueles cálculos complicados que havia feito antes permaneciam absolutamente invariáveis qualquer que tivesse sido o momento do rompimento do gancho, explica Probo, isso significava que, se o gancho tivesse se rompido apenas um segundo depois, o cesto teria ido parar quarenta e três metros mais a leste, ou seja, bem em cima da igreja de San Leonardo (ele tinha verificado), e, de todo modo, Aldino estaria vinte e três metros e meio mais adiante. Em outras palavras, não apenas não teria morrido, mas talvez nem tivesse percebido nada e continuado tranquilamente a própria viagem rumo a Punta Ala. Isso se o gancho tivesse se rompido um segundo depois. Mas e se, prossegue ele, tivesse se rompido apenas *um décimo de segundo* depois? Na vida real, diz ele, um décimo de segundo não é nada, é uma espécie de abstração, um piscar de olhos: mas se, naquele dia, o gancho tivesse se rompido um décimo de segundo depois, o cesto teria caído quatro metros e trinta centímetros além do ponto em que efetivamente caiu, e Aldino estaria quase dois metros e meio mais adiante. Isto é, teria percebido tudo, levado um belo susto, mas, de novo, não lhe teria acontecido nada. Um *vigésimo* de segundo – ou seja, cinco centésimos? Nada: dois metros e quinze, um metro e vinte e cinco – razão para acender uma vela para Nossa Senhora, mas, novamente, salvo. *Três* centésimos: um metro e trinta, setenta centímetros, bum – atingido e afundado. Por isso, diz, a morte de Aldino deveu-se a um acontecimento imprevisível e a uma questão de três centésimos de segundo.

Nesse momento, Probo interrompe sua exposição e pergunta a Letizia se ela o está acompanhando. Letizia responde que sim, porque é verdade, ela o está acompanhando e com uma atenção realmente insólita – afetuosa, como dissemos, visto que, a seus olhos, aquilo que Probo está fazendo não é outra coisa senão um autorretrato. Probo estaciona em silêncio, porque, nesse meio-tempo, tinha chegado ao destino, na praça onde se encontra o restaurante. Desliga os faróis. Desliga o motor. Abaixa o vidro. Acende um cigarro.

Chegou a essa conclusão, retoma, imaginando como ela, Letizia, teria formulado o problema: um único cálculo para um resultado simples e perturbador – não dez cálculos para um resultado complicado e insignificante. Uma formulação de arquitetos, diz Letizia. Não, rebate Probo: uma formulação de Letizia Calabrò. Disso, acrescenta, surgiu uma visão totalmente nova da morte de Aldino – uma visão que Probo diz ter sempre carregado consigo, a partir de então, e nesse dia decidiu compartilhar com ela.

Sem nenhuma necessidade de cálculo, estava claro que eram infinitesimais as probabilidades de aquele gancho se romper justamente naquele dia e naquele instante em que Aldino transitava justamente no ponto em que cairia o cesto. Uma em um milhão? Uma em um bilhão? Não faz diferença. Sem dúvida, muito menos do que ser atingido por um raio enquanto se corre em busca de abrigo, diz, como aconteceu com o engenheiro Cecchi, naquela ocasião na França: ali, o contexto era um temporal elétrico, havia muitos raios, cada um deles se descarregando na terra, e o engenheiro Cecchi estava, justamente, na terra. Não, continua Probo, fumando e olhando para um ponto indefinido à sua frente, o contexto que levou à morte do seu amigo é muito mais raro e complexo, e o acidente que a causou pertence à categoria dos eventos *quase* impossíveis, nos quais realmente não há nada a ser calculado. Poderiam ser citados milhões de eventos desse tipo, diz Probo, cujas probabilidades concretas de ocorrência são infinitamente próximas de zero, mas, visto que se está falando da morte de Aldino, a ele ocorreu apenas um, que não sairia mais da sua cabeça: o que matou seu amigo.

Sorri. Dá uma profunda tragada no cigarro. Em meio à escuridão que já caiu completamente, a brasa ilumina seu rosto de vermelho. Ele permanece em silêncio e fita o que ainda é visível no rosto de sua mulher.

Em que sentido?, pergunta ela.

Porque, retoma, a amizade deles foi excepcional, e ela sabe disso; foi profunda, repleta de aventuras e emoções, embora entre ele e Aldino tenha havido pelo menos duas brigas memoráveis, das quais nenhum dos dois voltou a falar, pois foram logo superadas sem consequências. Uma delas ocorreu quando tinham vinte anos e eram colegas de universidade: Probo nem se lembra mais da razão, tinha alguma coisa a ver com o convite para uma festa, talvez também com uma garota, e talvez o errado tenha sido ele. Já a briga da qual Probo se lembra muito bem, e na qual voltou a pensar após a morte de Aldino, é a segunda, ocorrida muito tempo depois, quando os dois já estavam formados e casados e eram pais de família. O que a tornou tão memorável, diz ele, foi o fato de ambos estarem *armados*, pois estavam caçando, os dois sozinhos, na reserva do pai da Titti, em Vallombrosa. Aldino tinha acertado uma perdiz, contra a qual ele, Probo, deveria ter disparado, e o fez de repente, enquanto estava atrás dele, apontando o cano da arma por cima de seu ombro e causando-lhe um enorme susto, pois Probo estava mirando o animal e certamente não esperava aqueles dois tiros a poucos centímetros do ouvido. Aldino estava errado, tinha feito algo desleal e perigoso, mas a reação de Probo foi histérica, desproporcionada. Gritou a própria raiva na cara dele, a plenos pulmões, cobriu-o de insultos, alguns muito injustos, e foi embora, ainda tremendo de raiva e medo, deixando-o sozinho com o cão, que depositava entre seus pés a maldita perdiz. Pois bem, pergunta Probo à sua mulher, durante aquele ataque de fúria, ele não poderia ter tido, por três centésimos de segundo, o impulso de matá-lo? Estava com a espingarda de dois canos em punho, carregada, e despejava sobre ele raiva e desdém, como se o amigo fosse o mais infame dos homens: não acha Letizia que, por um intervalo tão insignificante que nem sequer podia ser percebido e lembrado, aquele acesso de fúria conteve o impulso de erguer o fuzil e atirar em sua cara?

Silêncio. Letizia não sabe o que dizer. Dois faróis amarelos cortam a escuridão e se aproximam: são do Citroën

DS de Titti Mansutti. Letizia continua calada. Sim, diz Probo, claro que o conteve. E como o destino de Aldino, conclui, era morrer por efeito de uma das coincidências mais improváveis do universo no período de três centésimos de segundo, então é realmente como se ele o tivesse matado naquela manhã. É exatamente a mesma coisa. Joga o cigarro fora, abre a porta do carro, sai. Letizia o segue. O Citroën para, Titti e suas duas filhas descem. Todos se abraçam e entram no restaurante.

Nesse momento, vinte quilômetros ao norte, Irene está saindo de casa para ir à praia. Giacomo a vê sair e sente-se aliviado, pois decidiu fazer uma coisa, mas não ousava fazê-la enquanto Irene circulava pela casa, uma vez que ela sempre ouve tudo, sempre descobre tudo, e o que não ouve ou não descobre acaba adivinhando, não se sabe como. Agora que ela saiu, ele pode fazer o que queria. Trata-se de uma verificação. Vai até o telefone. Disca o número da casa da família Lattes – ali ao lado, a quarenta metros, atrás da sebe de pitósporos. Um toque. Dois toques. Alô? (A mãe.) Boa noite (voz alterada), eu gostaria de falar com a Luisa, por favor. Sinto muito, mas a Luisa saiu; quem gostaria? Giacomo permanece imóvel no sofá, com o telefone no colo. Alô? (Do fone.) Alô? Giacomo desliga. Ela tinha lhe dito que não sairia. Nesse meio-tempo, Irene já passou o jardim e, com seu andar fantasmagórico, está caminhando na trilha rumo à duna. Atrás da duna, a praia. Diante da praia, os Redemoinhos.

Marco e Luisa, por sua vez, estão comendo um sanduíche na frente de uma barraca entre os pinheiros de Baratti. Com os gestos impacientes de duas pessoas que, em breve, saltarão uma sobre a outra, comem, tomam uma cerveja e falam pouco. Está bom o seu? Está ótimo. O meu também.

Vamos pegar outro? Ambos esperam há muito tempo o que está para acontecer, e agora sabem que acontecerá, ali na frente, dali a pouco, na praia: Marco o espera há dois anos; Luisa, há cinco, talvez há dez – na realidade, pelo que ela diz, desde sempre. Marco Carrera: Luisa não se lembra de um único instante da própria vida no qual esse nome não tenha feito seu coração disparar. Quando era bem pequena, e as duas famílias ainda não tinham brigado, e Marco corria atrás dela na praia para assustá-la, ou quando ele e Irene davam aulas de vela a ela e a seu irmão no veleiro; também quando o sobrenome Carrera se tornou impronunciável, mas ele continuava a sorrir para ela na praia, como se nada tivesse acontecido, e a ser gentil com ela, ou quando Irene e seu irmão começaram a namorar e se beijavam na frente de todos, e ela tinha apenas dez anos, e ficou feliz porque isso significava que o amor triunfava sobre qualquer obstáculo e, portanto, um dia, ela e Marco poderiam fazer a mesma coisa... Diante daquela barraca, com os olhos fixos em Marco, que mastiga lentamente seu sanduíche, na mente de Luisa se aglomeram todos os momentos nos quais ela desejou esse momento – vale dizer, sua vida inteira. A beleza intocada de Baratti, as copas largas e altíssimas dos pinheiros, o mar plano refletindo as luzes e a brandura infinita dessa noite de agosto sem lua parecem ter sido encomendadas exclusivamente para celebrar o acontecimento do único e verdadeiro desejo que ela e Marco – Marco também, sim – podem dizer que tiveram na vida.

    Enquanto isso, no Gambero Rosso, sentada na frente de Probo, Letizia continua a sentir ternura por ele, uma ternura cada vez mais intensa, tão intensa que parece atração. Como assim? Letizia atraída *fisicamente* por seu marido?

Há quanto tempo não faziam sexo? Anos. Teria sido o que Probo lhe disse em relação à morte do amigo – logo ele, tão aristotélico, obstinado, *chato* – a torná-lo atraente? Ou talvez seja o restaurante onde estão jantando – descoberto por ele, desejado por ele para esse jantar de aniversário que, do contrário, seria sem graça e triste; um lugar tão repleto de odores e rumores perfeitos, pratos incríveis e gente satisfeita? Seria isso a torná-lo atraente? Letizia não é de comer muito, mas tudo o que prova nessa noite lhe parece literalmente extraordinário: a sopa de frutos do mar com açafrão, o arroz adocicado com lagostins e estragão, o salmão selvagem gratinado com cebolinha, as *orecchiette* com chalotas, o robalo em crosta de sal, o peixe "vivo" de San Vincenzo...

É um jantar fora do tempo, isso mesmo, *avançado* – como ela gosta de dizer de pessoas ou coisas que a fascinam de verdade ("é avançado", "é bem avançado", é "realmente avançado"), e esse avanço espaçotemporal pode ser, indiferentemente, um presságio ou não, isto é, pode identificar algo que, no futuro, será de fato confirmado (como aquele restaurante e aquele modo de cozinhar) ou não (como a arquitetura radical), mas continua sendo a única condição imposta ao mundo por sua estética pessoal: se não é avançado, não pode ser belo.

O suflê de frutas da estação, as framboesas gratinadas com zabaione e vinho doce, a "invenção do dia"...

E, ao final, o resultado é que Letizia sente de novo atração por Probo, acha-o fascinante e desejável como há um quarto de século – algo que, mesmo pensado apenas naquela tarde, pareceria inconcebível. Mas agora soa natural: são marido e mulher, escolheram-se há vinte e cinco anos, desejaram-se e ainda se desejam. Terminado o jantar,

Titti – abstêmia e grata – parte com o Citroën para voltar a Punta Ala, mas o Gambero Rosso permanece ali e, embora não tenha quartos a oferecer aos próprios clientes, como era o caso da pousada de mesmo nome na história de *Pinóquio*, conta com a praia livre à sua frente, silenciosa e selvagem, na qual podem aventurar-se, abraçados e cambaleantes de tanto vinho branco Grattamacco, em busca do local mais escuro...

Assim, à exceção de Giacomo, prostrado no sofá sob o efeito de uma potente combinação de rum e Nutella, a partir de determinado momento, essa noite especial encontra quatro quintos da família Carrera deitados na areia, em pontos diferentes da mesma costa, acariciados pelo mesmo marulho e visitados por diferentes estados de felicidade. Letizia e Probo, em San Vincenzo, pela felicidade gerada pela loucura que acaba de ser cometida, destinada – e eles sabem disso – a não se repetir nunca mais e, por isso, realmente inigualável; Marco, em Baratti com Luisa, pela felicidade ainda mais inigualável, oferecida pelos lábios inchados de tantos chupões e pela certeza – ilusória, infelizmente; de fato, mais ilusória do que nunca –, de que esses chupões se repetirão muitas e muitas vezes; e, por fim, Irene, em Bolgheri, a mais deitada de todos, a mais feliz, com a mente apagada, já sem aflições, o corpo vazio, já sem posições, restituída pelos Redemoinhos à superfície como um joguete das ondas na linha de rebentação, onde o mar Tirreno central, com a baixa da maré, fará com que ela seja encontrada.

Pronto, estão fazendo efeito (2012)

Para: Luisa
Enviada – Gmail – 24 de novembro de 2012 00:39
Assunto: Socorro
De: Marco Carrera

Luisa,

eu me pergunto: o que significa ter lido um livro? Basta parar em uma praça e olhar ao redor: um monte de gente falando ao celular. Eu me pergunto: o que terão a dizer? E como faziam antes, quando os celulares não existiam? Eu me pergunto: mas nas pastas de dente listradas, como fazem para que as listras apareçam? Tentei colocar uma música bem bonita no despertador, em vez do toque, mas despertar continua sendo assustador. A máquina do tempo existe.
Adele...
Há quem seja contrário ao horário de verão, o Japão nem chega a adotá-lo. Hoje está ventando muito, as coisas voam. Nas salas de espera, reina o tédio.
Ela morreu.
Há três anos, quando voltei a viver aqui, na rua atrás da minha casa havia um guindaste. No final, talvez eu tenha entendido o que as crianças realmente não conseguem aceitar quando os pais se separam.

Adele morreu.

Li que no Piemonte decidiram abater quatrocentos cabritos-monteses porque eles atravessam as estradas e provocam acidentes. Li que oitenta por cento da transmissão hereditária de bens imóveis, na Itália, ocorre por via patrilinear. Li que em Milão há um engenheiro que, nos fins de semana, leva um banquinho para um parque e se oferece para ouvir as pessoas de graça. Li que Bill Gates e sua esposa racionaram o uso do computador à filha durante toda a sua infância.

Mas a minha morreu, entende? Minha Adele morreu, e eu não posso ir com ela por causa da menina.

Quando eu tinha dezesseis anos, apaixonei-me por Joni Mitchell.

Socorro, Luisa. Desta vez, não vou conseguir.

Acabei de tomar um coquetel de tranquilizantes.

Sigo adiante à base de tranquilizantes.

Pronto, estão começando a fazer efeito.

Eu me pergunto: mas o mal – sabe o mal? – ele tem circuitos preferenciais ou se enfurece por acaso?

Pronto. Estão fazendo efeito.

A bruma do esquecimento.

Shakul & Co. (2012)

E, por fim, veio. Veio o telefonema que todos os pais temem como se fosse o inferno, porque *é* o inferno, é a porta do inferno, e, por sorte, vem para poucos, aterroriza todos, mas vem apenas para poucos pais desafortunados, predestinados, marcados, vem apenas para poucos desventuradíssimos pais abandonados por Deus, mas é temido por todos, e o mais temido é o que vem no meio da noite, mas não foi esse o caso, o mais aterrorizante é o que nos acorda de sobressalto no meio da noite, triiim, e é tão aterrorizante que vem mesmo quando não vem, no sentido de que todos o recebemos, mesmo que não o tenhamos recebido, porque todos nós já recebemos um telefonema no meio da noite, pelo menos uma vez, que nos acordou de sobressalto, triiim, e gelou nosso sangue nas veias, no mesmo instante, e o despertador marcava três e quarenta ou quatro e dezessete, e todos nós logo pensamos naquilo e esperamos para atender enquanto o telefone continuava a tocar, triiim, para rezar, sim, mesmo os que não são religiosos, rezar para que não fosse por aquilo – que talvez nosso carro, lá embaixo na rua, ou o prédio vizinho, estivesse pegando fogo, mas, de resto, nunca é o carro nem o prédio vizinho que pegam fogo, triiim, sabemos muito bem disso e, portanto, todos nós hesitamos em atender, rezando para que a vítima fosse, pelo menos, outra pessoa, tenha piedade, Deus misericordioso, Pai onipotente, nunca rezei para Ti porque sou um imbecil, triiim, e Te negligenciei, e infringi Tuas leis, e pequei contra Ti, e Te blasfemei, sou mesmo um estúpido arrogante e não sou digno de pronunciar Teu nome, e não mereço nada e, com toda a certeza, vou acabar no inferno, triiim, mas, mesmo assim, Te peço, Pai, aqui, agora, nesta terra, do fundo do meu coração, ajoelhado no chão, curvado até o chão, deitado no chão, eu Te suplico que esses não sejam os toques daquele telefonema, triiim, justo daquele, Te peço que leves a mim, agora, neste instante, mas é claro que não é a mim que decidiste levar, é claro que terei de permanecer neste vale, sofrendo, então, Te peço que leves minha mãe, isso, o que despedaçaria meu coração, mas leva ela, ou meu pai, ou minha irmã, ou meu irmão, e Te peço também que leves tudo o que possuo, inclusive minha saúde, que faças de mim um órfão, triiim, um mendigo, um doente, mas não, Pai onipotente, Te peço, Te suplico, Te imploro, não faças de mim um... e, aqui, todos nós paramos porque a palavra que deveríamos pronunciar não existe, todos nós italianos, franceses, ingleses, alemães, espanhóis, portugueses paramos, porque em nenhuma dessas línguas existe essa palavra, mas ela existe para nós judeus, para nós árabes, para nós gregos antigos e modernos, para muitíssimos de nós africanos e para nós locutores sobreviventes em língua sânscrita, mas, no fundo, muda pouco, muda que alguns de nós puderam chamar esse inferno com um nome, e outros não, triiim, enquanto todos rezávamos aterrorizados em vez de atender ao telefone que continuava a tocar no meio da noite e, por fim, atendemos, e talvez não fosse ninguém, sim, isso é possível, é mais provável não ser ninguém do que ser o carro pegando fogo, "alô?", "alô?", e não é ninguém, sim, isso acontece com frequência, um trote, talvez, o trote atroz de nos fazer acreditar que chegou para nós a hora de receber aquele telefonema e de nos aterrorizar no meio da noite, até nos fazer recitar a oração mais lancinante que se possa conceber, e nosso irmão Marco também a teria recitado, mas não foi o caso, pois o telefonema, aquele telefonema, veio para ele, sim, mas não à noite, e sim à tarde, em um domingo de outono, à luz cansada das quatro e trinta e cinco, enquanto sua netinha dormia no sofá, com a cabeça nas pernas dele, e ele assistia a *Muito além do jardim* na TV e, portanto, tranquilo, satisfeito, contente até, distante da ansiedade que por anos o havia atormentado quando Adele saía nos fins de semana com aqueles meninos que lhe pareceram boas pessoas, que lhe pareceram responsáveis e de bem, e, por isso, deixava-a sair com eles, sempre a deixou sair desde que ela era adolescente, pois era muito talentosa; claro que, no início, ia junto, acompanhava-a, mas, a partir de determinado momento, não foi mais, porque era constrangedor, era o único pai no grupo, era quase pior do que não deixá-la ir; assim, a partir de certo momento, passou a ficar em casa, esperando por ela, angustiado, claro, não importava se de manhã, à tarde ou à noite, corroído pela dúvida, será que fiz bem, será que fiz mal, Adele gosta tanto desses esportes, mas eles também são perigosos, enfim, não é como jogar uma partida de tênis, e Adele nunca gostou de tênis, só de esgrima, quando criança, e ali já havia uma *arma*, havia um símbolo de sangue, de morte, de perigo, enfim, ele também poderia tê-la proibido de desafiar abertamente a força da gravidade, as ondas, as escaladas, todas elas catárticas, mas perigosas, estava no seu direito, era da sua alçada de pai, ou, então, não proibi-la de nada, e ele tinha decidido não proibi-la, e a deixava sair, e suportava em silêncio a angústia provocada por essa situação, e temia, sempre em silêncio, receber aquele terrível telefonema no meio da noite toda santa vez que ia dormir e Adele estava fora de casa, temia-o em silêncio, sempre, antes de pegar no sono, quando acordava para ir ao banheiro, antes de voltar a pegar no sono, sem conseguir voltar a pegar no sono, tomando remédio em gotas para voltar a pegar no sono, Rivotril, Xanax, Ansiolin, mas era preciso reconhecer que, naqueles anos, nunca acontecera nada, nem mesmo o menor acidente, nem de dia nem de noite, nem mesmo um arranhão ou uma luxação, nadica de nada, se excetuarmos, vá lá, que um belo dia ela voltou grávida de uma dessas aventuras, tudo bem, mas essa era outra história, e ele a havia aceitado, grávida aos vinte anos e sem notícias do pai, tudo aceito, em silêncio, sem deixar transparecer o próprio tormento, será que fiz bem, será que fiz mal, porque, por outro lado, Adele era uma menina inteligente, de bem, ajuizada, confiável, *tinha superado todos os percalços*, e, na realidade, era um autêntico milagre, considerando-se o que ela havia passado na infância, levada de um lugar a outro, traumatizada, na Itália, na Alemanha, de novo na Itália, em Roma, em Munique, em Florença, com uma mãe louca, convenhamos, e um pai tonto, que não soube protegê-la, com a dor se derramando sobre ela, vindo de todos os cantos, coisa para deixar qualquer um disfuncional por princípio, mas, por incrível que pareça, ela se desenvolveu bem e se entregou à disfuncionalidade apenas quando foi necessário chamar a atenção para o perigo que seus pais ainda não percebiam, então apareceu o fio nas costas, e ela se curou quando os pais deram provas de que começaram a entender, e o fio desapareceu, e ela tornou a recorrer a ele quando tudo explodiu, então o fio reapareceu, até transformar Munique em uma teia inextricável, na qual era impossível viver, e indicou, assim, a solução a seus pais inadequados, a mãe louca, o pai que não soube protegê-la, enfim, pode-se dizer que foi ela quem, utilizando aquele fio, conduziu sua família tão desafortunada, digamos, não para o bem, porque realmente não é possível falar de bem, mas para o mal menor, sim, e pelo menos isso nosso irmão Marco entendeu no final, percebeu que em sua filha estava contida uma poderosa e selvagem sabedoria, e se esforçou apenas para lhe dar estabilidade, porque, no fundo, Adele precisava apenas disso, de um pouco de estabilidade, ainda que dolorosa, com as visitas periódicas à mãe na clínica, com o amor inexprimível pela irmãzinha alemã e a sábia decisão de vivê-lo plenamente quando ambas crescessem, uma estabilidade dolorosa e complexa, portanto, mas, ainda assim, estabilidade, algo que Adele nunca havia conhecido, no qual finalmente pôde apoiar-se, enrolando para sempre aquele fio e tornando-se o que se chama de "um modelo de moça" e, a partir de determinado momento, "um modelo de mãe solo", que estudava, trabalhava e ia surfar ou saltar, e, quando ia surfar ou saltar, ele ficava com a pequena, Miraijin, sua neta, e era justo assim, Adele ia recarregar sua sabedoria no coração selvagem da natureza, e ele a esperava em casa com a pequena e lhe dava estabilidade, e administrava a própria angústia em silêncio, tinha passado anos assim, e parecia até que havia feito bem em aceitar, em perseverar e em deixá-la ir, parecia até que tivesse valido a pena arriscar, até que, por fim, veio aquele telefonema, e ele descobriu que realmente era alguém marcado, abandonado por Deus, muito, mas muito mais do que acreditava, e já acreditava sê-lo o bastante, desde a época da morte de sua irmã Irene, e veio o telefonema que todos os pais temem, mas apenas poucos recebem, poucos desafortunados, marcados, predestinados, para os quais, em inúmeras línguas, não existe nem mesmo um nome, mas ele existe, por exemplo, na língua hebraica, *shakul*, proveniente do verbo *shakal*, que significa justamente "perder um filho", e existe em árabe, *thaakil*, com a mesma raiz, e em sânscrito, *vilomah*, literalmente "contrário à ordem natural", e existe em inúmeras variantes nas línguas da diáspora africana e, em sentido menos unívoco, existe também em grego moderno, *charokammenos*, que significa "queimado pela morte" e, de maneira genérica, designa quem sofre por um luto, mas é usado quase exclusivamente para indicar o progenitor que perde um filho; aliás, essa história de perder os filhos já havia sido tratada, definitivamente, em um dos oráculos da juventude do nosso irmão Marco, "Sabia que perdi dois filhos? / Pois então a senhora é uma mulher muito distraída",[11] porque, de fato, pensando bem, não faz sentido dizer que *perdemos* alguém quando alguém morre, isto é, que somos o sujeito da sua morte, perdi minha filha, fiz com que ela me faltasse, deixei que ela morresse, eu eu eu, esse pronome não faz sentido, é quase obsceno quando morre outra pessoa, mas, quando morre um filho, não deixa de fazer sentido, infelizmente, porque a responsabilidade sempre está em algum lugar, ou a culpa do progenitor que não impediu, como era seu dever, que não suplicou, não evitou, não protegeu, não previu, que deixou acontecer e, portanto, deixou morrer e, portanto, *perdeu* o filho ou a filha; enfim, para nosso irmão Marco, veio o telefonema que

---

[11] Versos da canção "Amico fragile", de Fabrizio De André. (N. T.)

zerou sua vida, e veio à tarde, em um domingo de outono, e sua vida, já zerada outras vezes, zerou de novo, só que na vida não existe zero e, de fato, Miraijin dormia com a cabeça nos joelhos dele, e enquanto ele tentava respirar, porque nem isso conseguia mais fazer, era *shakul* havia poucos segundos (não foi exatamente assim que lhe disseram, foram delicados, mas ele havia entendido muito bem), era *thaakil*, era *vilomah*, era *charokammenos* havia poucos segundos, e os pulmões estavam bloqueados, e o ar era um fio incandescente, e o ventre era um buraco sem fim, e a cabeça, um tambor, e mais próxima do zero do que isso a vida não pode ser, Miraijin acordou docemente e sorriu para ele, fazia um mês que havia completado dois anos e, ao fazer isso, ou seja, simplesmente acordando e sorrindo para ele, disse-lhe vovô, nem pense em uma coisa dessas, disse-lhe nem de brincadeira, disse-lhe vovô, eu estou aqui, você tem de suportar.

Analisado (2009)

Para: Giacomo – jackcarr62@yahoo.com
Enviada – Gmail – 12 de abril de 2009 23:19
Assunto: As fotos de Letizia
De: Marco Carrera

Caro Giacomo,

consegui organizar o arquivo fotográfico da mamãe! Foi um golpe de sorte, mas fiz isso também. Agora já podemos vender a casa.

Para mim, foi muito mais difícil me ocupar das coisas da mamãe do que daquelas do papai, por muitas razões; aliás, devo dizer que, na realidade, não me ocupei nem um pouco delas: aqueles milhares de fotos, lindas, é verdade, me constrangiam e, às vezes, me feriam; quando eram retratos dos arquitetos e dos artistas com os quais a mamãe colaborava, eu não podia deixar de me perguntar quais deles foram seus amantes e, de todo modo, meu coração ficava apertado ao ver toda aquela gente, todo aquele talento, todo aquele mundo ao redor dela, sem que nunca, nem mesmo em um cantinho, houvesse lugar para o papai. É verdade que as proezas dele, sua coleção Urania, suas miniaturas e suas maquetes também deixavam a mamãe de fora, mas neles, pelo menos, não havia *mais ninguém, era o mundo solitário de Probo, o solitário. Já nos trabalhos da mamãe havia todo um mundo de homens, mulheres, arte, talento, arquitetura, objetos, lábios, cigarros, sorrisos, conversas, roupas, sapatos, música, paisagens, e ela, que tira a foto, está no centro de tudo isso, e tudo isso se alastra ao redor dela, e realmente há tudo, tudo, menos Probo. Isso me bloqueava. Acho que eu sentia ciúme ou algo parecido. Mas, veja como é o mundo, mesmo não me ocupando dessas coisas, consegui encontrar uma solução também para esse arquivo. Fundação Dami Tamburini. Não te diz nada, eu sei, também não dizia nada a mim até que, por puro acaso, deparei com esse tal de Luigi Dami Tamburini, de Siena, herdeiro de uma considerável fortuna familiar, constituída por inúmeros imóveis, terrenos, um lago (!), um dique (!!), mas, sobretudo, por um pequeno banco de investimentos, de altíssimo nível, com sua bela Fundação, que se ocupa da iconografia do século XX. Aconteceu assim: um amigo meu me convidou para participar de um torneio beneficente de tênis no Parco delle Cascine, organizado pela Pitti Immagine[12] na semana de Pitti Uomo e, portanto, lotado de celebridades e playboys, incapazes de mandar a bola para o outro lado da rede – enquanto eu voltei a jogar regularmente, estou em forma e sou bom nisso; portanto, fui chamado a participar dessa competição para qualificá-la tecnicamente. Era um torneio de duplas, daqueles em que elas são sorteadas antes de cada turno. Até que cheguei com bastante facilidade à semifinal, e nessa etapa caí com esse tal de Luigi Dami Tamburini. Ele fazia dupla comigo, quero dizer. Honestamente, até que ele não joga mal, embora cometa muitas faltas; mas, apesar das suas inúmeras duplas faltas, vencemos. No sorteio da final, caímos de novo juntos*

---

[12] Evento de moda em Florença. (N. T.)

e, desta vez, foi uma verdadeira batalha: os adversários eram fortes, eu joguei muito bem, Dami Tamburini fez um pouco menos de duplas faltas, e vencemos também a final. Ele, Dami Tamburini, ficou feliz da vida, agradecia a Deus por ter sido sorteado duas vezes seguidas comigo e, para me demonstrar seu imenso reconhecimento, convidou-me para jantar em sua mansão em Vico Alto, perto de Siena, uma primeira, depois uma segunda vez e, nesses jantares, interessou-se pela minha vida e quis me contar a sua. (Aliás, pegando informações aqui e ali, fiquei sabendo que ele é chegado em um jogo e que, algumas vezes por mês, aquela mesma mansão para a qual me convidou se transforma em um cassino clandestino, mas eu não lhe disse nada sobre os meus deslizes da juventude.) Assim, também me contou da Fundação, que reúne justamente arquivos fotográficos privados, coleções de cartazes, cartões-postais, manifestos e similares, ligados à arte do século XX. Então, falei para ele do arquivo da mamãe, assim, como quem não quer nada. Ele me disse que não se ocupa pessoalmente da Fundação, mas pegou o celular e me fez falar com o presidente, que, muito atencioso, marcou uma hora comigo para o dia seguinte. Assim, levei-o à Piazza Savonarola e lhe mostrei o arquivo da mamãe. Ao mostrá-lo, bagunçado como ela o havia deixado, também o examinei direito, pela primeira vez, pode-se dizer, porque, como já te disse, até aquele momento, sempre me havia incomodado mexer com aquelas fotos, e me dei conta do quanto são preciosas: há centenas de retratos magníficos, Giacomo, de arquitetos, designers e artistas, todos em branco e preto, com uma seção dedicada às mulheres arquitetas que, se não for a mais completa da Itália, pouco lhe falta; há sequências lindíssimas que eu nunca tinha visto, da produção de objetos de plástico (lâmpadas, cadeiras, mesinhas), que vão desde o projeto no estúdio até a extrusão na fábrica; há a documentação de praticamente todas as mostras e exposições dos grupos de arquitetura radical dos anos 1960 e 1970, bem como de um grande número de eventos de poesia visual, e há uma seção empolgante, dedicada aos Anjos da Lama de 1966, da qual eu também não sabia nada: e, em uma dessas fotos, Giacomo, uma única, em meio aos voluntários, aparece o papai, de galochas e capa, diante da Biblioteca Nacional, debaixo de um poste de luz que ilumina seu rosto sorridente, com um cigarro entre os lábios. O único sinal da sua presença na montanha de fotos e negativos que a mamãe acumulou por toda a vida. É realmente um milagre termos nascido.

O presidente da Fundação mostrou-se impressionado com o material, mas acho que estava fingindo, acho que Dami Tamburini lhe dera ordem para pegar tudo e fim de papo, e, quando tratamos de planejar a operação de transferência do material, ofereceu-me vinte mil euros. Mas eu não quero nada, disse a ele, que ficou constrangido. Como não quer nada? Imagine, eu lhe disse, trata-se de uma doação, são vocês que estão fazendo um favor a mim. Então, o homem olhou para mim, olhou para mim atentamente, e me analisou. Não sei se já te aconteceu de ser analisado: comigo nunca tinha acontecido, mas ali, na sala da casa da Piazza Savonarola, tenho certeza de que, enquanto olhava para mim, aquele homem me analisava, isto é, perguntava-se se eu estava sendo sincero ou não, se era ganancioso ou não, se poderia ou não me propor uma participação em suas tramoias. Não tenho como te provar isso, é claro, mas, enquanto ele me olhava, eu realmente "soube" que aquele homem é um bandido e que rouba dinheiro – tive uma estranha e luminosa certeza disso. Por fim, deve ter chegado à conclusão de que não valia a pena correr o risco de eu jogar tudo no ventilador e "aceitou" minha doação, mas estava visivelmente decepcionado, e tenho certeza de que, se ele soubesse desde o início que eu tinha a intenção de doar o arquivo, nem teria se dado ao trabalho de ir até nossa casa.

E, assim, caro Giacomo, por fim, também os sinais da passagem da mamãe por esta terra não "se perderão no tempo como lágrimas na chuva".[13] Agora, a Fundação Dami Tamburini conta com a doação Letizia Calabrò, e a casa da Piazza Savonarola está oficialmente à venda, embora o corretor ao qual a confiei, meu velho colega de escola, Ampio Perugini (lembra-se dele? Aquele com a mancha vermelha ao redor do olho: te dava medo) tenha me dito que, neste momento, com a crise do subprime, a queda nas bolsas et cetera, o mercado imobiliário desabou. O que se há de fazer? Vamos torcer para que a situação melhore. Certo é que não vou vender a casa a preço de banana. Se pagarem um preço justo, muito bem; do contrário, vou aguardar.

Paciência não me falta, não é mesmo, mano?

Me desculpe por essa pergunta, espero uma resposta

e abraço a tela.

Marco

---

[13] Frase extraída do filme *Blade Runner*. (N. T.)

Via-crúcis (2003-2005)

Probo Carrera adoeceu de câncer pouco depois de ter manifestado a intenção de ir viver em Londres. Na realidade, quando a manifestou, já estava doente e ainda não sabia – ou talvez soubesse mesmo sem saber, ou seja, sentia, e isso explicaria, em parte, o caráter estranho dessa intenção. De fato, tratava-se de algo bastante surpreendente para ele: deixar Florença, deixar a casa da Piazza Savonarola, a oficina, as maquetes, os trenzinhos, e mudar-se para um miniapartamento ainda indefinido, a ser comprado especialmente para esse fim em Marylebone, onde parece que seu coração ficou encalhado desde as remotas férias de estudo, passadas ali, nos anos 1950, junto com seu amigo Aldino, vinte dias maravilhosos na casa de uma aristocrática família de amigos dos Mansutti, proprietária de um edifício inteiro na Cavendish Square. Mas quem sabia disso? Ninguém. Desde aquela época, havia voltado a Londres só mais duas vezes: uma, dez anos depois, a um quarteirão de distância, no Langham Hotel, para uma loucura de amor com Letizia, quando ainda se amavam e eram felizes, e a outra com toda a família, dez anos depois da primeira, durante as férias da Páscoa de 1972, quando já eram infelizes, em uma viagem organizada por ele mesmo para o Conselho de Engenharia de Florença, do qual na época era membro. Por meio de uma agência à qual Probo dera apenas duas instruções, a saber, o orçamento e a obrigação de pernoitar em Marylebone, viu-se amontoado com Letizia e os três filhos em dois minúsculos quartos de um minúsculo hotel em Chiltern Street, desaprovado pela própria Letizia e por muitos outros colegas do grupo. Ele, ao contrário, ficou entusiasmado, pois estava em Marylebone, e o simples fato de encontrar-se em Marylebone o fazia sentir-se bem. Mas quem sabia disso? Ninguém.

Se tivesse sido mais loquaz, e não o homem taciturno que era, capaz de silêncios abissais, em todos aqueles anos Probo teria deixado escapar que aquele bairro de Londres era o lugar mais bonito e reconfortante que já vira na vida – capaz de manter sua imaginação ativa, mesmo na paralisia sofrida após a morte de Irene. Mas nunca dissera nada a ninguém, e, por isso, essa intenção explodiu como uma bomba em um morno domingo de outono, em 2003, após um bom almoço preparado por ele para Letizia, Marco e Adele. Durante o almoço, Letizia se queixou, como sempre, do fato de Giacomo não visitá-los mais, nem mesmo no Natal – e ele permaneceu calado, como sempre acontecia quando sua mulher se queixava; mas depois, quando o almoço havia terminado e todos esperavam apenas a ocasião para se dispersarem, lançou a bomba: mudar-se, miniapartamento, Marylebone. Todos se surpreenderam, Letizia mais do que todos – ficou surpresa e até com certa inveja, pois, à medida que Probo a ilustrava, aquela intenção parecia *dela*: a Inglaterra Georgiana, as últimas Adam Houses de Londres, os sebos, as docerias, os pubs cheios de jogadores de *cricket*, a casa onde morreu Turner, aquela onde viveu Dickens, a outra onde viveu Elizabeth Barrett antes de fugir justamente para Florença com Robert Browning, a Wallace Collection, o Langham Hotel – é claro –, os lendários plátanos da

Manchester Square, a última casa habitada pela profetisa Joanna Southcott... Mas do que você está falando, perguntou Letizia, desconcertada: que plátanos, que profetisa? E Probo, fazendo-se de sonso, fumando seu Capri, contou a história dessa louca da Era Georgiana que se havia autoproclamado a Mulher do Apocalipse, descrita por João no *Livro do Apocalipse*, morta em 1814 aos sessenta e quatro anos, poucas semanas após o fracasso da profecia na qual havia anunciado que daria à luz o novo Messias. Não dera à luz o novo Messias, mas adoecera gravemente e morrera logo após o dia de Natal, embora seus adoradores tivessem esperado que o corpo começasse a se decompor antes de anunciar a notícia, para o caso de ela decidir ressuscitar. Sua profecia mais célebre dizia que o fim do mundo chegaria em 2004, e, como faltavam poucos meses, Probo anunciou que era exatamente ali, em Marylebone, que queria enfrentá-lo. Não deu nenhum sinal de que estava brincando nem revelou se Letizia estaria incluída em seus planos ou se sua mudança para Londres deveria ser entendida como a separação de ambos, que já contavam mais de setenta anos. Mostrou que havia se informado sobre a existência de miniapartamentos no bairro e seu preço – bastante alto, é verdade, mas igualmente definido como "acessível".

Posteriormente, naquela tarde, Letizia ligou para Marco: o pai dele tinha perdido o juízo? Tinha enlouquecido? Igualmente perplexo, Marco a tranquilizou, dizendo que com certeza era uma brincadeira: tinha verificado, afirmou, e todas as coisas de que Probo havia falado a respeito de Marylebone, as casas, os plátanos, a profetisa, provinham da pesquisa "Marylebone" na Wikipédia em inglês. Mas Letizia, que antigamente era tão rápida para compreender as novidades, não sabia o que era Wikipédia.

A internet não a havia conquistado, mas havia conquistado Probo – e justamente essa era a notícia clamorosa. Era a prova de que, ao envelhecerem, Letizia e Probo estavam trocando os papéis, e, dessa vez, era ela quem se arrastava diante dos avanços do mundo, enquanto Probo nadava com naturalidade, produzindo até brincadeiras refinadas – ou, caso não estivesse brincando, intenções refinadas de vida. Era uma mudança de época que Marco tentou explicar à filha: o vovô Probo, que navega na internet e diz querer mudar-se para Londres; e a vovó Letizia, que não entende e fica para trás – uma Revolução Copernicana. Mas Adele não tinha conhecido seus avós *antes*, não podia entender a magnitude da coisa – e Giacomo, como lamentado por Letizia, já estava estabelecido nos Estados Unidos e não se interessava mais pelas questões de família.

Brincadeira ou não, a intenção de Probo foi descartada pelo diagnóstico emitido três semanas depois, em uma chuvosa sexta-feira de novembro, com base na biópsia dos tecidos retirados durante a colonoscopia, realizada depois da descoberta de sangue oculto nas fezes em um exame de rotina. Adenocarcinoma. Adeus, Londres. Adeus, Marylebone. Era o fim do mundo, sim, mas diferente do entendido por Joanna Southcott. Por sua vez, começou a conhecida via-crúcis, orgulho da medicina contemporânea, que libera o doente do arcaico mecanismo veredito-execução e o obriga a um lânguido, por vezes longo, por vezes muito longo caminho rumo ao fim – uma via-crúcis, justamente, marcada por suas árduas estações, com frequência bem mais de catorze. Descoberta do mal. Biópsia. Resultado da biópsia. Consultas a especialistas. Indecisão entre cirurgia e tratamento. Escolha da cirurgia ou do tratamento. Êxito encorajador da cirurgia ou dos primeiros ciclos do tratamento. Descoberta de que, mesmo tendo escolhido a cirurgia, a certa altura é necessário o tratamento. Efeitos colaterais do tratamento. Mudança do protocolo de tratamento. Descoberta de que, mesmo tendo escolhido o tratamento, a certa altura é necessária a cirurgia. E assim por diante... Todos conheceram esse caminho, direta ou indiretamente, e quem não o conheceu o conhecerá, e quem não o conheceu nem o conhecerá é um predestinado ou o mais desventurado dos seres humanos.

Desde o princípio, Marco assumiu todo o peso da assistência – pouca coisa, pensou, se comparado ao da doença que seu pai tinha de carregar – e o fez com certa desenvoltura. Para ele, ter Adele de volta havia sido um milagre que o enchia de força e perseverança. Probo foi operado do intestino, mas pouco depois algumas metástases saíram da invisibilidade, agredindo o fígado e um dos pulmões. Para combatê-las, escolheu-se o seguinte caminho: no inverno, quimioterapia intensiva; interrupção na primavera; descanso no verão; no outono, retomada do protocolo; no inverno, quimioterapia intensiva, e assim por diante. Se o físico e o estado de espírito de Probo aguentassem, disse o oncologista, ele poderia viver por muitos anos com uma qualidade de vida considerável. Por isso, disse a Marco: acompanhe-o na químio, fique atento aos efeitos colaterais e à ingestão de outros medicamentos, leve-o para fazer as tomografias, peça para o enfermeiro ir à casa dele para fazer os exames de sangue... Considerando que também tinha de trabalhar e cuidar de Adele, para Marco esse certamente não foi um período tranquilo – mas o que estava em discussão não era a sua resistência, e sim a de seu pai.

Até que o físico de Probo suportou bem, e as metástases diminuíram já nas primeiras sessões de quimioterapia.

Em relação ao estado de espírito, era difícil saber como andava, uma vez que Probo falava muito pouco. Em todo caso, não parecia abatido. Letizia, por sua vez, estava em choque, não conseguia aceitar a situação e, portanto, tampouco acudir o marido como considerava que era seu dever – o que produzia nela uma perigosa tendência à depressão. Embora essa nunca tenha sido sua especialidade, Marco suspeitou que a psicanalista de longa data de sua mãe – já de idade, mas obstinadamente determinada a continuar a exercer a profissão – estivesse falhando. Foi Adele a lhe dar uma ajuda decisiva ao levar para ela um novo jogo de lógica, que seus amigos de surfe e escalada haviam descoberto na Inglaterra, chamado *sudoku*. Letizia se apaixonou por ele, confirmando a clamorosa impressão de estar se "probizando", uma vez que o tal jogo era muito menos adequado a ela, arquiteta irrequieta, do que a ele, engenheiro sedentário. Ele, por sua vez, não se interessou pelo passatempo, nunca mais falou de Marylebone e, mesmo fraco e sofrendo por causa do tratamento, dedicou-se a projetar uma maquete impressionante – o primeiro trecho da ferrovia Circumvesuviana entre Nápoles e Baiano, de 1884, reconstruído fielmente graças a uma meticulosa pesquisa; projeto que, no entanto, abandonou de repente quando interrompeu o protocolo quimioterápico para a pausa de verão. Por sentir que as forças voltavam (o calendário estudado pelo oncologista estava funcionando), comprou em Marina di Cecina uma pequena lancha usada e começou a sair para pescar. E vamos lá. Ao mar. Todos os dias. Assim, do nada. Não saía para pescar desde os tempos de sua amizade com Aldino Mansutti, ou seja, havia mais de trinta anos, mas começou a levar uma vida de pescador. E pescava, era bom nisso. Primeiro, pescava peixes-agulha;

depois; utilizava-os como isca viva para pescar peixes-serra: e, quando pegava um grande, em terra tirava foto com a presa entre as mãos, e a foto ia parar na parede da barraca de Omero, o amarrador do porto-canal que lhe vendera a lancha. Olhando para aquelas fotos, ninguém diria que ele estava doente. E isso, mesmo sem Londres no meio, implicou igualmente a separação de Letizia, pois significou mudar-se para Bolgheri em meados de maio e por lá ficar até o fim de setembro, mas para Letizia aquela casa dava dor de estômago, especialmente se nela tivesse de ficar sozinha (sair para pescar com Probo estava fora de questão). Por isso, de novo, na estranha involução conformista que sua vida havia sofrido, Letizia se sentiu inadequada, culpada por não conseguir cuidar do marido doente – tarefa que era admiravelmente desempenhada por Lucia, filha de dona Ivana, que nesse meio-tempo tinha assumido o posto da mãe na governança da casa de Bolgheri.

Marco ia e voltava. Florença-Bolgheri – e passava um dia inteiro com o pai; Bolgheri-Florença – e levava a mãe para jantar no restaurante indiano perto do estádio, ou ao cinema junto com Adele; Florença-Seravezza, e acompanhava Adele, que ia escalar nos Alpes Apuanos com seus amigos mais velhos; às vezes, em alguns fins de semana, fazia até mesmo o trajeto Florença-Seravezza-Bolgheri-Seravezza-Florença, dando um jeito de acompanhar Adele, deixá-la com os amigos, descer até Bolgheri, sair para jantar no Gambero Rosso com Probo, ir pescar com ele na manhã seguinte, voltar para pegar Adele à tarde e levar Letizia ao restaurante no domingo à noite. Era cansativo, mas, de todo modo, melhor do que tivera de fazer durante o inverno. Em seguida, veio agosto, e a família se reuniu em Bolgheri, como se essa fosse uma lei esculpida em tábuas de pedra.

Intimado por Letizia, Giacomo também veio da Carolina do Norte, junto com a esposa, Violet, e as duas filhas, Amanda e Emily, e por duas semanas a casa ficou cheia de novo. Essa foi a estação mais difícil de suportar: se o fingimento da família unida já era ridículo antes, quando todos estavam saudáveis, tornava-se penoso nesse momento, quando estava claro que era a doença a reuni-la – da qual, de resto, não se falava, pois Probo, mesmo tendo mudado os hábitos, não tinha mudado o comportamento e nunca dizia nada de si mesmo. Para Marco, o sofrimento foi intensificado pelo fato de Luisa não ter dado as caras durante todo o verão – e tinha acontecido apenas uma vez de ela não vir nem por um dia, mas havia sido muitos anos antes, quando ela estava para dar à luz o segundo filho e, como a gravidez era de risco, ficara em Paris. O fato de ela não aparecer justamente naquele verão, enquanto ele carregava sua cruz, pareceu-lhe a prova definitiva de que estava perdida para sempre. Estava errado, mas, naquele momento, isso lhe pareceu de uma clareza desencorajadora.

Em outubro, Probo recomeçou a quimioterapia, mas, poucas semanas depois, a situação se precipitou. Já no verão, Letizia havia começado a ter uma febrezinha e a emagrecer. O médico de família não se preocupou, falou em diverticulite, mas, em novembro, quando Letizia foi ao ginecologista para uma consulta de rotina, descobriu-se que tinha um tumor em estágio muito avançado no corpo do útero. O ginecologista, amigo da família, ligou para contar a Marco antes ainda de comunicar a ela, porque ele próprio ficou muito abalado. Marco deixou o ambulatório e correu para o consultório do colega, e foi ele mesmo a dar a notícia à mãe, ali, na frente do ginecologista e de sua assistente, que, consternados, permaneceram em silêncio.

Depois, acompanhou-a até a casa dela. "Estou morta", repetiu Letizia durante todo o trajeto, e continuou a repeti-lo também em casa, para Marco, que acariciava seus cabelos, sentado no sofá ao lado dela, e para Probo, que olhava para ela sem compreender. "Estou morta."

Começou a segunda via-crúcis – essa, mais brusca, mais desesperada e muito mais rápida. Desde a primeira consulta, o mesmo oncologista que, no ano anterior, dera boas esperanças de sobrevida a Probo, a ela não deu nenhuma. Foi de uma sinceridade que a Marco pareceu obscena: ali, na frente dela e de Probo, que fizera questão de estar presente, não se permitiu sequer uma vaga esperança, nada – apenas a dura e desconcertante verdade. A única que não ficou transtornada foi Letizia, que já estava transtornada fazia tempo, e seu comentário – "estou morta" – deixava isso claro desde o princípio.

Embora considerado inútil pelo mesmo oncologista, um ciclo de quimioterapia foi infligido também a ela; e ela, ao contrário do que teria feito na juventude, quando seu orgulho radical se nutria da luta contra o supérfluo, submeteu-se a ele. Assim, pouco antes do Natal, Marco passou pela experiência radical de acompanhar os pais ao *day hospital* para a químio – um em um quarto, e a outra em outro –, experiência que o fez voltar a pensar em um livro de David Leavitt, lido muitos anos antes junto com Marina, quando estavam apaixonados e Adele estava para nascer. Marco não se lembrava de praticamente nada desse livro, nem mesmo do título (eram contos, apenas isso), mas a obra voltou a aflorar em sua memória, com grande brandura, justamente pelo simples e extraordinário fato de ele levar os pais à quimioterapia.

Giacomo veio dos Estados Unidos para dar uma mão e, como as férias de Natal estavam próximas, trouxe toda a família. Como sempre nesses casos, para não violar a intocabilidade do quarto de Irene, as filhas dele foram dormir na casa de Marco, no quarto com Adele. Eram um pouco mais velhas do que ela, feiinhas e americanas até a medula: Giacomo parecia ter evitado de todo modo transmitir-lhes qualquer coisa das próprias origens, inclusive a beleza que, com mais de quarenta anos, continuava a resplandecer nele. Bastava vê-las às voltas com um prato de espaguete ou com as expressões mais elementares da língua italiana para se dar conta do quanto Giacomo quisera distanciar-se da própria vida anterior. De resto, fazia mais de vinte anos que tinha ido para os Estados Unidos, tinha se naturalizado americano havia quinze, ensinava na universidade havia dez (mecânica racional) e, como várias vezes se queixara Letizia, fazia cinco anos que não ia a Florença nem mesmo para as festas de Natal: alguma surpresa se suas raízes tinham desaparecido?

Ao contrário, surpreendente foi sua decisão de permanecer mesmo depois que Violet e as meninas voltaram para casa. Dado o caráter extraordinário da situação, não conseguiu deixar seu irmão sozinho, sobretudo porque ambos, Probo e Letizia, tinham manifestado o desejo de não terminar os próprios dias em um hospital, de permanecer em casa até o fim, o que complicava em muito o trabalho a ser feito. Assim, pela primeira vez depois de todos aqueles anos, Giacomo se expôs às radiações da própria e velha família sem a proteção da nova, que havia construído nos Estados Unidos. Tentou imitar Marco, que parecia à vontade naquele inferno: acompanhava-o quando levava os pais à quimioterapia, cuidava deles enquanto Marco procurava uma segunda enfermeira – para o dia, além daquela da noite, pois, dessa vez, os efeitos colaterais eram pesados para ambos. Também se empenhou em fazer *mais* do que ele, uma vez que Marco trabalhava, tinha Adele e não passava o tempo todo com Probo e Letizia. Giacomo, ao contrário, passava o tempo todo com Probo e Letizia ou, pelo menos, ficava à disposição deles. Só saía da casa da Piazza Savonarola para satisfazer as necessidades deles, comprar comida, abastecer-se na farmácia. Passava os fins de tarde preparando infusões, assistindo à televisão ao lado de Probo ou ajudando Letizia a completar o *sudoku*. Tinha vivido por vinte anos em Florença, mas nem lhe passou pela cabeça entrar em contato com alguns amigos da juventude, algumas antigas namoradas, distrair-se um pouco. Uma coisa que Marco notou com tristeza foi que nem sequer tentou estabelecer uma relação um pouco mais profunda com Adele, como teria esperado – como teria feito em seu lugar, com uma sobrinha que não via nunca. Na prática, anulava-se ao servir aos pais moribundos: sem querer enxergar o que era evidente, em apneia, como se estivesse na guerra. Mesmo quando chegou a enfermeira diurna, ele continuou a ministrar medicamentos, dar injeções, medir a pressão, tanto que a enfermeira achou que o filho médico fosse ele. Ao mesmo tempo, porém, tinha medo de cometer erros fatais e sempre pedia conselhos ao irmão, que era médico de verdade: como posso saber, respondia ele, sou oftalmologista. O antigo demônio da competição com Marco havia esperado por ele naquela casa, por todos aqueles anos, e tornava a atormentá-lo.

Dormia em seu quarto de quando era jovem, mas dormir é força de expressão, pois não havia ruído proveniente dos quartos de seus pais que não o fizesse precipitar-se à cabeceira deles com um salto, a qualquer hora da noite, mesmo antes da enfermeira. Certa vez, ligou para

Marco por volta das três da manhã, assustado com uma crise de disenteria que temeu poder matar Letizia. Marco o tranquilizou, aconselhou-o a confiar na enfermeira, mas depois decidiu vestir-se e ir à Piazza Savonarola; e, uma vez ali, interrompida a emergência graças ao cloridrato de loperamida, na grande sala que permanecera igual a quando eram crianças, os dois irmãos estavam realmente a um nada da reparação, da reconciliação: no entanto, como nada fizeram para preencher esse nada, nada aconteceu e nada se reparou. Isso tinha acontecido outras vezes naqueles dias, no hospital, quando Probo e Letizia adormeciam durante o tratamento, e os dois irmãos saíam dos quartos sem fazer barulho e se encontravam na penumbra do corredor. Eram ocasiões perfeitas para dizerem um ao outro o que deveriam dizer, perdoarem o que tinham de perdoar e fazerem as pazes de uma vez por todas: mas havia passado tanto tempo que, embora o constrangimento continuasse vivo entre eles, quase não se lembravam mais da razão. Como os pais estavam doentes, tudo se reduzia ao remoto desentendimento de ambos, mas essa não era a única coisa a ser reparada: olhando para os dois, naquele estado, enquanto se consumiam na cama, não era fácil dizer a razão, mas Probo e Letizia também eram responsáveis pelo nó corrediço que havia estrangulado a família desde a morte de Irene.

De repente, no final de janeiro, quando os protocolos de quimioterapia deram um pouco de trégua, Giacomo largou tudo de repente e voltou para os Estados Unidos. Nunca dissera que ficaria indefinidamente, tinha os cursos na universidade e muitas outras coisas para fazer, mas sua partida pareceu brusca e insólita: nunca dissera nada a respeito e, de repente, tchau. Talvez também por isso sua ausência deixou um vazio – aliás, como havia acontecido no passado, pois Giacomo era alguém que tendia a ir embora dos lugares e a deixar um vazio. Marco sentiu o golpe, mas, nos mesmos dias, também recebeu uma graça inesperada, uma carta de Luisa. Após quase quatro anos, assim, do nada, ela lhe escrevia uma carta estranha, na qual lhe falava de uma crença asteca segundo a qual a máxima recompensa prevista para quem morria em batalha era reencarnar em um colibri. No início da carta, porém, dizia sentir falta dele e, ao final, pedia desculpa por ter, dizia, feito "uma grande confusão". Marco passou a noite remoendo o significado que poderia ter aquela carta, sobretudo aquela última frase, mas, no dia seguinte, decidiu que, com Luisa, não tinha de elucubrar, interpretar nem remoer; com Luisa, tinha de deixar-se levar – ou romper, como acreditava ter feito, ou, se não tivesse rompido, deixar-se levar. Por isso, respondeu-lhe com uma carta longa e apaixonada, assim, sem proteção, sem pensar no sofrimento que ela lhe causara, havia quatro anos, quando de repente desistira do projeto, feito poucas semanas antes – oh, sim, eles o fizeram, sim, à noite, na praia de Renaione, com as luzes dos barcos pesqueiros cintilando sobre a água plana e os fogos de artifício estourando na direção de Livorno –, de viverem juntos e formarem uma grande família, e ela até lhe fizera acusações estranhas, falando de rigidez e limites violados, que de muito longe cheiravam a conselhos do psicanalista, e partira para Paris sem procurá-lo nem lhe escrever mais, e em agosto, em Bolgheri, mal o cumprimentara por três anos seguidos e, no quarto ano, o último, nem aparecera, nem mesmo por uma semana, nem mesmo por um dia. Marco não pensou nisso tudo, não remoeu, não se protegeu e, mais uma vez (a terceira? A quarta?), deixou-se levar e lhe contou a vida louca que estava levando, o amor que transbordava, a tristeza, a força, o cansaço, a chegada de Giacomo, a presença dele tão estranha, mas também familiar, o vazio, igualmente estranho, igualmente familiar, que a partida dele havia deixado; contou-lhe sobre a competição que seus pais estavam fazendo para saber quem morreria primeiro e sobre a troca de papéis que, nos últimos tempos, havia misturado um ao outro, e a ternura que tudo isso gerava. Por fim, disse que ainda a amava, como se nada tivesse acontecido. Luisa lhe respondeu de imediato com uma carta igualmente apaixonada: ela também o amava ainda, pensara ter estragado tudo, estava feliz por não ser assim, também o amava, estava triste pelos pais dele e o admirava muito pelo que estava fazendo, havia passado pela mesma situação dois anos antes, quando a mesma sorte coubera a seu pai, mas é claro que os dois ao mesmo tempo era uma loucura et cetera. A partir desse momento, voltaram a se escrever como haviam feito pela metade da vida, cartas antigas, escritas à caneta-tinteiro, com envelopes lambidos e selos que, nesse meio-tempo, se tornaram adesivos, cartas repletas de palavras de amor, de sonhos, de histórias sobre os filhos e até mesmo de intenções em relação ao futuro, embora nesse campo a experiência sugerisse a ambos usar de cautela. Em resumo, o fantástico mundo do amor impossível entre Marco e Luisa que resplandecia quando estavam separados.

  Letizia foi a primeira a morrer, no início de maio, a poucos dias de completar setenta e cinco anos. A docilidade que a invadira desde que adoecera concedeu a Giacomo o tempo de partir às pressas dos Estados Unidos para estar fisicamente presente, junto a Marco e à velha Ivana, que viera de Castagneto Carducci para estar até o fim perto de sua "senhora", no momento solene em que seus pulmões gorgolejantes exalaram o último suspiro. Probo, não, não estava presente, andava pela casa, agarrado ao andador como um orangotango, espumando de raiva, seguido de perto pela enfermeira. Uma raiva que, por toda a sua vida, Probo jamais havia manifestado e, provavelmente, nem mesmo experimentado, mas que, naquele momento, no auge da inversão dos temperamentos entre ele e Letizia, parecia ser a única força que o mantinha em vida.

 O funeral de Letizia se deu no dia do aniversário dela. Luisa, vinda de Paris para a ocasião, explicou aos dois irmãos que, na tradição do misticismo popular judaico, morrer, como Jó, perto do próprio aniversário era algo característico do *tzadik*, ou seja, do "homem justo", ou da mulher justa, a *tzadeket*. Nas cartas que havia trocado com Marco não mencionara nada, mas acabou revelando que, nos últimos anos, tinha se aproximado da religião da família, justamente após a morte de seu pai e de toda a série de ritos e celebrações das quais tivera de participar na comunidade judaica de Paris. Seja como for, uma vez ali, em carne e osso, ao lado de Marco, eis que Luisa parecia de novo insegura, distante da voz apaixonada que ecoava em suas cartas. Embora não houvesse impedimentos reais, quase não se tocaram; beijaram-se na boca apenas uma vez, apertados em um abraço diante do carro fúnebre que levava o caixão, mas foi um beijo leve, clandestino, no qual as línguas mal se tocaram. Obviamente, naquela circunstância, não era o caso de falar a respeito, e Marco deixou passar, mas ficou perturbado.

 Giacomo partiu no dia seguinte ao funeral, levando na bagagem um saquinho contendo um punhado das cinzas de sua mãe. Coube a Marco resolver o que fazer com a urna inteira e todo o restante. Pegou o mesmo avião de

Luisa para Paris, onde faria a conexão para Charlotte, e, assim, Marco os acompanhou até o aeroporto e os viu partirem juntos, seu irmão e a mulher da sua vida, e somente depois de se despedir deles, enquanto se afastavam, e ele dizia algo a ela, e ela meneava a cabeça de lado como quando ria com gosto, somente nesse momento se deu conta de que o mesmo mundo resplandecente que emoldurava Luisa quando estava com ele – feito das mesmas lembranças, com a mesma luz, a mesma intimidade – também a emoldurava quando ela estava com Giacomo. Ao acompanhá-los com o olhar, Marco sentiu pela primeira vez na vida, aos quarenta e cinco anos, três dias após ter perdido sua mãe, a pontada do ciúme em relação a seu irmão: não o ciúme pelo que era ou havia sido, e sim por aquilo que poderia ter sido – pois, pela primeira vez, um quarto de século depois do momento em que deveria ter percebido isto, deu-se conta de que, mudando o irmão Carrera ao lado de Luisa, o resultado permanecia igual. Tudo o que realmente resplandecia nela, e que ele acreditava ser o único a enxergar, provinha dos remotos verões da sua juventude, nos quais se apaixonara por ela ao vê-la crescer, tomar sol, correr e mergulhar na água, naquele pedaço selvagem da costa – mas percebeu que essas mesmas coisas, naqueles mesmos momentos, também haviam sido vistas por Giacomo. Não foi exatamente dar-se conta de como as coisas sempre haviam sido, mas foi igualmente um choque.

Também coube apenas a ele cuidar de Probo. A essa altura, a doença havia consumido seu pai quase por completo, mas ele ainda se agarrava à vida com fúria. Entorpecido por conta dos analgésicos e atormentado por ter sido ultrapassado por Letizia, já não conseguia encontrar paz nem de dia nem de noite. Para Marco, foi a penúltima estação da via-crúcis, aquela em que tanto o doente quanto quem cuida dele desejam que o fim chegue logo. De resto, na linguagem alucinada pela morfina, Probo lhe ordenava todos os dias que o levasse embora – me leve embora, você me prometeu que me levaria embora, quero ir embora, entendeu? Mas quando Marco tentou sondar a possibilidade, enfim, de acelerar um pouco o processo, o doutor Cappelli, colega designado pelo serviço de saúde local para os cuidados paliativos de Probo, fez ouvidos de mercador, repetindo que não se poderia prever quanto tempo levaria. Marco, porém, era médico e sabia que era possível. Assim, após o enésimo suplício, você me prometeu, você é um imbecil, me leve embora – ele não havia prometido nada, diga-se de passagem, a não ser que não o deixaria morrer no hospital –, Marco decidiu fazer tudo sozinho. Foi a última estação, aquela que (e era sempre a mesma dúvida) cabia a poucos predestinados ou a poucos desafortunados: tirar do mundo – por piedade, por obediência, por exaustão, por desespero, por senso de justiça – aquele que no mundo o havia posto. Assim, Marco soube exatamente qual foi a última vez que falou com seu pai: disse-lhe para se acalmar, para ficar tranquilo, que desta vez o levaria embora, deu-lhe uma primeira injeção de sulfato de morfina, fora do protocolo seguido pelo doutor Cappelli, deitou-se na cama ao lado dele e lhe perguntou se ele estava pronto para se mudar para Marylebone. Finalmente dócil, Probo resmungou que sim, acrescentou um emaranhado de nomes que Marco não entendeu, e suas últimas palavras, essas, sim, Marco distinguiu bem, embora também não as tenha entendido, foram "casa Goldfinger". Depois, adormeceu, e foi nesse momento que Marco Carrera, formado em medicina e cirurgia, em 1984, com especialização em oftalmologia, em

1988, fez o que fez com o acesso venoso de seu pai e com a morfina do doutor Cappelli.

No dia seguinte, a morte de Letizia completaria exatamente um mês. No dia seguinte, seria o aniversário de Probo. No dia seguinte, Probo estaria morto – o que significava, segundo a religião de Luisa, dois *tzadikim* para dois progenitores. Dessa vez, porém, Luisa não saiu às pressas de Paris para o funeral; nem o fez dona Ivana, de Castagneto Carducci; tampouco Giacomo, da Carolina do Norte: não puderam. Aos poucos que visitaram o corpo na capela mortuária e que lhe perguntaram como se sentia, Marco respondeu "cansado". Embora provenientes do mesmo forno, as cinzas que lhe foram entregues após a cremação eram muito mais escuras e grosseiras que as de sua mãe.

Para dar e para receber (2012)

Sexta-feira, 29 de novembro

Doutor Carradori? Este ainda é seu número?
16:44

Olá, doutor Carrera. Sim, o número ainda é este. Em que posso ajudá-lo?
16:44

Bom dia. Poderia me dizer, por favor, qual o melhor horário para ligar para o senhor?
16:45

Olhe, estou em Palermo, daqui a pouco vou pegar um avião para Lampedusa. Se não for urgente, pode me ligar depois do jantar, quando eu já estiver instalado. Pode ser?
16:48

Claro que sim. Não quero incomodá-lo. Vai para lá por causa do naufrágio do mês passado?
16:48

> Sim. E não só por isso. Essa ilha é um lugar incrível, para dar e para receber. Como vai o senhor?
> 16:50

> Infelizmente, nada bem. Naufrágio por aqui também. Preciso lhe pedir uns conselhos
> 16:51

> Sinto muito. Se me ligar esta noite, estarei à sua disposição
> 16:51

> Obrigado, doutor. Até mais tarde
> 16:52

> Até mais
> 16:54

Máscara (2012)

— Alô?
— Alô? Doutor Carradori?
— Sim, doutor Carrera. Como vai?
— Não muito bem.
— O que aconteceu?
— ...
— ...
— Realmente, não sei como lhe dizer. Enfim, não sei como fazer isso de um modo que não seja brutal.
— Então me diga de modo brutal.
— ...
— ...
— Adele...
— ...
— ...
— Adele?
— Morreu.
— Ai, meu Deus, não...
— Sim, infelizmente. Faz oito dias.
— ...
— ...
— ...
— Um acidente nos Alpes Apuanos. Um daqueles acidentes que, segundo os praticantes de escalada, não deveriam acontecer...

– ...
– ...e que, no caso de Adele, realmente impressiona. Com certeza, impressionará o senhor, doutor Carradori.
– Por quê?
– Porque a corda se rompeu, por isso. Enquanto ela escalava. Pelo atrito com a rocha. Tac. Rompeu-se. Mas essas cordas são feitas para não se romperem. Nunca. São de poliéster, têm uma alma de alta resistência, caramba, *não podem* se romper! Não deveriam se romper, sobretudo com Adele, porque o senhor sabe muito bem o que era uma corda para Adele! O que representava!
– O fio...
– Exatamente! Ela passou metade da infância protegendo aquele fio, porra, para que não se emaranhasse, para que não se rompesse. E, no fim...
– É terrível.
– ...
– ...
– Ah, que fique bem claro: não é que se ela tivesse morrido em um acidente de automóvel eu estaria feliz. Mas assim, francamente...
– ...
– ...
– Alguém poderia responsabilizar o fabricante da corda, para...
– É o que estão fazendo os amigos dela, os que estavam com ela. Querem processar a empresa que produz a corda, levá-la ao tribunal. Estão fazendo uma denúncia. Mas eu disse a eles que não quero saber de nada disso, disse a eles para me deixarem em paz e irem para o inferno.
– De fato, eu disse "alguém poderia", mas estava implícito que eu queria dizer...

– Como se não bastasse, tem as autoridades judiciárias, que estão investigando, fazendo apreensões, enchendo o saco. A procuradora-adjunta de Lucca me convocou, mas eu lhe disse com todas as letras que não vou, não quero nem ouvir falar nesse acidente.
– Tem razão, doutor Carrera.
– Sim, eu sei que tenho razão. Mas...
– Mas?
– Mas tem o motivo pelo qual o incomodei, doutor Carradori.
– Que seria?
– A mãe de Adele. Minha ex-mulher. Sua ex-paciente. Não sei como me comportar com ela.
– Entendo. Como ela está?
– Nada bem.
– Ainda está na Alemanha?
– Sim. Está em uma instituição particular, uma espécie de clínica psiquiátrica de luxo. Pelo visto, seu distúrbio se tornou crônico. Embora ultimamente parecesse que...
– ...
– ...
– Desculpe, perdi um pedaço da frase. Ultimamente parecesse o quê?
– Não, o senhor não perdeu nada. Eu é que deixei a frase pela metade.
– Ah. Ok.
– Enfim, ainda não contei nada a ela. E não sei como fazer isso. Como posso contar isso a ela sem...
– Mas não é o senhor quem deve contar, doutor Carrera. Quem deve fazer isso é nosso colega alemão que está tratando dela.

— Mas eu não o conheço. Nunca o vi.
— Quem paga a internação dela nesse lugar?
— O piloto. O pai da filha deles. E ainda tem a menina no meio, Greta, irmã de Adele. Também será preciso contar a ela, e vai ser outro problema, porque nos últimos tempos elas tinham começado, enfim, a se aproximar.
— Na minha opinião, é preciso falar com esse homem. O senhor o conhece?
— O piloto?
— Sim. Conhece-o?
— Não. Quer dizer, eu o conheci quando trouxe Adele para viver comigo, há treze anos, porque fui buscá-la na casa dele, mas depois disso não o vi mais. Aliás, Marina se separou dele também.
— Mas é ele quem paga a clínica.
— Sim.
— Então, deve ser uma pessoa de bem. Seria preciso falar com ele.
— Mas não estou com a menor vontade, doutor Carradori. Esse é o problema. Por isso liguei para o senhor. Não quero falar com ninguém. Não quero informar ninguém. E depois, como? Pelo telefone? Tenho de ir até Munique para dizer ao homem que levou minha mulher embora que minha filha morreu? Não consigo.
— Entendo perfeitamente.
— Nem sequer liberaram o corpo, porque ainda está retido pelas autoridades judiciárias, e sinto que, quando o liberarem, mal terei forças para enfrentar o funeral. Como vou fazer para avisar essa gente?
— Então, não faça. Não faça nada que não se sente capaz de fazer.
— Por outro lado…

— Por outro lado?
— ...
— ...
— Desculpe...
— ...
— É que tem mais uma coisa, mas...
— ...
— ...
— ...
— Estou meio... Desculpe. Estou tomando calmantes.
— Não se preocupe.
— Como eu estava dizendo, tem mais uma coisa.
— ...
— ...
— Diga.
— É que, há dois anos, Adele teve uma menina. Não se sabe quem é o pai, Adele nunca disse a ninguém. A menina é a maravilha das maravilhas, doutor, pode acreditar, e não digo isso por ser o avô, ela é realmente uma pessoa nova, diferente: é moreninha, quer dizer, parda, tem traços japoneses, cabelos encaracolados e olhos azuis. Como se as raças se unissem dentro dela, entende?
— Sim. Perfeitamente.
— Não é um discurso racista, espero que o senhor entenda, digo "raças" por ser mais fácil.
— Entendo.
— É, ao mesmo tempo, africana, asiática e europeia. É miudinha, mas já muito avançada: fala, entende, desenha que é uma beleza, tem dois anos. Cresceu com a mãe e comigo, porque vivíamos juntos. Sou o avô, mas também uma espécie de pai para ela.
— Claro.

– E, obviamente, é por ela que estou aqui, lutando, doutor Carradori. Se não fosse por ela, eu já teria me jogado no rio.
– Tudo bem, ainda bem que tem ela, então.
– Mas, enfim, Marina conheceu a menina. Nos últimos anos, Adele sempre a levava consigo quando ia visitá-la no verão. Antes, quando me interrompi, sabe, quando não terminei a frase?
– Sim.
– Eu ia dizer que, ultimamente, por alguma razão, Marina parecia estar progredindo bastante graças às visitas da neta. Estava melhorando. Pelo menos era o que dizia minha filha. Tanto que Adele decidiu levá-la mais vezes, a começar pelo próximo Natal, que deveríamos passar com Marina, pois minha filha tinha me pedido para ir à Alemanha com ela e a menina, e eu havia dito que sim. Por isso, mesmo que eu não dissesse nada a ela, porque não tenho vontade, porque não tenho forças para fazê-lo, ela certamente me procuraria e, nesta circunstância, eu teria de lhe dizer que Adele morreu e eu nem sequer a avisei...
– Entendo, doutor Carrera. Tem razão.
– Essa mulher me fez mal, mas sofreu e está sofrendo muito, até mais do que eu, e essa tragédia, para ela, poderia ser...
– ...
– ...enfim, não consigo ficar indiferente a ela, embora, ao mesmo tempo, eu não tenha forças nem vontade de me ocupar disso. Entende?
– Sim, entendo, e sabe de uma coisa? Fez bem em ligar para mim, porque posso ajudá-lo. Vou falar com o colega alemão que está cuidando da sua ex-mulher e com ela também, se for possível. E vou conversar com o

pai da menina e com a menina. Quantos anos o senhor disse que ela tem?

— Quem, Greta?

— A irmã de sua filha.

— Greta, sim. Doze. Mas ela não deve...

— Não falo alemão, mas eles devem falar inglês, não? Ele é piloto de avião, com certeza fala inglês. Se o senhor concordar, converso com todos, e o senhor não precisa se preocupar com nada.

— Mas como vai fazer? O senhor está em Lampedusa, precisa trabalhar. Pensei em um advogado, um encarregado, eu queria apenas lhe pedir uma indicação...

— Olhe, cheguei aqui esta noite, mas, na realidade, só vou entrar em serviço daqui a uma semana. É que eu não tinha nada para fazer em Roma, e aqui sempre há o que fazer, pois os centros de acolhimento de imigrantes estão superlotados, e todos os sobreviventes do naufrágio continuam aqui. Mas, se o senhor me der mais referências, amanhã pego o avião, vou a Palermo, depois a Munique, e converso com essas pessoas. Nenhum encarregado poderia ser mais adequado do que eu, acredite.

— É demais para mim, eu não saberia como...

— Afinal de contas, é minha profissão. Ocupar-me da fragilidade na emergência.

— De fato, emergência é o que não falta.

— E, sobretudo, há fragilidade.

— Sim, claro, também. Marina está daquele jeito, Greta ainda é uma menina...

— Eu não estava me referindo a elas.

— E a quem estava se referindo?

— Ao senhor, doutor Carrera. Agora o senhor tem de pensar em si mesmo. Tem de pensar exclusivamente em si mesmo, tem razões de sobra para não querer se ocupar dos outros. Entende o que quero dizer?

– Sim...

– Estou lhe falando como psiquiatra, mas também como amigo, se me permite. Agora, o senhor não deve pensar em mais ninguém além de si mesmo.

– E na menina.

– Não! Não confunda as coisas, doutor Carrera. Neste momento, o senhor está em perigo, porque o que aconteceu é terrível e poderia derrubá-lo. Não deve pensar nos outros, o perigo diz respeito ao senhor. Lembra-se de como devemos nos comportar no avião, em caso de emergência? Lembra-se do que nos mandam fazer com as máscaras de oxigênio?

– Primeiro colocar em si mesmo, depois nas crianças...

– Exatamente. Antes o senhor disse que, se não fosse por sua netinha, já teria se jogado no rio. E eu lhe disse que ainda bem que tem essa menina. Portanto, no rio o senhor não pode se jogar. Mas também não pode se entregar, não pode se abandonar. Não pode, porque tem a menina. Como ela se chama?

– Miraijin.

– Como?

– Mirai-jin. É japonês.

– Mirai-jin. Bonito.

– Significa "homem novo", "homem do futuro". "Homem" porque Adele não quis saber o sexo antecipadamente e tinha certeza de que seria um menino.

– Entendo. Mas também combina com uma menina.

– Ah, sim. E ela é muito feminina. A Miraijin, quero dizer. Ainda tão pequena, mas, puxa vida, é bem feminina, sabe?

– Acredito.

– Tem uns modos...
– ...
– Desculpe, eu o interrompi. O que o senhor estava dizendo?
– Eu estava dizendo que o senhor tem de pensar em si mesmo agora, em como fazer para ter vontade de se levantar da cama toda manhã.
– Bem, para isso, tenho Miraijin.
– Não! Desse jeito, o senhor é uma folha ao vento. Essa vontade, o senhor tem de encontrá-la dentro de si mesmo. Somente assim vai poder cuidar de fato da sua neta. As crianças são extraordinárias, o senhor sabe disso, percebem mais o que é silenciado do que o que é dito. Se o senhor cuidar de Miraijin com um vazio no coração, transmitirá esse vazio a ela. Se, ao contrário, tentar preencher esse vazio, e não importa se vai conseguir ou não, basta que *tente* preenchê-lo, então, transmitirá a ela esse esforço, e esse esforço, simplesmente, é *a vida*. Pode acreditar. Todos os dias, cuido de pessoas que perderam tudo, com frequência são as únicas sobreviventes de todo o seu núcleo familiar. Têm problemas materiais de todo tipo e, às vezes, também têm doenças terríveis, mas sabe com o que trabalhamos?
– Não...
– Trabalhamos com os desejos, com os prazeres. Porque os desejos e os prazeres sobrevivem até mesmo na situação mais desastrosa. Somos nós que os censuramos. Atingidos pelo luto, censuramos nossa libido quando é justamente ela que pode nos salvar. Você gosta de jogar bola? Pois então, jogue. Gosta de caminhar à beira-mar, comer maionese, pintar as unhas, capturar lagartixas, cantar? Faça-o. Isso não vai resolver nenhum dos seus problemas, mas também não

vai agravá-los, e, nesse meio-tempo, seu corpo se livrará da ditadura da dor, que quer mortificá-lo.

— E o que tenho de fazer?

— Não sei, são coisas complexas, não dá para dizer pelo telefone. Mas, basicamente, deve ter em mente que, neste momento, o senhor está frágil, está em perigo. E tem de tentar salvar do naufrágio todas as coisas de que gosta. Ainda joga tênis?

— Sim.

— Joga bem como quando era jovem?

— Mais ou menos. Dá para o gasto.

— Então, jogue tênis. É um exemplo.

— Certo. E Miraijin? Não quero ficar longe dela, entende? Nem mesmo para jogar tênis. Não quero mais confiar uma criatura que amo a outra pessoa, a surfistas, alpinistas, babás...

— Concordo com o senhor, é totalmente justificável. Mas ninguém vai impedi-lo de levá-la junto quando for jogar.

— Isso é o que devo fazer para recuperar a vontade de viver? Ir jogar tênis, levando Miraijin comigo?

— Não digo que sua vontade de viver vai voltar. Provavelmente não vai. Mas, de todo modo, o senhor estará vivendo. De todo modo, estará fazendo uma coisa que seu luto gostaria de censurar porque lhe dá prazer.

— Meu pai era um leitor voraz de ficção científica. Tinha a coleção quase completa dos *Romanzi di Urania*, do número 1 ao 899. Era realmente aficionado, só lhe faltavam seis exemplares. Desde a morte da minha irmã Irene, em 1981, até a própria morte, oito anos atrás, ele não comprou nem leu mais nenhum.

— Está vendo? É exatamente isso que lhe recomendo *não* fazer. O senhor sabe o que lhe dá prazer: faça-o, não se puna. Leve sempre a menina com o senhor e cuide dela enquanto estiver fazendo o que gosta. Não há outro caminho. Claro, seria melhor se, nesse percurso, fosse acompanhado por alguém, mas, se bem me lembro, o senhor não simpatiza muito conosco, os psiquiatras.

– Com os psicanalistas. Sempre vivi cercado de psicanalistas, e todos ao meu redor sempre continuaram a sofrer como condenados, só que, no fim, a culpa era minha. Tenho implicância com os psicanalistas, mas nada tenho contra os psiquiatras.

– Não tem nada nem mesmo contra os psicanalistas, acredite em mim. Mas, seja como for, não o aconselho a forçar sua índole logo agora. Se não quiser se abrir com algum colega meu, aja por conta própria. O importante, pelo amor de Deus, é que pense em si mesmo. Que coloque a máscara de oxigênio. Que respire. Que se mantenha vivo.

– Obrigado pelo conselho. Vou tentar segui-lo.

– Faça isso. E me mande por SMS os nomes e endereços das pessoas que devo contatar na Alemanha; assim, parto amanhã de manhã.

– Isso toca meu coração, doutor Carradori. De verdade.

– Como eu lhe disse, é meu trabalho.

– De fato, e quero lhe pagar por isso.

– Nem pense nisso, doutor Carrera. Eu disse que é meu trabalho no sentido de que é algo que sei fazer.

– Bem, pelo menos as despesas da viagem, permita que eu...

– Fique tranquilo. Faz anos que não pago passagem aérea. Com certeza não vou falir por causa disso.

– Doutor, não sei o que lhe dizer. Estou comovido.

– Não diga nada. Já eu sei o que dizer ao piloto, à menina e ao colega da clínica; mas, em relação ao que devo dizer à sua ex-mulher, preciso saber como pretende se comportar com ela.

– Em que sentido?

– Se ela quiser vir à Itália para o funeral, o senhor aceitaria revê-la, hospedá-la em sua casa?

– Não creio que ela esteja em condições de viajar, doutor Carradori. Não creio que seja autossuficiente.

– Entendi, mas nunca se sabe. Por experiência, sei que, em certos casos, alguns choques podem produzir a suspensão temporária de uma síndrome incapacitante, o que certamente não é uma cura, mas, em um primeiro momento, remove os impedimentos físicos que essa síndrome produz.

– Eu não teria nada contra hospedá-la.

– E em relação à menina, Mirai-jin. Acha que pode levá-la, de vez em quando, até sua ex-mulher, como fazia sua filha? Sei que neste momento isso é prematuro, mas, cedo ou tarde, esse problema se colocará.

– Acho que posso levá-la, sim.

– Obviamente, quando o senhor estiver um pouco melhor. Agora, ouça meu conselho, concentre-se na máscara de oxigênio.

– Tudo bem, doutor. Agradeço imensamente.

– Então, por favor, mande-me por SMS tudo o que preciso. Endereços, nomes, números de telefone. Aliás, melhor por WhatsApp, pois aqui a linha telefônica é pior do que o sinal de internet. Quanto mais cedo o fizer, mais cedo partirei.

– Vou fazê-lo agora mesmo, doutor Carradori.

– Ótimo. E eu parto amanhã.

– Obrigado mesmo.

– O senhor fez a coisa certa ao me ligar, sabe?

– Estou percebendo.

— E isso significa que quer colocar a máscara de oxigênio.

— Já a coloquei uma vez, doutor. Quando minha irmã morreu.

— Certo. E agora vai colocá-la de novo.

— Não tem outro jeito...

— É verdade. E eu quero bem... ao senhor, se entende o que quero dizer.

— Também quero bem ao senhor, doutor Carradori.

— E, se der tempo, ao voltar de Munique, dou uma passada em Florença, o que acha? Assim, informo o senhor pessoalmente.

— Acho ótimo. Mas, por favor, não se sinta obrigado...

— Eu disse "se der tempo". Como eu disse, entro em serviço daqui a uma semana.

— Está certo.

— Assim, o senhor me apresenta a menina. E quem sabe não batemos uma bolinha, que tal?

— No tênis?

— Eu quase não jogo mais, seria só para nos divertirmos. De resto, quando eu era jovem e treinava, o senhor me deu aquele 6-0 6-1.

— Ah, tudo bem. Quarenta anos atrás.

— Levamos conosco a menina e jogamos. Ok?

— Ok.

— Então, por ora me despeço. Aguardo todos os endereços.

— Vou enviá-los agora mesmo.

— Até breve, doutor Carrera.

— Até breve, doutor Carradori. E obrigado por tudo.

— Aguente firme. E até logo.

— Até logo.

Brabantì (2015)

Bolgheri, 19 de agosto de 2015.

Cara Luisa,

já faz anos que, quando falo com você, tenho a impressão de não estar falando apenas com você. Por "você" quero dizer a garota que amo desde que eu tinha vinte anos e que se tornou mulher, mãe e, agora, até mesmo avó. Há um bom tempo, quando falo com você, além daquela garota, ou com a parte dela que sobrevive em você, tenho realmente a impressão de também falar com uma estranha. Aliás, para ser totalmente sincero: tenho a impressão de falar com a sua psicanalista, como ela se chama mesmo? Madame Briccolì, Strippolì? É o que percebo, Luisa. Percebo porque, a essa altura, já reconheço de imediato a voz dos psicanalistas que falam comigo através das pessoas que amo. Tive de lidar com isso a vida inteira. Percebo.

É verdade, fiquei arrasado com o que você me disse ontem de Giacomo, depois de todos esses anos. Mas, pior do que isso, minha Luisa, muito pior, foram as palavras que você me dirigiu depois. Porque, na sua incapacidade de me falar de Giacomo, eu ainda posso, se me esforçar, reconhecer a garota que amo, dizer a mim mesmo "foi assim" e aceitar os fatos. Estou com cinquenta e seis anos e tive de aceitar coisas piores.

Mas que, diante da minha surpresa, quando você finalmente decidiu abrir o jogo (e, sim, também diante da minha raiva, bastante justificada, admita-o), em vez de simplesmente me pedir desculpas, você pudesse dar a enésima pirueta com o objetivo de se defender de mim, porque, de repente, eu me tornei o perigo que você tinha de evitar, passei até a ser visto como o violador de limites a ser repelido, aquele que projetava em você as próprias culpas, isso não é coisa sua, é dela. Como é que ela se chama? Madame Propoli? Struffelli? Como é mesmo o nome dela, caramba? Por acaso não é de autoria dela todo aquele discurso que você me fez sobre o heroísmo? Sobre a minha visão heroica da vida, que manipula e esmaga quem está perto de mim?

Estou errado, Luisa?

Na realidade, sou assim, sempre fui assim, desde jovem: mudei muito pouco, e ninguém sabe disso melhor do que você. Tenho uma visão heroica da vida? Devo sempre conceber a mim mesmo como herói? Pode ser, mas sempre foi assim, não há nada de novo. Nunca houve nada de novo em mim; quando muito, isso é o que se pode jogar na minha cara. Você é chato, Marco. Isso você poderia me dizer. Se bem que as coisas, por si sós, mudam de maneira tão brutal que nunca tive o privilégio de viver uma vida realmente chata. Agora, por exemplo, tenho de reconsiderar um bom pedaço da vida, tenho de voltar a concebê-lo desde o início, à luz do que, por todos esses anos, até ontem, você nunca me havia dito.

Porque eu acusei Giacomo. Eu o acusei abertamente a respeito daquela maldita noite. Era um período em que Irene estava mal, e se via isso. Durante todo o verão, eu só a perdi de vista por uma noite, aquela noite, para sair com você: mas ele ia ficar com ela, e me senti seguro. Saí de casa tranquilo, entende, porque ele ia ficar com ela. Por isso o acusei. Ainda tenho diante dos olhos o rosto dele, avermelhado, enquanto eu o acusava. Chamei-o de covarde. Disse-lhe que Irene tinha morrido por culpa dele. Fiz isso, e sei que é terrível, e me arrependi pelo resto da minha vida. Mas eu nunca o teria feito se soubesse que ele também estava apaixonado por você.

Entendo que você não me tenha dito nada na época. Você tinha quinze anos, tudo era maior do que você. E, até nos reencontrarmos, entendo que você tenha continuado a não me dizer: você tinha ido viver em Paris, não nos víamos mais, como iria me contar? Começo a não entender, Luisa, por que você não me disse nada quando voltamos a nos ver. Por que, naqueles anos, você nunca me contou? Quer que eu te faça uma lista das ocasiões em que você poderia tê-lo feito? São todos momentos que ainda tenho esculpidos na memória, e você já não era uma garotinha, era uma mulher, tinha dois filhos, estava para enfrentar o choque de um divórcio; poderia tê-lo feito: por que não o fez? Por que continuou a me deixar acreditar que Giacomo estivesse fugindo de mim, quando, na verdade, estava fugindo de você?

Depois, quando os tempos se complicaram, divórcios, mudanças, juntos, não mais juntos, por todos aqueles anos ali, volto a entender que você não me tenha dito nada. Mas, santo Deus, quando voltamos a nos escrever, enquanto meus pais morriam, e Giacomo retornou à cena: por que você não me disse, naquela época, por que não me escreveu? Ou quando morreram, e você veio para o funeral da minha mãe, e Giacomo estava presente, e eu até levei vocês juntos ao aeroporto: por que não me disse? Ou naquele verão? Por que não me contou naqueles três dias que passamos em Londres? Giacomo tinha desaparecido de novo, e eu, de novo, tinha ficado ferido. Por que você não me disse, naquele quarto maravilhoso do Langham Hotel, que ele não fora ao funeral do meu pai porque temia reencontrar você? E em agosto, em Bolgheri, quando você voltou de Castelorizo e passamos juntos o restante do verão? Por que não me disse quando fomos, você e eu, jogar no mar, nos Redemoinhos, as cinzas misturadas da minha mãe e do meu pai, e a ausência de Giacomo era tão colossal? Por que não me disse ali, no barquinho do doutor Silberman, enquanto jogávamos as cinzas ao entardecer, que Giacomo também sempre fora apaixonado por você? Que era essa a verdadeira razão da fuga dele? E que, enquanto não respondia aos e-mails que eu teimava em mandar para ele, ano após ano, na esperança de que me perdoasse, ele escrevia para você? E por que você não me disse, em uma ocasião qualquer, depois dessa época, em Bolgheri, em agosto, por todos esses anos? Bastava me levar para um canto, em uma manhã, como você fez ontem, e me dizer todas as coisas que nunca me havia dito.

Mas, sobretudo, visto que eu já tinha aprendido a conviver com essa culpa, por que ontem de manhã você me levou para um canto e me contou? Por qual insana razão você me obriga a reconsiderar agora meu rompimento com meu irmão? Depois de tudo o que me aconteceu? Esqueça se eu estava alterado ou não. Ontem eu te perguntei apenas isto: por-que-você-está-me-dizendo-isso-agora?

Mas nada. Eis que, a essa altura do campeonato, surge em sua defesa a Madame seilácomosechama, Braccioli, Croccanti. Estou certo ou não? Como esse sujeito tem o desplante de jogar isso na sua cara, de protestar? Foi sempre ele, com sua família infeliz, com sua vida infeliz, o portador dos problemas: como ele ousa recriminar você? Com sua visão heroica da vida, com a pretensão de que as pessoas devem ser infalíveis, ou seja, heroicas?

Estou errado, Luisa?

Não permita que a acusem, senhora, não permita que a culpem, a senhora é a vítima, tinha quinze anos, sua vida foi marcada pela ruína daquela família: não foi isso que ela te disse?

Brabantì. Esse é o nome dela. Madame Brabantì.

Fiz as contas, Luisa, e descobri que nos deixamos uma vez a mais do que as vezes que ficamos juntos. Juro. Portanto, tecnicamente, nem seria preciso te dizer, mas, como daqui a uma hora vou te levar ao aeroporto, e você vai partir, e vamos nos despedir, vou dizer mesmo assim, e espero que esta seja a última vez:

Adeus.

Marco

Andar de boca em boca (2013)

Depois da morte de Irene, foram necessários vários anos para que alguns dos Carrera voltassem a respirar regularmente – e outros nunca mais conseguiram fazê-lo. Eram uma família, e a dor os dispersou. A morte de Adele, trinta e um anos depois, encontrou o núcleo já desfeito: as cinzas de Probo e Letizia jogadas no mar Tirreno central, Marco e Giacomo incapazes de se falarem, nada que pudesse arruinar-se mais do que já estivesse arruinado: embora igualmente colossal, essa morte pareceu menos grave. Pareceu menos grave, sobretudo, porque quem sofreu as consequências foi apenas uma pessoa, Marco, e Marco resistiu sozinho à perda de sua filha como a família inteira não havia sido capaz de resistir à de Irene. O doutor Carradori, ex-psicanalista de sua esposa, interveio para ajudá-lo com dois gestos salvíficos, que foram suficientes para que Marco permanecesse em pé e continuasse a viver uma vida que nunca teria desejado viver.

Como primeiro gesto, Carradori assumiu a tarefa de informar a mãe de Adele, sua ex-paciente, sobre a tragédia, viajando até a clínica na Alta Baviera onde ela estava internada; e, mesmo levando essa terrível notícia, conseguiu recuperar a confiança que dela recebia quinze anos antes, conseguiu comovê-la (seu mal também se manifestava mantendo-a em um estado de aparente indiferença em relação a qualquer estímulo) e, sobretudo, conseguiu fazer valer uma regra áurea na gestão do estresse pós-traumático, que conduzia à prevalência da compaixão recíproca sobre qualquer outro estado de espírito entre os sobreviventes. Desse modo, graças à sua intervenção, ela e Marco resgataram um relacionamento que havia deixado de existir depois da separação de ambos. Carradori tinha consciência de que se intrometer na vida de seres humanos tão próximos do rompimento havia sido um risco, mas o fato de que, para usar uma expressão pouco profissional, no final das contas *tivesse funcionado*, não foi uma surpresa para ele: funcionava nas populações atingidas pelas grandes desgraças coletivas e funcionava igualmente nas pequenas tragédias individuais. No entanto, também foi um alívio, pois lhe deu a prova de que as teorias às quais havia dedicado a própria vida tinham fundamento.

Aconteceu o seguinte: assim como uma tragédia costuma mandar pelos ares o pacto que mantém uma família unida, produzindo nela uma ruína inexorável, essa mesma tragédia pode surtir o efeito contrário se a família já tiver explodido, reaproximando os membros sobreviventes, ainda que durante anos eles tenham brigado, se ferido, se afastado e se ignorado com todas as forças. Era a teoria da pedra lançada na água: se a água estiver calma, a pedra produzirá turbulência, mas, se já estiver agitada, a pedra, ao contrário, produzirá calma.

Portanto, em nome da neta, Marco e Marina voltaram a se ver. Marco ia de vez em quando à Alemanha com a menina, levava-a à clínica de Marina e permanecia no quarto com elas e Greta, a outra filha de Marina, ou no jardim, e algumas vezes até chegava a levá-las para passear em um parque nas proximidades. Já não sentia nada de ruim em relação à sua ex-mulher – apenas compaixão, justamente, pela vida mínima que ela levava e pela condição de *shakul* que partilhava com ele. Nessas ocasiões, cumpria uma tarefa que sentia ser necessária – a mesma que sua filha havia cumprido com constância e ternura enquanto vivera e que, desta vez, por uma espécie de herança reversa, havia passado para ele.

Como segundo gesto, Carradori deu uma rede de presente a Marco Carrera. Levou-a para Florença quando voltava de sua primeira visita à clínica de Marina: uma rede com suporte dobrável, de fabricação japonesa, que podia ser transportada dentro de um saco e montada em dois minutos em qualquer lugar. Uma rede pequena. Uma rede para crianças. Por telefone, depois que Marco lhe falara da morte de Adele, o doutor Carradori o aconselhou a se esforçar para fazer coisas de que gostasse, a se rebelar contra a ideia de que o luto tinha, necessariamente, de paralisá-lo, e Marco o fez ver uma luz no fim do túnel, opondo a ele não uma objeção ideológica ("nada mais poderá me dar prazer"), e sim uma objeção prática: a partir dali, queria estar sempre com a menina, não queria deixá-la com mais ninguém, e era impossível dedicar-se ao tênis (naquele momento, assim, de imediato, o único prazer que lhe veio em mente foi o tênis), tendo uma menina de dois anos para cuidar. Então, Carradori lhe dissera para levá-la junto, sempre, a qualquer lugar, e era o conselho certo, sem dúvida, mas uma coisa era dá-lo assim, por telefone e tchau, e outra bem diferente era apresentar-se na casa dele com o problema prático já resolvido.

Deparou com a rede em uma loja de artigos esportivos no aeroporto de Munique enquanto perambulava, aguardando o embarque do seu voo, e uma espécie de ímpeto o intimou a dá-la de presente a Marco. Era a oferta da semana. Em vez de 104 euros, custava 62,99. Chamava-se

Hanmokku – que é a transliteração Hepburn de ハンモック, ou seja, justamente "rede" em japonês. Estava ali, disponível em várias cores e em diversos tamanhos, para adultos e crianças: o suporte era de aço leve, era muito fácil dobrá-la, e o volume realmente era mínimo – mais ou menos do tamanho de uma bolsa de tênis. Carradori conhecia muito bem o comportamento da psique humana sob a ditadura do luto e sabia que, para impeli-la a rebelar-se, era necessário passar por outras rebeliões periféricas, igualmente insensatas, igualmente perigosas. Desse modo, sentiu o impulso de dar a rede de presente a Marco Carrera, para que ele a usasse como seu próprio instrumento de rebelião – se não diretamente contra o luto, pelo menos contra seu ritual de mortificação. Não teria de renunciar a nada do que decidisse fazer, fosse de noite, fosse de madrugada, para ficar em casa com a menina, e como não pretendia confiá-la a uma babá, poderia levá-la consigo, e ela poderia dormir naquela rede onde ele estivesse. Pensando bem, mesmo que apenas por um minuto, parecia uma coisa insensata; afinal, os carrinhos de bebê já cumpriam essa função – em primeiro lugar –, mas, sobretudo – em segundo –, porque o problema a ser resolvido não era esse, e sim, precisamente, o desespero que rugia no peito de Marco, sua indisponibilidade até para simplesmente mencionar os prazeres da vida – e ambos sabiam muito bem disso. Mas justamente porque ambos sabiam disso, e graças ao salutar fingimento de que na realidade se tratava de um problema prático, algo que escapou da boca de Marco, assim, por acaso, por estranhamento, por distância da realidade, por vergonha ou por qualquer outra razão, aquela rede conseguiu criar a bolha na qual Marco pôde seguir o conselho de Carradori: justamente porque era uma rede, e as redes têm algo de empolgante em si, e essa era dotada de suportes transportáveis, e Marco não sabia que existiam redes dotadas de suportes transportáveis, e, além do mais, era japonesa, e Miraijin era um nome japonês, e no mistério da sua concepção certamente havia algo japonês. Em resumo, a rede era um deslumbramento (como sempre: nos jardins, nos alpendres e até mesmo nos dormitórios, as redes são apenas isso, deslumbramentos), mas era justamente de um deslumbramento que Marco Carrera precisava para conceber a própria rebelião. Graças à insolência daquele objeto, Marco Carrera conseguiu ser insolente em relação ao próprio luto.

O tênis, pois bem: os torneios *over 50* pela Toscana, depois os *over 55* e os jogos em dupla *over 100*, contra ex-adversários da juventude, sem cabelo, sem árbitro, à noite. Montava a rede na quadra, que no inverno era coberta, punha na rede a menina, que já havia adormecido no carro, agasalhava-a com uma manta se fosse inverno, ela dormia, ele jogava (e quase sempre vencia); depois, desmontava tudo e ia para casa, tão descaradamente quanto viera, às vezes com o troféu na mão. Por isso, *andava de boca em boca* – como se diz em Florença quando as pessoas falam muito de você. Sim, andava de boca em boca, e agradava-lhe saber disso – mas não foi esse o prazer que o protegeu.

Voltou a se disponibilizar para os congressos. Fazia anos que havia deixado de se atualizar sobre sua ciência, fazia anos que havia se tornado um oftalmologista qualquer, sem o fervor da pesquisa. Não podia mais recuperar o tempo perdido. Mas tinha amigos neurologistas, psiquiatras, apaixonados por arte ou música, que organizavam congressos para unir suas paixões, e, nesses congressos, Marco Carrera ainda podia opinar, associando suas próprias paixões às dos colegas: pelos olhos, pela fotografia, pelos animais.

Concentrar-se duas ou três vezes por ano no mistério de ver e ser visto, desenvolver um raciocínio que reunisse, digamos, o estrabismo, a refração total e a vaca de *Atom Heart Mother*, subir naqueles tablados para apresentá-lo ao auditório, em Florença, em Prato, em Chianciano Terme, foi muito gratificante para ele. Levava a menina consigo, mesmo nas sessões diurnas, colocava-a ostensivamente em evidência, montando a rede na primeira fila, mesmo que ela não estivesse dormindo e preferisse ficar sentada ao lado dele; ouvia as intervenções dos outros, apresentava a própria, depois desmontava tudo e ia para casa, pulando coquetéis e jantares oficiais. Também nesses casos, a naturalidade com a qual, por causa da rede, aceitava andar de boca em boca só para não se separar de Miraijin era a transgressão que conferia *eros* – teria dito Carradori – ao esforço com o qual ele evitava a tirania do luto. Mas tampouco foi esse o prazer que o salvou.

Voltou a jogar a dinheiro: essa foi a verdadeira rebelião, o que o salvou. Porque não havia muito o que fazer; em toda a sua vida, Marco Carrera nunca havia sentido nenhum prazer comparável ao experimentado com o jogo – um prazer que, no entanto, sacrificara havia muito tempo ao deus da família. Pois bem, naquele momento, parou de sacrificá-lo. Em todos aqueles anos, a paixão pelo jogo nunca se apagara, e ele sempre teve de fazer um esforço nada banal para mantê-la fora de sua vida. Quer dizer, fora de verdade ele nunca conseguiu mantê-la, e Marco sempre teve a impressão de que ela tivesse permanecido ali, *esperando por ele*, sepultada sob a pilha de coisas mais decentes que, nesse meio-tempo, havia preferido a ela, mas pronta para ressurgir de repente e mostrar ao mundo sua verdadeira natureza, como o uivo dos lobos ao final daquela canção pungente de Joni Mitchell, da qual ninguém gostava, exceto ele, justamente por essa razão e desde que foi lançada (no final dos anos 1970, quando todo mundo era jovem). Também em Roma, nos anos com Marina, mas sobretudo depois que voltou para Florença, onde, graças ao tênis, conheceu um descendente de uma nobre família de Siena, chamado Luigi Dami Tamburini, que – raridade – não era um falido, mas administrava um rico patrimônio familiar: produção de vinho Brunello di Montalcino, gestão de imóveis entre Florença e Siena, exploração de uma fonte de água mineral no monte Amiata, controle de um pequeno banco familiar de investimentos, bem como de uma Fundação, a ele vinculada e dedicada à iconografia do século XX. Aliás, a essa Fundação, que como o banco tinha sede em Florença, e não em Siena, Marco Carrera havia doado todo o arquivo fotográfico de sua mãe, resolvendo de uma só vez um enorme problema. Ter levado aquele homem à vitória em jogos de duplas de alguns torneios beneficentes lhe havia rendido os primeiros convites para jantares na mansão dele, em Vico Alto, que se tornaram mais frequentes e regulares com a consolidação do binômio tenístico deles, também nos torneios *over 100*. Adele ainda estava viva e se preocupava um pouco com aqueles convites, pois Dami Tamburini também andava de boca em boca, devido a seu conhecido hábito de transformar, algumas vezes por mês, a própria morada em um cassino clandestino; mas Marco a tranquilizava em relação a isso, pois os convites que recebia – vamos chamá-los de tipo A – referiam-se a jantares elegantes, nos quais, quando muito, havia um forte indício de maçonaria, mas não de jogo de azar.

No entanto, bastou a alusão ao próprio passado de jogador e ao próprio desejo de reavivá-lo para encontrar-se, de repente, na parte obscura da vida de Dami Tamburini. Contudo, desde o primeiro convite, que chamaremos de tipo B, Marco Carrera entendeu que havia algo que não se encaixava, uma vez que aquela vida não era nada obscura, era apenas uma variante ligeiramente efervescente daquela convencional dos convites de tipo A. As únicas coisas diferentes entre os sofás eram a roleta e a mesa de *chemin*, onde os convidados jogavam, sim, mas distraidamente, conversando e brincando. Coisa de diletantes, nada além disso, não havia paixão nem seriedade; muitos dos participantes eram os mesmos dos jantares de tipo A, não havia nenhum condenado, e o fato de Marco chegar com a rede e montá-la em um pequeno gabinete, onde colocava a menina adormecida, era visto com ternura. As pessoas eram descontraídas, não havia sequer o mais vago odor de ruína, mas, desde os tempos em que ele frequentava as mesas de jogo, era justamente isso, o odor de ruína, que lhe fazia falta: sem ele, não sentia nenhum prazer – mas, sobretudo, e isso era o que passava por sua cabeça, sem ele, não se andava de boca em boca. Por isso, graças a um raciocínio semelhante aos que levam os cientistas a demonstrar a existência das coisas invisíveis, demonstrando a impossibilidade de sua inexistência, Marco Carrera convenceu-se de que deveria haver, necessariamente, convites do tipo C.

Com efeito, os convites para o jogo de mentira serviam apenas de fachada para o jogo de verdade, os que envolviam, por exemplo, delegados, oficiais da Guarda de Finanças e juízes apaixonados pela boa vida, que certamente fariam o que estivesse a seu alcance para evitar que as forças da ordem por eles comandadas irrompessem em um cassino clandestino por eles frequentado. Mas o que eles frequentavam era apenas o simulacro do cassino clandestino de verdade, concebido expressamente para resguardá-lo. E outra estratégia que o protegia era o segredo absoluto dos convites de tipo C.

Graças a essas coberturas, o cassino clandestino verdadeiro podia ser tenebroso e selvagem como agradava a Marco Carrera. Para ele, a mundanidade não fazia nenhum sentido, a única coisa de que precisava era um rugido nas entranhas mais forte do que aquele que torturava sua mente: o rebaixamento da própria ideia de si mesmo ao grau zero daqueles condenados; a rebelião contra o luto, a sordidez, a indecência e o consolo de merecer, a posteriori, todas as punições recebidas.

A coisa era levada a sério. Para começo de conversa, os participantes tinham de usar um nome de guerra, quer se conhecessem, quer não. Dami Tamburini, como fervoroso bairrista do distrito de Drago, em Siena, era chamado de Dragão. Um procurador-adjunto de Arezzo, único remanescente do grupo de convidados institucionais presentes nas noitadas de tipo B, levava o nome de Desperado; a mulher do cônsul alemão em Florença, sensual e peituda, Lady Oscar; o simpático proprietário de um restaurante em San Casciano Val di Pesa, com uma mancha em forma de continente africano na concavidade do pescoço, era Rambo; um ex-ministro de noventa anos da Primeira República, The Machine. Havia também jogadores que Marco não conhecia e que, para ele, eram realmente apenas El Patron, George Eliot, Pulcinella, Garota Interrompida, o Negus, Philip K. Dick, Mandrake – e, ao redor de todos eles, o odor da ruína não era nada discreto. Havia a caspa nos ombros, o suor na testa, as gravatas afrouxadas, a tosse emocional, a superstição insensata e o olhar demoníaco de quem está para apostar mais do que pode permitir-se perder. Havia também o tabelião Maranghi, que não jogava, mas assegurava a pronta intervenção da civilidade jurídica nas transferências de propriedade de bens móveis e imóveis que, de vez em quando, tornavam-se necessárias; e um médico, Zorro, que jogava, mas também garantia os primeiros socorros em casos de enfarte, ataque apoplético e desmaio. Para Marco Carrera, aquele cassino clandestino estava de bom tamanho. O fato de Dami Tamburini tê-lo escondido dele estava de bom tamanho. O fato de Marco ter conquistado o acesso a ele com um comportamento que beirava a chantagem estava de bom tamanho. Tinha conseguido encontrar o ponto da sua vida além do qual restava apenas o uivo dos lobos, justamente como no final daquela canção de Joni Mitchell, quando também a guitarra para de miar. Aquele cassino clandestino estava de bom tamanho.

No pequeno gabinete onde Marco a deixava, Miraijin fazia sempre a coisa certa: dormia. De vez em quando, ele ia dar uma olhada nela e se, por coincidência, a encontrava acordada, ficava com ela por algum tempo, a balançava bem de leve na rede até ela adormecer novamente e voltava para a sala para jogar; e, jogando, como quando era jovem, ganhava. Na roleta, no *chemin de fer*, no *Texas hold'em*, ganhava quase sempre – mas, sobretudo, ganhando ou perdendo, a menina na rede era a desculpa perfeita para sair da mesa no momento certo – o que, normalmente, os jogadores nunca fazem –, e essa era a sua verdadeira força. De resto, ele não estava em busca da jogada que desse um jeito em sua vida. Estava em busca da razão para continuar sua vida.

Seu nome de guerra era Hanmokku.

Os olhares são corpo (2013)

Para: enricogras.rigano@gmail.com
Enviada – Gmail – 12 de fevereiro de 2013 22:11
Assunto: Texto para o congresso
De: Marco Carrera

Olá, Enrico,

segue anexado o texto da palestra que vou apresentar no congresso. Depois de tantos anos, voltar a participar de um congresso me emociona. Agradeço-lhe por ter me dado essa oportunidade e peço que seja sincero em sua avaliação caso ache que o texto não está à altura.

Um abraço,
Marco

Congresso: A PERCEPÇÃO VISUAL ENTRE OLHOS E CÉREBRO
Prato, 14 de março de 2013, Auditório do Museu Pecci
Título da palestra: OS OLHARES SÃO CORPO
Duração: 8-9 minutos
Relator: dr. Marco Carrera, Hospital Universitário Careggi, Florença

"Vovô-vovô-vovô-vovô..." Estou deitado na cama com minha netinha, Miraijin, de um ano e dois meses. A intenção é fazê-la dormir. Estou com ela no colo e, com a mão, afago seus cabelos encaracolados. Com a outra mão, seguro o celular, no qual estou lendo um SMS, o que não agrada a Miraijin. "Vovô-vovô-vovô-vovô...", protesta, em ciclo contínuo. Interrompo a leitura do SMS, olho para ela, que me sorri e para no mesmo instante de me chamar. Volto a ler a mensagem, continuando a abraçá-la e a afagá-la, e ela recomeça imediatamente: "Vovô-vovô-vovô-vovô...". Volto a olhar para ela. Para. Volto ao SMS. Recomeça. Não lhe bastam meu corpo, meu abraço, meu calor, não lhe bastam meus carinhos. Quer meu olhar – do contrário, você não está comigo, é o que me diz, e, se não está comigo, pode esquecer que vou adormecer.

Estou no posto de gasolina, acabei de encher o tanque com diesel. Estou pagando com o cartão de crédito. Depois de digitar o valor, a maquininha eletrônica (aprendi recentemente que se chama POS, acrônimo de Point of Sale) pede a inserção do PIN (já este aprendi há tempos que é o acrônimo de Personal Identification Number). O atendente gira o POS para mim e se vira de repente para o outro lado, na direção do campo penteado pelo vento. Faz isso de maneira tão ostensiva que esse seu gesto parece enorme em um contexto de gestos que, por sua vez, são todos pequenos, normais, desprovidos de peso específico. Por nenhuma outra razão no mundo faria um gesto tão desproposital se não fosse para me dizer que não está me olhando enquanto digito meu PIN – e, por isso, não devo culpá-lo no dia em que clonarem meu cartão.

No Canto XIII do "Purgatório", Dante se encontra na segunda cornija, perante as almas dos invejosos. Elas estão apertadas umas contra as outras, vestidas com pano cru, da cor da rocha à qual estão encostadas, e invocam a intercessão dos *santos e de Nossa Senhora. Virgílio convida Dante a olhá-las de perto, e Dante vê que todas têm os olhos costurados com fio de ferro e lágrimas escorrendo pelas costuras. A essa altura, o poeta realiza um gesto maravilhoso, cheio de compaixão e de modernidade: "De certa forma indigno eu me julgava, / estando a olhá-los, sem ser percebido; / volvi-me, pois, ao sábio que me guiava".[14] Em outras palavras, ele desvia o olhar e o dirige a Virgílio, não porque a visão daquele suplício o horroriza, mas para não ultrajar aquelas almas, que não podem retribuir seu olhar. É como se dissesse que não se atira em gente desarmada, que não se golpeiam pessoas impossibilitadas de se defenderem.*

De acordo com a declaração de um membro da equipe de Prince à revista de moda "Notorious", o cantor não permitia que seus empregados o olhassem. "Vi quando ele literalmente demitiu um cara que olhou para ele", diz o funcionário, que permaneceu anônimo. "Por que esse aí está me olhando? Mande-o embora." Os americanos inventaram até uma expressão para definir essa provocação: "eye contact". Ao pobre funcionário de Prince, custou o emprego, mas tentem levantar o olhar para quem estiver ao seu lado em um lugar malafamado qualquer do Bronx. "O que você fez para ficar nesse estado?" "Eye contact."

A filósofa francesa Baldine Saint Girons escreveu um livro, publicado na Itália em 2010, intitulado "O ato estético: um ensaio em cinquenta questões", no qual introduz um conceito bastante ousado do ponto de vista filosófico – justamente o de "ato" estético. O uso desse vocábulo, "ato", inverte por completo

---

[14] ALIGHIERI, Dante. *A divina comédia, vol. II – Purgatório, Paraíso*. Integralmente traduzida, anotada e comentada por Cristiano Martins. 2. ed. Belo Horizonte: Itatiaia; São Paulo: Edusp, 1979. (N. T.)

a concepção segundo a qual o olhar é sinônimo de passividade, em oposição ao fazer. O ato estético, diz Baldine Saint Girons, é um "envolvimento": olhar é tocar à distância; os olhares são corpo. De passividade, isso não tem nada.

 Todos os dias somos atingidos por centenas de olhares. De nossa parte, atingimos com o olhar centenas de pessoas. Na maioria das vezes, ninguém nota: nós não percebemos que somos olhados, e os outros não percebem que os olhamos. Por isso, nada acontece, e esses olhares não produzem consequências – mas não há nenhuma razão para considerá-los menos relevantes do que os que citei há pouco. E, de resto: estamos mesmo certos de que os olhares não retribuídos nada produzem? Há quem se apaixone olhando todos os dias pela janela certa pessoa que passa pela rua. Há quem fique obcecado pelo apresentador ou pela apresentadora que vê na TV. Não, não existem olhares mais importantes e olhares menos importantes: quando são lançados, todos os olhares são um envolvimento, e é somente a coincidência dos eventos, ou seja, o acaso, a determinar suas consequências.

 Trata-se de consequências quase exclusivamente emotivas. Tomemos como exemplo o atendente do posto de gasolina. Suponhamos que ele não tivesse virado o rosto daquele modo tão ostensivo, suponhamos que, ao contrário, tivesse fitado meus dedos enquanto eu digitava o PIN; ou mesmo apenas que tivesse olhado para o meu rosto em vez de lançar um olhar para os campos: eu teria ficado incomodado, com toda a certeza, e a minha reação, reprimida ou não, teria sido muito semelhante à de Prince com seu funcionário: por que esse aí está me olhando? Mesmo não chegando a acreditar que ele estivesse memorizando minha senha para utilizá-la em um cartão clonado, eu me sentiria violado. Isso demonstra que os olhares são armas muito poderosas e produzem choques *emotivos mesmo quando não são lançados com o objetivo de produzi-los. Quem nunca passou pela situação de sentir-se repentinamente humilhado quando a pessoa com a qual está falando lança um olhar de relance ao relógio? O que muda e torna os olhares das pessoas mais ou menos sustentáveis é a qualidade da atenção que transmitem. Vemos um sujeito, em pé na beira da estrada, ao lado do carro parado: passamos a cento e trinta por hora e, em um piscar de olhos, percebemos que ele está urinando. Provavelmente é uma pessoa séria, estimada, respeitada e em seu juízo perfeito: entretanto, ao ser confrontada com um estímulo inadiável, viu-se obrigada a esse ato – digamos – socialmente extremo. "Dane-se," deve ter dito a si mesma, "melhor do que fazer nas calças" – mas por nada neste mundo faria o que resolveu fazer olhando para nós, que a vemos quando passamos. Dá as costas para nós, anula sua atenção em relação a nós e, ao fazer isso, acaba com o choque que nossos olhares produziriam sobre ela. Na realidade, de costas ou de frente, pouca coisa muda, pois é muito improvável que nos conheçamos; no entanto, para essa pessoa, muda tudo. Isso significa que o ato mais importante que se realiza ali, naquele momento, não é o fato de ela estar urinando ao ar livre, e sim o de a vermos fazê-lo. Se ela fosse impedida de nos dar as costas, o ato mais importante seria ver-nos enquanto a vemos. De passividade, isso não tem nada.*

"Sou o que vejo", disse Alexandre Hollan: por ser pintor, é natural que oriente essa identidade na direção percorrida pelos próprios olhares; mas, do mesmo modo, Kate Moss poderia chegar à própria identidade invertendo o sentido da marcha e afirmar: "Sou o que os outros veem de mim". O instrumento em que o ser se afirma permanece o mesmo – o olhar. Em contrapartida, o olhar eletrônico dos dispositivos automáticos – inocentes por definição – tornou-se o receptáculo ideal

das responsabilidades mais graves. O major Thomas Ferebee, artilheiro da Força Aérea dos Estados Unidos, pediu aos próprios olhos que lhe informassem o momento certo de lançar do Enola Gay a bomba atômica sobre Hiroshima; poucos instantes depois, os mesmos olhos viram o cogumelo assustador que se ergueu com a explosão. Isso significa que ele se envolveu. Hoje, os americanos utilizam bombardeiros sem tripulação, os chamados drones, que lançam as bombas seguindo o comando do algoritmo que os governa. Sem um olhar direto, ninguém se envolve, e a culpa não é de ninguém.

Além disso, existe a contemplação, o ato estético mais criativo e mistificador. Por exemplo, Miraijin adormeceu, e eu, em vez de ler meu SMS, comecei a contemplá-la: é uma menina, uma menina normal que dorme – mas meu olhar a transforma na coisa mais linda do mundo.

Os lobos não matam os cervos sem sorte (2016)

A primeira tentativa não surte efeito: Drago lhe apresenta o novo jogador (Blizzard, este é Hanmokku; Hanmokku, este é Blizzard; prazer; prazer), e Marco Carrera aperta aquela mão sem perceber nada. Apenas sorri e segue em frente: está distraído, remoendo a própria – talvez – abjeção, pois veio jogar também nessa noite, embora Miraijin esteja com 38 ºC de febre. Mas esse é um dia especial, é 29 de fevereiro, e Marco Carrera não resistiu. Não é supersticioso nem dado a crendices, mas também não deixa de se inspirar com números e recorrências, e um dia que acontece apenas a cada quatro anos é um dia bom para jogar. Por isso, saiu de casa. Afinal, pensou, 38 não é uma febre muito alta, e a menina não parece estar sofrendo. Deu-lhe o antipirético pensando que, na pior das hipóteses, se a febre subisse, poderia ir ao hospital de Siena. Até o momento, porém, tudo correu bem: como sempre, ela adormeceu no carro e dormiu por todo o trajeto entre Florença e Vico Alto; como sempre, acordou assim que chegaram à mansão, facilitando para ele as operações de desembarque – nas quais, como sempre, ele recebeu a ajuda de Manuel, o gigantesco funcionário filipino de Dami Tamburini, que o esperava no fim da pequena alameda; e, como sempre, ela voltou a adormecer assim que foi colocada em sua rede, montada, como sempre, no "gabinete da dor", assim chamado porque, naquele cômodo, um dos antepassados de Dami Tamburini, Francesco Saverio, visconde de Talamone, havia escrito o próprio diário íntimo, intitulado justamente *A dor*, no qual narrava o sofrimento atroz que as traições de sua esposa Luigina lhe causavam. Tudo aconteceu como sempre, mas isso não anula o fato de a menina estar febril, e Marco Carrera continua a pensar que é um ser abjeto. Por isso, quando Dami Tamburini lhe apresentou o Inominável, ele não se deu conta. Depois, porém, de repente, seu olhar pousa uma segunda vez naquele homem filiforme, ainda em pé ao lado do dono da casa, na outra extremidade da sala, e, não o tendo reconhecido de perto, reconhece-o de longe. Também reconhece, já que existe, seu nome de guerra, Blizzard, igualmente ignorado pouco antes. Incrédulo, Marco atravessa a sala na direção dele, que, por sua vez, o reconheceu de imediato e está olhando para ele, à sua espera, sorrindo.

– Mas você... – balbucia, mas o Inominável logo o interrompe.

– Por favor, pode me mostrar onde é o banheiro? – pergunta a Marco, pegando-o pelo braço e afastando-se de Dami Tamburini, que continua a receber os convidados.

Saem da sala. Marco Carrera realmente se dirige ao banheiro. Olha para o ex-amigo, ainda perplexo – por encontrar-se ali diante dele, de repente, depois de todos aqueles anos, e por não o ter sequer reconhecido –, e seu coração dispara: o rapaz que, quase quarenta anos antes, havia salvado sua vida tornou-se uma espécie de velho cabide ambulante, com uma roupa puída e rasgada, cabelos brancos de cientista louco, costas curvas como um ponto de interrogação, pele do rosto marcada pelos vícios, dentes amarelos e certas tatuagens sinuosas que sobem pelo pescoço como tentáculos – tatuagens essas, porém, que não lhe conferem uma aparência *alvissareira*, por assim dizer, como se tivessem sido feitas à força.

No entanto, ele continua a sorrir.

– Duccio... – diz Marco.

É o rapaz que, quase quarenta anos antes, ele havia traído, desacreditado e praticamente obrigado a sair de circulação e que, de fato, nunca mais vira, o que para Marco havia se tornado a causa de um lancinante sentimento de culpa – mas que durou pouco porque, após apenas dois anos, ele foi atropelado, como todo o resto, pela morte de Irene, e nunca mais tornou a aflorar; ao contrário, foi definitivamente obliterado pelas outras graves desventuras que se abateram sobre sua vida, tanto que, por décadas e até poucos minutos antes, em sua memória não havia mais lugar para esse sentimento de culpa nem para o próprio Inominável. Mas agora que o encontra à sua frente, tão velho e mal das pernas, surpreende-se por não ter pensado nele todos os dias e até por ter se esquecido dele. Como é possível?

– Você é *Ammoccu*? – pergunta-lhe o Inominável.

– Sim – responde Marco –, mas você co...

– Então, vá para casa. Agora mesmo.

Parece falar com dificuldade, como se tivesse sofrido algum distúrbio de linguagem: de resto, seu aspecto é compatível com os êxitos de alguma doença.

– Ouça meu conselho – repete. – É melhor não jogar esta noite.

Contudo, justamente por causa da aparente dificuldade que tem de superar, parece pronunciar as palavras com mais intensidade, com mais gosto.

– Mas por quê? – pergunta Marco Carrera.

Chegaram ao banheiro, onde um par de espelhos opostos multiplica indefinidamente suas duas figuras.

– Olhe para mim – diz o Inominável – e tente entender o que estou dizendo: não jogue esta noite. Vá para casa. Estou lhe dizendo isso como amigo.

Sorri de novo, abertamente, exibindo todo o seu arsenal de dentes amarelos e encavalados.

Por um longo momento, na mente de Marco Carrera se cria um congestionamento, pois muitas reações diferentes tentam abrir caminho nele ao mesmo tempo, com o resultado de se bloquearem mutuamente. Levá-lo a sério e ir embora, de imediato, sem nem sequer lhe perguntar a razão, simplesmente somando sua ordem expressa ao sinal que a febre de Miraijin já lhe havia mandado nesta noite. Em vez disso, pedir-lhe uma explicação para seu reaparecimento teatral, baseado em quê, com que autoridade, com quais intenções. Pedir-lhe desculpa, com trinta e sete anos de atraso. Ou talvez opor-se a ele e mandá-lo para aquele lugar, como se sente furiosamente tentado a fazer – e, já que estamos falando nisso, a que se deve essa raiva repentina? Por que essa intimação nada tem de amigável, parecendo até uma advertência mafiosa? Ou seria só porque, quando você faz mal a alguém, depois passa a odiá-lo e sofre sempre que ele aparece?

– Duccio – diz, por fim, esforçando-se para manter a calma –, venho jogar aqui toda semana. Sei onde me encontro, conheço todos os jogadores, estou em casa. E agora você aparece do nada e me diz para ir embora? Por quê? E por onde andou durante todo esse tempo? O que fez? Por que está aqui? Por que está tão malvestido?

Na multiplicação das imagens refletidas nos espelhos, a roupa preta do Inominável dá a impressão de desgastar-se a cada passagem: parece até um coveiro, pensa Marco. Parece até um papa-defunto.

– Estou aqui a trabalho – responde o Inominável. – E este é o meu uniforme. A natureza me quis feio, e isso ajuda, mas, para fazer direito o meu trabalho, minha presença deve ter um ar bem desagradável, e as roupas são fundamentais.
– Mas do que você está falando? Que trabalho?
Por um instante, o Inominável lança um olhar distante, virando a cabeça para o teto, e neste momento Marco revê nele o rapaz que vencia as competições de *slalom* em Abetone e era chamado de Blizzard. Ou talvez não, talvez esteja apenas imaginando.
O Inominável respira fundo.
– Então – diz –, eu trago má sorte, e você sabe disso. Trago má sorte a todos, menos aos que estão comigo, e você também sabe disso, não sabe? Como era mesmo? A teoria do olho do furacão... Bom, como a certa altura a minha fama se alastrou, digamos assim, e já não havia como evitá-la, pensei em tirar partido dela.
– O que quer dizer?
– Quero dizer que agora vivo disso.
– Do quê?
– De ser pé-frio. Sou pago para dar azar aos outros. Não ria, porque esta noite fui contratado pelo seu amigo, aqui, para dar azar a esse Ammoccu, ou seja, a você. *Muito* azar. O *máximo* do azar. Por isso é que te digo, vá embora. Ouça meu conselho. Não é uma brincadeira.
De novo, sua língua mastigada e complicada parece dar mais sentido às palavras, mais sabor.
– Mas que história é essa? – balbucia Marco Carrera. Tem muita dificuldade para esconder a perplexidade.
– Marco, agora vivo em Nápoles, entende? É como se eu fosse toureiro e vivesse em Sevilha. As pessoas me indicam o alvo e me pagam para que eu dê azar a ele, e é o que

eu faço há anos, e funciona sempre. Trabalho todos os dias, na cidade e fora. Jogos, negócios, amor, esporte, conflitos familiares: sou a antena que indica ao azar onde ele deve se descarregar, e estou te dizendo que hoje de manhã peguei o avião só para descarregá-lo nesse tal de Ammoccu. "Para fazê-lo chorar", esse foi o pedido. Seu amigo está me pagando uma boa grana por isso.

– Mas que amigo?

– Seu amigo. O dono da casa.

– Mas por quê? Se é meu amigo, por que quer tão mal a mim?

– Ouça, não pergunto a meus clientes por que querem o que querem. Não sei o que passa na cabeça deles. Amanhã de manhã vou voltar a Nápoles e não o verei mais. Se quer minha opinião, ele é louco, mas não daqueles que contam os dedos da mão e só encontram três. É outro tipo de loucura. Mas é uma opinião superficial, porque não sei nada dele e, portanto, poderia me enganar. O que sei é que quer ver você chorar; por isso, repito, volte para casa... Eu me contento com o que ele me pagar de sinal, sem embolsar o restante, e ninguém sai prejudicado.

Do congestionamento emerge cada vez mais claramente a reação que Marco Carrera pretende ter, que terá. Em vez de se extinguir, a adrenalina que já pela manhã havia entrado em circulação, prevendo a noitada na casa de Dami Tamburini, está aumentando. Mas Marco ainda não sabe como expressá-la, ainda não encontrou as palavras. Por isso, permanece em silêncio.

– Vá embora – insiste o Inominável. – Não demore. Minha mãe me contou o que aconteceu com você. Vá para casa.

Marco tem um sobressalto.

– Sua mãe ainda está viva?
– Sim.
– Mas quantos anos ela tem?
– Noventa e dois.
– E como está?

O Inominável faz uma careta – difícil de interpretar: seu rosto devastado pelas rugas é atravessado por algo selvagem, amargo e selvagem.

– Está bem – responde –, mas com certeza não graças a mim. Não cuido dela. Quem se ocupa dela são meus primos, rapazes de bem que estão de olho na herança. Fazem intrigas, se esfalfam e, para conquistá-la, cuidam dela muito melhor do que cuidaram da própria mãe, que morreu sozinha em uma clínica. Não imaginam que já têm a herança no bolso, pois não estou interessado nela: se soubessem disso, matariam minha mãe com raticida. Este é meu modo de protegê-la: fazer meus primos acreditarem que devem cair nas graças dela para que eu seja excluído do testamento.

Interrompe-se. A careta desaparece de repente, tal como havia aparecido.

– Em todos esses anos, ela sempre me falou de você – retoma –, sempre me manteve informado. Ficou muito triste com o que te aconteceu. Vá para casa.

E, assim, Marco Carrera descobre que é digno de compaixão. Nunca havia pensado nisso: voltou a viver nos lugares da infância, a visitar os velhos amigos, os antigos círculos esportivos, e nunca contou a ninguém o que lhe acontecera, que continuava a lhe acontecer. Irene. Marina. Adele. Não chorou no ombro de ninguém, aguentou firme, seguiu em frente, e agora descobre que é acompanhado por um relato que leva à compaixão até mesmo o Inominável, com sua vida desabitada. De repente, isso lhe dá as palavras para se expressar.

– Ouça, Duccio – inicia –, eu te agradeço por ter me avisado, mas não vou voltar para casa porque não acredito que você traga má sorte. Nunca acreditei; ao contrário, sempre me opus aos que sustentavam isso. Cometi um erro, muitos anos atrás, um único: um erro grave, admito, porque eu estava transtornado, atônito e sozinho, e com certeza você teve de pagar as consequências desse meu erro. Te peço desculpas. Se eu pudesse voltar atrás, juro que não o cometeria de novo. Mas mesmo naquela época eu não acreditava nessas coisas. Além do mais, devo minha vida a você; portanto, não posso ter medo de você. Se agora vem me dizer que Dami Tamburini, ou seja, um amigo meu e companheiro de dupla no tênis, que somente por essa razão nos últimos anos teve a sorte de ganhar alguns torneiozinhos – coisa que, para ele, parece ser mais importante do que qualquer outra na vida –, se me diz que, em vez de beijar o chão em que piso, para empregar uma expressão usada pela minha mãe, contratou você para me fazer chorar, bom, então, agora, sim, é que tenho vontade de jogar: sabe como é, quando o jogo se mostra difícil...

Dessa vez, é o Inominável que não consegue esconder certa perturbação. Evidentemente, não está habituado – e sabe-se lá há quantos anos – a ter à sua frente alguém que *não acredita nessas coisas*.

– Além do mais – continua Marco –, agora que você me disse por que está aqui, tenho uma vantagem enorme e pretendo aproveitá-la. E, de todo modo, quanto à sorte e ao azar, vou te mostrar uma coisa. Venha comigo.

Sai do banheiro, seguido pelo Inominável, e se dirige ao gabinete da dor. Com o dedo nos lábios, faz sinal a ele para ficar em silêncio e abre a porta com delicadeza. Deixa-o entrar, avança igualmente sem fazer barulho e, com delicadeza ainda maior, fecha a porta. A menina dorme, com um braço pendendo da rede. Marco o recoloca junto ao corpo dela, aproxima os lábios da testa fresca, levemente suada.

— É minha neta — diz em voz baixa. — Chama-se Miraijin. Tem cinco anos e meio. Onde estou eu, está ela. Sempre. Meu nome de guerra é Hanmokku por causa dessa rede onde ela está dormindo. Está vendo? Tem suportes desmontáveis. Meu amigo te disse isso?

— Não.

— Então...

Marco acaricia a testa da menina uma última vez, depois volta para a porta e a abre: saem do gabinete sem fazer o menor barulho.

— Como já te disse — repete depois de fechar a porta —, não acredito em certas coisas, mas te garanto que, se existisse neste mundo a possibilidade de dar sorte e azar, ninguém poderia vencê-la. E ela está aqui, ao meu lado, me protegendo. Por isso, talvez seja melhor você ir para casa. Não gostaria de fazer você passar vergonha, entende? Não quero acabar com a sua reputação.

Sorri. Ele e o Inominável têm a mesma idade. Foram amigos do peito quando ele era chamado de colibri. Participaram juntos das competições de esqui, ouviram canções lindíssimas por centenas de tardes nos anos em que toda semana era lançada uma obra-prima. Começaram a apostar juntos, nos cavalos, na roleta, nos dados, no pôquer. Frequentaram casas de jogo e cassinos de meia Europa. Há algo de glorioso nas lembranças que têm em comum.

— Não brinque com fogo — diz o Inominável. — Vá embora.

Mas então as coisas começaram a mudar subitamente, e agora sentem pena um do outro. Só que o Inominável está sozinho, velho e acabado, enquanto Marco Carrera parece seu filho, está em forma e ainda enxerga o futuro, porque tem Miraijin. De repente, entende qual desígnio o levou até ali: a intuição de Carradori ao lhe dar a rede de presente, o próprio atrevimento de usá-la como usou, com a cara do vovô amoroso que se esforça para ser e que todos acreditam que seja – tudo apontava para aquele 29 de fevereiro, o dia que não existe. Além disso, todo o amor que se espalhou pelo mundo, todo o tempo desperdiçado e toda a dor sentida: tudo era força, era potência, era destino, e apontava para aquele momento.

– Os lobos não matam os cervos sem sorte, Duccio – diz. – Matam os fracos.

Terceira carta sobre o colibri (2018)

Marco Carrera
Piazza Savonarola 12
50132 Florença
Itália

Paris, 19 de dezembro de 2018.

Marco,

estou lendo um livro sobre Fabrizio De André, escrito por Dori Ghezzi com dois professores, dois linguistas. É um livro surpreendente, e acabei de me deparar com esta passagem, na qual os dois linguistas explicam o significado da palavra "emenalgia":
"De 'Emméno', verbo grego que significa 'mantenho-me firme', 'persevero', 'sigo em frente bravamente'. Uma sensação de consumição melancólica em razão do desejo de querer continuar até as últimas consequências. Um verbo insidioso, porém. Porque 'emméno' também significa 'esquivar-se das leis, das decisões alheias'. Esse é o destino de todos os seres humanos – e não apenas deles: se considerarmos que até Deus é obrigado a submeter-se aos ditames do livre-arbítrio –, caso eles estejam às voltas com os limites de tempo que os determinam. Uma palavra

que é veneno e cura para a ferida do futuro quando ele nos falta; e, portanto, em certo sentido, não serve para nada. Porque, na realidade, mesmo que cure 'uma' ferida, a verdadeira e obstinada esperança de todos os seres humanos quando são honestos consigo mesmos é de que a ferida nunca aconteça."

Mas, Marco, esse verbo é você. Ninguém como você sabe ser tão incansável em perseverar, mas também ninguém como você sabe evitar a mudança, justamente como o verbo insidioso do qual falam os dois linguistas: você permanece firme, continua até as últimas consequências, mas também, fatalmente, esquiva-se das leis e das decisões alheias.

E, de repente (eis por que te escrevo de repente, embora saiba que você não vai me responder), entendi que você realmente é um colibri. Mas claro. Foi uma iluminação: você realmente é um colibri. Mas não pelas razões pelas quais te deram esse apelido: você é um colibri porque, como o colibri, põe toda a sua energia em permanecer parado. Setenta batidas de asas por segundo para permanecer onde já está. Você é incrível nisso. Consegue parar no mundo e no tempo, consegue parar o mundo e o tempo ao seu redor; às vezes, consegue até voltar no tempo e encontrar o tempo perdido, assim como o colibri é capaz de voar em marcha a ré. Por isso é tão bonito estar perto de você.

No entanto, o que para você é natural, para os outros é muito difícil.

No entanto, a tendência para a mudança, mesmo quando é provável que não traga nada melhor, faz parte do instinto humano, e você não a concebe.

No entanto, acima de tudo, esse estar sempre parado, fazendo todo esse esforço, às vezes não é a cura, é a ferida. Por isso é impossível ficar perto de você.

Passei toda a minha vida me perguntando por que você não conseguiu fazer o que por muito tempo pareceu ser seu mais vivo desejo: aquele passo que teria te permitido ficar comigo. Perguntei a mim mesma o que havia em você que te sugava para trás quando estávamos bem próximos (aconteceu diversas vezes em todos esses anos), fazendo você repelir do nada o que, até um momento antes, havia atraído. De repente, hoje entendi que, na realidade, aconteceu o contrário, que sou eu que não consegui ficar com você. Porque para ficar com você é preciso conseguir parar, e eu nunca fui capaz de fazê-lo. O resultado continua igual, nós dois faltamos um ao outro, em todas as acepções que podem ser dadas a esse pretérito perfeito: mas esse novo ponto de vista me preenche com uma tristeza igualmente nova e atroz, porque percebo que talvez tenha sempre dependido de mim.

Também é atroz conseguir entender isso tão tarde, mas é sempre melhor do que nunca conseguir.

Marco. Lá fora há explosões, gritos, sirenes de ambulâncias. É sábado, e todo sábado aqui é o fim do mundo, mas se tornou normal. Os coletes amarelos que quebram tudo se tornaram normais. Ficar sem você se tornou normal.

Bom Natal.

Luisa

As coisas como estão (2016)

— Alô?
— Doutor Carradori, bom dia. Aqui é Marco Carrera.
— Bom dia. Como vai?
— Bem. E o senhor?
— Bem também, obrigado.
— Incomodo? Onde se encontra neste momento?
— Não, não me incomoda nem um pouco. Estou em Roma. Estou fazendo um curso de atualização antes de voltar para o Brasil.
— Para o Brasil? Por quê?
— Pois é. Aqui na Itália ninguém sabe de nada, mas há quatro meses, no Brasil, houve um dos mais graves desastres ambientais da história. O nome Bento Rodrigues não lhe diz nada?
— Não.
— É uma cidadezinha no estado de Minas Gerais. Mas talvez seja melhor dizer que *era* uma cidadezinha.
— O que aconteceu?
— Foi inundada por lama tóxica, derivada da extração de óxidos de ferro. Uma barragem se rompeu e os rejeitos varreram tudo. Já faz quatro meses.
— Muitos mortos?
— Não muitos. Dezessete. Mas o problema é que foi contaminada uma área do tamanho de metade da Itália,

incluindo rios e um bom trecho de costa atlântica, a centenas de quilômetros. Dezenas de milhares de pessoas perderam tudo e foram retiradas do local.

— Realmente, eu não estava sabendo de nada.

— Quase não foi noticiado na Itália. Alguns artigos e olhe lá. Há meses ninguém mais fala no assunto. Mas é uma verdadeira catástrofe. Os habitantes querem ficar em suas terras, mas elas estão comprometidas. Se ficarem ali, vão morrer de câncer. Se forem levados para outro lugar, não vão mais querer viver. Além do mais, para onde levá-los? É realmente um desastre.

— Sinto muito...

— Tudo bem. E o senhor, como está, doutor Carrera? Me diga que está bem.

— Sim, de fato, estou bem. Tudo bem.

— Menos mal. E a menina?

— Uma maravilha.

— Que idade ela tem agora?

— Cinco anos e meio.

— Puxa vida! Mas, sim, é claro: quando é que nos vimos?

— Bem, já faz três anos.

— É verdade, e, de fato, tinha dois anos e meio. Enfim, está tudo bem.

— Sim, está, só que...

— Só quê?

— Tem um assunto que eu gostaria de falar com o senhor.

— Diga.

— Mas antes preciso... bem... lhe confessar uma coisa.

— O que é?

— A rede. A que o senhor me deu de presente.

— Sim?

— Estou usando.

— Fico feliz.
— Mas não só para o tênis e para as conferências, como eu lhe disse.
— Ah, não? E em que outra ocasião a usa?
— Quando eu era jovem, eu jogava a dinheiro. O senhor sabia disso?
— Sim. Sua esposa me contou quando vinha ao meu consultório.
— Pôquer, *chemin de fer*, roleta. Depois parei.
— Ela também me contou isso.
— Voltei a jogar.
— Muito bem. E ainda gosta?
— Com a menina dormindo na rede.
— Lógico.
— No quarto ao lado.
— Claro, foi justamente por isso que...
— Às vezes, a noite inteira. Até amanhecer.
— Tudo bem, mas que mal há nisso? A menos que não tenha perdido muito dinheiro... Perdeu muito dinheiro?
— Não, não. Ao contrário...
— ...
— ...
— Pode falar, doutor Carrera.
— Ontem à noite. Ou seja, esta noite. Enfim, dez horas atrás...
— Sim?
— *Ganhei* muito dinheiro.
— Muito quanto?
— Um valor absurdo. E fiz uma coisa absurda.
— O quê?
— No início da noite, fui advertido por um velho amigo que eu não via fazia mais de trinta anos. Um profissional,

digamos assim. Eu também deveria contar a história dele, mas não quero me alongar muito. Revejo-o depois de todo esse tempo no lugar aonde vou jogar quase toda semana há três anos. Ele me puxa de lado e me diz: "Vá embora, volte para casa". Por quê?, pergunto. "Porque querem arruinar você." Quem?, pergunto. E ele me diz: "O chefe daqui. Ele me contratou para arruinar você, quer vê-lo chorar. Eu não sabia que era você".

– Mas como não sabia se vocês são velhos amigos?

– É porque, quando jogamos, usamos pseudônimos. Ele sabia que deveria arruinar um tal de Hanmokku e, quando nos apresentaram, descobriu que Hanmokku era eu.

– Ah.

– Que, diga-se de passagem, é o nome da rede que o senhor me deu de presente.

– Certo.

– Enfim, ele me disse isso. E quem ele chamou de "chefe" era o dono da casa, Luigi Dami Tamburini. Já ouviu falar nele?

– Não. Deveria?

– É um nome bastante conhecido na Toscana. Uma família nobre, de Siena. Mas só perguntei por perguntar, não tem nenhuma importância. O importante é que esse Dami Tamburini faz dupla comigo nos torneios *over 100*, um sujeito que, até ontem, eu teria definido como meu amigo.

– *Over 100*?

– É a soma das idades dos dois jogadores. Tem gente muito boa.

– Ah...

– Enfim, esse velho amigo me informa que Dami Tamburini queria me arruinar. E Miraijin estava com febre, e ontem à noite eu já estava muito indeciso se deveria ou não ir jogar. A essa altura, o que faz uma pessoa, na sua opinião?

— O que faz?

— Pega a menina e vai embora, isso é o que faz. Depois, com calma, no dia seguinte, tenta entender como estão as coisas. Certo?

— Certo.

— Tenta entender se é verdade ou não que seu parceiro de dupla recrutou profissionais para arruiná-lo. E, nesse caso, por quê. Mas com a cabeça fria, não? Com calma.

— Certo.

— Eu, não.

— O senhor ficou?

— Fiquei para jogar, sim.

— E ganhou o valor absurdo.

— Sim.

— Ganhou do seu colega de dupla ou do seu velho amigo?

— Do meu colega de dupla, o que queria me ver chorar. Mas cheguei muito perto da ruína. Muito perto.

— O que quer dizer?

— Quero dizer que cheguei a apostar um valor que eu não tinha.

— Quanto?

— Isso eu não vou lhe dizer, sinto vergonha. Um valor que eu não tinha, que não tenho, e minha vida ficaria bem complicada se eu tivesse perdido.

— Mas não perdeu.

— Não. Por causa de um valete de ouros contra um valete de paus.

— O que vocês estavam jogando?

– *Texas hold'em*.
– O que é isso?
– É pôquer à moda texana.
– É muito diferente do pôquer normal?
– Bem, é mais complicado. Joga-se com duas cartas fechadas para cada jogador, mais cinco na mesa, ou seja, cinco cartas comunitárias.
– Como a *telesina*, a variante italiana do pôquer.
– Sim. É parecido.
– *Telesina* ou *teresina*? Eu nunca soube.
– Acho que as duas. São corruptelas italianas de Tennessee, que é seu nome americano.
– É mesmo?
– Sim. Nos Estados Unidos, o pôquer varia de acordo com o estado em que você o joga. Esse Texas é a variante mais praticada. Foi estudada justamente para controlar perdas e ganhos, para que as pessoas não se arruínem, como normalmente acontece com o Tennessee. Mas ontem à noite não funcionou. Ontem à noite passei bem perto da ruína.
– Mas ganhou.
– Sim. E quem se arruinou foi Dami Tamburini. Começou a perder e a querer jogar de novo para se recuperar, e tornou a perder e a jogar, mais e mais, e, no final, restamos apenas eu e ele; no final, era uma coisa entre nós dois, um acerto de contas pessoal. E eu segui em frente, não parei. Em vinte minutos, nem isso, em quinze, ganhei um absurdo de dinheiro.
– Quanto?
– Também sinto vergonha de dizer.
– Por quê? Não foi o senhor que o perdeu.
– Não perdi, mas estou envolvido do mesmo jeito.
– Quanto?

— Oitocentos e quarenta mil.
— Minha nossa!
— Pois é, de tanto redobrar a aposta…
— E seu amigo tem todo esse dinheiro?
— Ter ele tem. A família dele é dona de um banco de investimentos, de terrenos, vinícola, fonte de água, imóveis… Mas eu não quis. E é por isso que liguei para o senhor.
— Como não quis? Por quê?
— Porque é um exagero! Como é possível? Até o tabelião estava lá, um sujeito que fica sempre à disposição, para quando há perdas importantes. O homem não sabia o que pensar.
— Ou seja, o senhor ganhou oitocentos mil euros e os deixou lá?
— Oitocentos e quarenta. Sim.
— Caramba…
— Acha que sou louco?
— Não. Só que é insólito.
— Não quis o dinheiro, mas em troca pedi uma coisa.
— O quê?
— Veja, doutor Carradori, estava amanhecendo. Miraijin dormia na rede, no quarto ao lado, empanturrada de antipirético. Eu estava ali, exausto, junto a outros quatro ainda mais exaustos do que eu. Em duas horas teria de me apresentar no hospital. Na mesa estava a ruína de um cara que, até seis horas antes, era meu amigo…
— E então? O que pediu?
— Além do mais, eu me envergonhava de tudo. De ter ido jogar, apesar de Miraijin estar com febre. De não ter voltado para casa quando me disseram para fazê-lo. De ter me obstinado quando estava perdendo, sem parar, como costumo fazer. E de ter me obstinado ainda mais quando comecei a ganhar, ganhar, ganhar até chegar àquele valor absurdo.

— Tudo bem, foi um choque. O que pediu?

— Eu me envergonhava de ser um jogador, aliás, de ser justamente o que eu era, de como tinha sido a minha vida. De ter perdido todas as pessoas que amei, porque, de um jeito ou de outro, todas foram embora, doutor Carradori, e não há mais ninguém...

— Dissemos que há a menina.

— Também me envergonhava dela, deixada em uma rede, eu me envergonhava *por* ela: eu me envergonhava e sentia pena de mim, uma pena muito profunda, terrível. E fiz uma coisa que um jogador nunca faz.

— O que fez?

— Disse essas mesmas coisas que estou dizendo ao senhor àqueles quatro infelizes, que, com certeza, estavam tão envergonhados quanto eu. E disse mais ainda, coisas que, normalmente, não se ouvem às mesas de jogo, embora todos as sintam.

— O quê?

— Disse que, à medida que ia ganhando todo aquele dinheiro, a vida que eu levava todos os dias se tornava cada vez mais miserável. Eu ganhava cinquenta mil euros e pensava que compraria um carro novo, porque, de repente, o que eu tinha era uma lata-velha. Mas antes eu não pensava que fosse uma lata-velha. Entende?

— Entendo.

— É uma coisa típica do jogador: fazer pouco da própria vida, pensar em mudá-la ganhando, mesmo que, na realidade, ele nunca tenha tido de fato esse desejo. Eu já tinha passado os duzentos mil e me via nas Maldivas ou na Polinésia, nos lugares luxuosos aos quais, na verdade, nunca tive vontade de ir. Quatrocentos mil, e eis que apareciam assistentes, empregados, cozinheiros, motoristas, babás, como se tudo isso me faltasse, como se eu não desejasse outra coisa a não ser parar de cuidar de mim mesmo e de Miraijin. Seiscentos mil, e eu parava de trabalhar e me aposentava, como se meu trabalho, que faço há trinta e cinco anos, pelo qual me sacrifiquei e ao qual dediquei tanto tempo, de repente me enojasse. Mas não era verdade. A vida que levo não me enoja, ao contrário, gosto dela porque, diferentemente de tantas outras vidas, a minha tem um objetivo, e esse objetivo é entregar ao mundo o homem do futuro, que, para meu enorme e doloroso privilégio, me foi concedido criar.

– O senhor disse tudo isso?

– Sim. E, no final, disse o que todo jogador sabe muito bem, ou seja, que não é possível fazer um bom uso do dinheiro ganho em jogo. E que, por todas essas razões, eu não queria aqueles oitocentos e quarenta mil.

– E seu amigo? E os outros? O que disseram?

– Todos choraram. Juro. Era para me fazerem chorar, mas fui eu quem os levou às lágrimas. Mas não de dor. Eu os fiz chorar de comoção. Uma coisa patética; no entanto, a única da qual não me envergonho.

– E o que o senhor pediu no lugar do prêmio?

– Pedi de volta todo o arquivo fotográfico da minha mãe. Eu o tinha doado para a fundação desse Dami Tamburini. Essa é outra longa história, que não vou contar agora. Eu o tinha doado à fundação ligada ao banco dele anos atrás, e o pedi de volta.

– E por quê?

– Porque, de repente, depois de ter sentido aquela pena que lhe contei, tive a impressão de finalmente ver as coisas como elas estão. Eu me dei conta de que a única coisa preciosa que aquele homem possuía era justamente o arquivo que lhe dei de presente.

— Muito bem.

— Eu não havia doado aquelas fotografias, mas me livrado delas. Com a desculpa de que as estava confiando a quem as valorizaria mais do que eu, me desfiz do que minha mãe tinha deixado de herança, o rastro de sua passagem nesta terra. Amanhã vou buscá-las. Esse é meu prêmio de ontem à noite.

— E não se arrependeu?

— Nem um pouco. Ouça, não tenho problemas financeiros. Sempre gostei de trabalhar e nunca desejei viver de renda. Para mim, aquele dinheiro era uma perdição. E o jogo, uma estupidez de adolescente, da qual eu nunca havia me libertado e que continuava a me ameaçar. Carreguei essa ameaça durante a vida toda, mas, nesta noite, eu a vi tal como ela é. Nesta noite, vi tudo tal como é. As coisas como estão. Eu precisava dizer isso a alguém. Pensei em dizer ao senhor.

— Fez bem.

— Agora me despeço. Já o fiz perder tempo demais.

— Que nada! Fez muito bem em me ligar.

— Agradeço, doutor Carradori. Espero vê-lo em breve.

— Vou visitá-lo. Assim, o senhor me mostra as fotografias da sua mãe.

— Com prazer. São muito bonitas.

— Tenho certeza disso.

— Até mais, doutor Carradori.

— Até mais, doutor Carrera.

Última (2018)

Luisa Lattes
23, Rue du Docteur-Blanche
75016 Paris
França

Florença, 27 de dezembro de 2018.

Cara Luisa,

te respondo. Talvez você soubesse que, desta vez, eu o faria: a história sobre o colibri, sobre a emenalgia, sobre a razão pela qual não ficamos juntos não pode cair no vazio. Mas isso não significa que pretendo voltar a te escrever. Uma coisa que está muito clara para mim é que não posso me permitir recomeçar qualquer tipo de relação com você.
 Para começo de conversa, quanto a mover-se e ficar parado, noto que, mais uma vez, você mudou de casa. Por quê? Por acaso rompeu também com o filósofo judeu? Se é assim, por que o fez? Ou seria esse endereço o de um escritório? E, se é de um escritório, por que tão longe da sua casa? Não consigo imaginar outras hipóteses, pois excluo que vocês tenham simplesmente se mudado se ainda estão juntos: não consigo ver um filósofo judeu que sempre viveu no Marais, como você

me descreveu, decidir um belo dia mudar-se para o décimo sexto arrondissement.

O fato é que é fácil entender que haja um motivo por trás do movimento, mas é mais difícil entender que haja algum também por trás da imobilidade. Mas isso é porque, aos poucos, nossa época foi conferindo cada vez mais valor à mudança, inclusive como fim em si mesma, e mudança é o que todos querem. Assim, não há o que fazer; no final, quem se move é corajoso, e quem permanece parado é medroso; quem muda é iluminado, e quem não muda é obtuso. É o que nossa época decidiu. Por isso, fico feliz que você tenha se dado conta (se é que entendi direito sua carta) de que é preciso ter coragem e energia também para ficar parado.

Penso em você. Quantas vezes já mudou de casa? Quantas vezes já mudou de trabalho? Quantos amores, maridos, companheiros, filhos, abortos, casas no campo, casas na praia, hábitos, caprichos, dores, prazeres se alternaram em sua vida? Para ficar naquilo que sei, Luisa, que obviamente é apenas uma parte, os números são absurdos. Quanta energia você despendeu para tudo isso? Muitíssima. E agora, aos cinquenta e dois anos, você me escreve dizendo que fiquei – sim – mais ou menos parado.

Digo "mais ou menos" porque, como você bem sabe, também houve mudanças em minha vida: solavancos terríveis, que me tiraram de onde eu pretendia permanecer e que me deixaram com um fio de força.

Todas as mudanças pelas quais passei, Luisa, foram para pior. Sei muito bem que não é assim para todo mundo; ao contrário, nosso imaginário está repleto de histórias esplêndidas, edificantes, de mudanças perseguidas com obstinação, que melhoraram a vida das pessoas e até das massas. Nem é preciso citá-las. Mas comigo as coisas se deram de outro modo.

Não estou me fazendo de vítima, Luisa: é só para te dizer que eu também não fiquei parado, antes tivesse conseguido isso. Se tivesse dependido de mim, sim, eu teria ficado parado, mas não foi possível, e cada mudança que sofri produziu um choque tremendo, que me tirou do chão e literalmente me arremessou em outra vida, depois em outra e em mais outra; vidas às quais eu tive de me adaptar brutalmente, sem mediações. Você entende que, para mim, é um alívio preservar o máximo de coisas possível?

Sim, eu também acho que, se você tivesse conseguido parar, nós dois poderíamos estar juntos. Mas o destino é o que é, e, se eu sou colibri, você é o leão ou a gazela daquele provérbio que, sinceramente, nunca me agradou; aquele que diz que é preciso levantar-se toda manhã e começar a correr, seja você leão, seja gazela.

Agora tenho uma missão a cumprir, que dá sentido a tudo o que tive e não tive, incluindo você: criar o homem novo, e o homem novo é a menina de oito anos que dorme debaixo deste teto. Ela se tornará uma mulher. Ela se tornará o homem novo. Nasceu para isso, e não vou deixar que as mudanças a destruam. Tenho força apenas para isso e para te responder desta vez. Sinto muito, Luisa, mas esta é a última carta que te escrevo. Eu te amei muito, de verdade; por quarenta anos, você foi a primeira e a última coisa em que pensei em cada dia da minha vida. Mas agora não é mais assim, porque meu primeiro pensamento é para ela, o meu último também é para ela, e no meio existem apenas outros pensamentos para ela. Somente assim me é possível viver neste momento.

Abraço,

Marco

O homem novo (2016-2029)

Há seres que passam a vida se esfalfando com o objetivo de avançar, conhecer, conquistar, descobrir, melhorar, para depois perceberem que não fizeram outra coisa a não ser buscar a vibração que os lançou no mundo: para eles, o ponto de partida e o ponto de chegada coincidem. Há outros também que, mesmo estando parados, percorrem uma estrada longa e cheia de aventuras, pois é o mundo que desliza sob seus pés, e terminam muito longe de onde haviam partido: Marco Carrera era um destes. Àquela altura, estava claro: sua vida tinha um objetivo. Nem todas as vidas o tinham, mas a sua, sim. As dolorosas adversidades que a haviam marcado também tinham um objetivo, nada lhe acontecera por acaso.

Certamente, sua vida não havia sido normal: em Marco sempre houve o estigma da exceção, a começar pela baixa estatura que, por quinze anos, manteve-o fora do rebanho, para prosseguir justamente com o tratamento que o restituiu ao rebanho e que nele produziu um crescimento muito superior, e em um período bem menor, do que o esperado pelo próprio médico que o havia ministrado. Ninguém se deu ao trabalho de descobrir a razão, mas o fato é que o tratamento ao qual Marco fora submetido no outono de 1974 havia produzido um efeito fora do comum: dezesseis centímetros em oito meses, de 1,56 metro em outubro (a média dos meninos da sua idade era de 1,70) para 1,72 metro (média de 1,72) no mês de junho seguinte – quando o crescimento parou de repente. Aliás, melhor dizendo, quando o crescimento se estabilizou no centro exato do percentil mediano dos seus coetâneos: 1,74 metro, aos dezesseis anos; 1,76, aos dezessete; 1,78, aos dezoito; e um último centímetro no ano seguinte, só para colocá-lo, já adulto, acima da média nacional.

Explicações? Nenhuma. O doutor Vavassori esperava, no máximo, dois terços desse resultado em quinze meses, e não em oito, ou seja, uma estatura que faria de Marco Carrera, de pouco desenvolvido que era, um rapaz baixo, mas normal. Letizia, que continuava a acreditar nas grandes ideias de D'Arcy Wentworth Thompson, estava convencida de que o tratamento nada tinha a ver com aquela espichada de seu filho, e que ele teria crescido de todo modo, graças às instruções impressas em seu código genético: simplesmente, em sua natureza, tudo estava previsto desde o início, primeiro o crescimento insuficiente, depois o desenvolvimento exorbitante e, por fim (e esta era a coisa mais estranha, que, segundo ela, só podia ser explicada com Thompson), o alinhamento com a antropometria tradicional. Já Probo estava dividido: por um lado, alegrava-se pelo êxito da tentativa, que havia sido ele a desejar com tanta obstinação, mas, por outro, perguntava-se se um resultado tão diferente das expectativas, ainda que melhor, não deveria ser considerado um fracasso; isto é, se não significaria a total perda de controle da ação exercida sobre o corpo de seu filho – portanto, com possíveis consequências de todo tipo. E se preocupou; a partir daquele momento, não parou de se preocupar (embora, após a morte de Irene, também essa preocupação, como todo o restante, tivesse perdido intensidade) com a possibilidade de descobrir, com o passar do tempo, o preço a ser pago por aquela decisão arriscada. Infertilidade, doenças degenerativas, tumores, malformações: e se em um dia X, no futuro, quando ninguém estivesse mais pensando naquele tratamento, aquilo que o havia tornado mais eficaz do que o previsto apresentasse a seu filho uma conta bem salgada? Tinha feito essa pergunta ao doutor Vavassori, e Vavassori respondera que, em se tratando de um protocolo experimental, o risco de efeitos colaterais imprevistos, mesmo em um futuro distante, havia sido levado em consideração e devidamente especificado nos documentos que Probo havia assinado, mas que um êxito superior às expectativas pudesse aumentar esse risco era uma preocupação sem sentido e, segundo ele, até um pouco paranoica. Diga-se de passagem, ninguém nunca havia chamado Probo de "paranoico".

De sua parte, e arrastado pelo próprio crescimento, Marco não teve tempo de pensar em nada. No passado, seu corpo se recusara a crescer com obstinação, e agora crescia com igual violência: ele habitava esse fenômeno, por assim dizer, e tentava acompanhá-lo. De novembro a junho, cresceu dois centímetros por mês – o que significa um quilo e meio por mês, ou meio número de sapato por mês – e essa foi sua única ocupação. Não se preocupou, não se assustou, não se envergonhou, não se impacientou, não impôs condições: ao contrário, abandonou-se a essa revolução, demonstrando uma plasticidade e uma resiliência que, no futuro, nos momentos difíceis, o ajudariam a sobreviver. Seu corpo havia saltado a adolescência; daquele de menino, transformou-se de repente no de um rapaz feito, mas ele não ficou traumatizado porque, pelo que sabia, o objetivo do tratamento era justamente esse. Após alguns anos, o fato de ter sido um colibri tornou-se para ele uma lembrança como outra qualquer.

A partir dessa experiência, porém, sua vida continuou a desenrolar-se sempre do mesmo modo: ficando parada por anos, enquanto a dos outros seguia adiante, e depois, subitamente, entrando em erupção em um evento excepcional, que o arremessava em um lugar novo e desconhecido. Quase sempre essa transição produzia dor, e a pergunta que na época começou a ameaçá-lo, com sua carga de raiva e vitimismo, era: por que justo eu? Por que justo eu?

Muitas vezes, dos seis fiéis servidores que nos auxiliam em nossa busca por alguma coisa (quem, como, quando, onde, o quê e por quê), o *quando* é o que separa a salvação da condenação: Marco Carrera nunca se fez essa pergunta enquanto não teve a resposta, e, somente por isso, ele, que desejava permanecer parado, conseguiu avançar tanto, de maneira tão dolorosa, sem desabar. Somente no momento certo, ou seja, naquele mais sombrio, sua mente se iluminou: tudo, tudo aconteceu por um objetivo, e a resposta chegou – simples, precisa e rica em néctar: Miraijin. Miraijin era o homem novo, e sempre o foi, desde que sua mãe a concebera. Havia nascido para mudar o mundo, e a ele, Marco Carrera, havia sido concedido o privilégio de criá-la.

A esse respeito, enquanto Adele ainda vivia, não houve a menor discussão. Ela sempre o dizia, e Marco não objetava; ao contrário, ele próprio o repetia; a humanidade recomeçava com aquela menina, a humanidade recomeçava com Miraijin – embora, na realidade, ele o fizesse por condescendência em relação à filha, como quando jogava com o fio preso nas costas dela, tantos anos antes. Enfim, pensava, essa moça já passou por tanta coisa, talvez essa seja a fantasia que lhe permite manter-se em pé: o destino me golpeia, e eu, em troca, gero o homem novo...

Mas Adele partiu muito cedo, e Marco realmente não estava preparado para enfrentar esse vazio: como sempre fizera no passado – sem decidir e, desta vez, também sem se dar conta –, simplesmente permaneceu em pé na cratera fumegante, que também foi sua morada, mas isso já não era suficiente. Para não se deixar vencer pelo desespero, ele precisava de mais força e determinação do que sentia ter. Por certo tempo, no início, viveu de maneira selvagem, seguindo os conselhos do doutor Carradori. Viveu como um selvagem, sim, preocupando-se apenas em cuidar de Miraijin e abocanhando a vida que lhe restava. Certamente, o seu não era um modelo de puericultura, sobretudo nas noites que passava jogando, com a menina adormecida na rede, mas lhe serviu para dar o passo decisivo, ou seja, para entender.

A iluminação chegou quando ele cumpriu um ato que, de outro modo, seria difícil de explicar, isto é, quando renunciou ao fabuloso prêmio resultante de um feroz duelo no pôquer com seu amigo Dami Tamburini. Eis que havia chegado, portanto, o momento certo para se fazer todas as perguntas, até as mais dolorosas – o momento de confiar no mais desafiador dos fiéis servidores: *por quê?* De repente, tudo se tornava claro, toda a dor sentida ao longo dos anos se tornava o basalto sobre o qual se fundava o novo mundo, as lembranças se tornavam destino e o passado se tornava futuro. Por que justo eu renunciei a todo aquele dinheiro? Por que justo eu escapei de um desastre aéreo? Por que justo eu perdi uma irmã daquele modo? Por que justo a mim coube um divórcio tão terrível? Por que justo eu pus materialmente um fim à vida do meu pai? Por que justo eu enterrei uma filha de vinte e dois anos?

Agora a resposta existia, e era aquele nome que irrompera em sua vida – Miraijin – e o que dela Adele havia sempre repetido, seriamente, firmemente, sem a menor dúvida: vai ser o homem novo, *papà*, a humanidade recomeçará com ela. Agora, Marco Carrera acreditava de verdade nisso. Tinha sofrido muito, sim, por um objetivo elevadíssimo: entregar ao mundo o homem novo – mas apenas depois de ter resistido aos golpes e às injúrias de uma sorte ultrajante, como diz Hamlet. Esse pensamento de fanático encaixou-se com perfeição em sua existência sóbria e repleta de dor, ou melhor, em certo sentido, completou-a – razão pela qual logo deixou de ser um pensamento de fanático.

De resto, a menina era mesmo especial. Fisicamente, florescia dia após dia com uma beleza extraordinária, até então concebida apenas para os avatares de videogames: mais alta que as da sua idade, esbelta, de cabelos encaracolados e muito macios, pele morena, olhos amendoados e de um azul semelhante ao do fundo de uma piscina – parecia realmente ter sido montada a partir das opções de um menu. E são justamente seus olhos que dizem todos os dias a Marco Carrera que sua neta é, de fato, um novo ponto de partida: oftalmologista e estudioso do aparato visual há quarenta anos, convencido de ter visto todos os tipos de olhos presentes na natureza, humanos ou não, diante dos de Miraijin se sente como o astronauta que, pela primeira vez, vê a Terra do espaço. Chegou a ver e a fotografar algo vagamente semelhante apenas no ragdoll de pelo longo de uma amiga americana, que se chamava (o gato) Jagger. De fato, foi buscar a foto em seu arquivo e a encontrou (era de 1986); depois, imprimiu um detalhe daqueles olhos, registrados no instante em que se concentravam na objetiva: mas nem essa imagem dá uma ideia exata, pois o gato Jagger era branco, e Miraijin é negra.

No entanto, mesmo sendo tão alienígena, Miraijin também é gloriosamente familiar. O tom de azul daqueles olhos únicos no mundo, por exemplo, é o mesmo de Irene – o que já é um choque e tanto. O belo físico esportivo que, ano após ano, desenvolve-se harmoniosamente é o mesmo que Marco viu desenvolver-se em Adele. As covinhas nas bochechas quando ela ri são de Giacomo – e, ao contrário das dele, não parecem destinadas a desaparecer à medida que a menina cresce. Mas o que mais o comove no corpo extraterrestre de Miraijin é a minúscula pinta entre o dedo mínimo e o anular da mão direita, idêntica à de Adele e à dele: invisível para o mundo, aquele pontinho é a marca registrada dos Carrera – e quantas vezes encaixou sua mão na de Adele para fazer com que as pintas coincidissem, não apenas quando ela era pequena, mas também depois; aquele era o "ponto de força" de ambos, diziam, e fizeram esse gesto até mesmo quando estavam na banheira do hospital, enquanto Miraijin vinha ao mundo. Agora, Marco Carrera pode continuar a fazê-lo com Miraijin, porque, por incrível que pareça, em meio à tempestade genética que se armou para que ela nascesse tão *nova*, aquela pequena pinta conseguiu sobreviver.

Contudo, mais do que o aspecto físico, que literalmente dá corpo à mais luminosa utopia de integração entre os povos, o que realmente impressiona nessa criatura é o fato de ela sempre fazer a coisa certa. Sempre, desde que usava fraldas e chorava apenas quando tinha de chorar, dormia quando tinha de dormir e aprendia o que tinha de aprender, de imediato, facilitando em muito a vida de quem cuidava dela. Seu crescimento se deu da mesma forma, ela sempre fazia o que devia ser feito, no momento em que devia ser feito, com a surpresa, de vez em quando, de algum ato ou comportamento fora da norma, sim, mas somente porque sua mãe, ou ele, ou o pediatra, ou as professoras, ou os professores, chegavam a julgar esse ato ou como um *melhoramento* da norma. Ao estudar justamente esse fenômeno, Marco Carrera se convenceu de que Miraijin estava mesmo destinada a mudar o mundo: porque, na realidade, nem sempre aqueles seus comportamentos fora da norma eram, propriamente, um melhoramento; na realidade, às vezes eram apenas um modo diferente de fazer as coisas, mas o fato é que, nela, *pareciam* um melhoramento. Vale dizer que ela, com seu rosto liso, seus olhos halógenos, sua voz esmerilada, sua expressão, seu sorriso e as covinhas nas bochechas – na realidade, todo o seu corpo, embora ainda pequeno e provisório, possui o ascendente dos líderes. É um daqueles corpos cujo dom natural consiste em persuadir. Um daqueles corpos que os outros tendem a imitar.

Não houve experiência na qual Miraijin não tenha encontrado a atitude correta desde a primeira tentativa. Nos esportes, em todos que experimentou, desde o tênis até o judô, não houve treinador que não tenha ficado espantado com sua vocação natural. Na primeira vez que se viu às voltas com um cavalo, logo se colocou atrás dele para acariciar sua cauda: não, meu amor, não fique aí, é perigoso, ele pode te dar um coice, porque os cavalos não sup…, só que o cavalo, ou melhor, a égua (Dolly, uma quarto de milha texana de treze anos, de cor baia, dócil, mas volúvel, muito sensível ao freio, que no dia anterior havia lançado ao chão um senhor de Arezzo que pretendia guiá-la como a uma charrete, puxando as rédeas de um lado e de outro, e que, a partir de então, Miraijin passaria a montar regularmente pelos sete anos seguintes, até ser deixada no pasto, à espera de entregar a alma ao Deus dos Cavalos) mostra-se excepcionalmente feliz com sua presença e até a deixa escovar sua cauda – segundo a instrutora, um sinal de que estabeleceu uma relação bastante sólida com ela. Algo surpreendente, considerando-se que é a primeira vez que Miraijin entra em contato com a raça equina. Na escola, ela encanta as professoras com a própria capacidade de se concentrar e elevar o nível de concentração de toda a classe. Desenha muito bem. Mal aprendeu a escrever e logo já passou a respeitar escrupulosamente os acentos graves e os agudos como não o fazem mais nem mesmo os professores. A frase que mais se ouve sempre que ela se aventura em alguma coisa é: "Parece ter nascido para isso".

Certo dia, Marco lhe pergunta: "Miraijin, você se dá conta de que consegue fazer, no mesmo instante, tudo o que tenta? Como você faz?". E a resposta é: "Observo como meu professor faz". Portanto, aquele corpo predestinado, que todos vão querer imitar, é tão carismático porque sabe imitar os outros corpos. Totalmente comprometido com seu próprio papel de mentor, Marco inicia algumas experiências: primeiro, faz com que ela veja todos os dias o basquete da NBA na televisão e quando, uma semana depois, dá a ela uma bola de basquete, eis que a menina consegue reproduzir com perfeição os movimentos dos jogadores – fintas, pé de pivô, bandeja –, sem nem sequer conhecer as regras desse esporte. Depois, na primeira aula de *snowboard* (que ela prefere ao esqui), ela já é capaz de refazer com precisão os movimentos de sua professora e, por isso, de descer e percorrer as curvas sem cair. E assim foi na dança: não que Marco goste de crianças que dançam, ao contrário, acha-as horríveis, mas tinha de fazer essa experiência, e, depois de duas tardes assistindo ao vídeo da moça iraniana que desafia o regime dançando *shuffle* na rua, eis que Miraijin aprendeu a dançá-lo. E assim foi na música, no piano: na primeira vez que a menina entra em contato com o teclado, o professor lhe pede para tocar de improviso, mas tentando fazer duas coisas diferentes com as mãos. Ela o faz, as duas mãos seguem figurações rítmicas diferentes – ao acaso, sim, mas independentes uma da outra: e, se não for um prodígio, diz o professor, já é um bom começo. De fato, nem um ano depois, Marco entra no quarto dela para perguntar que música é aquela que está ouvindo, e a música é "River Flows in You", de Yiruma, mas Miraijin não a está ouvindo, e sim tocando. É extraordinário. E eis que, aos sessenta anos, Marco se empenha ao máximo para vigiar os próprios movimentos e comportamentos e, por que não, as próprias expressões e a própria linguagem, como nunca havia feito, esforçando-se para depurá-los de todas as imperfeições que, se imitadas por ela, poderiam conspurcar sua pureza. Partindo justamente dele, portanto, partindo justamente de Marco Carrera, eis que o mundo começa a melhorar.

Ah, Miraijin! Nove anos! Dez! Onze! Doze! Que beleza organizar sua festa de aniversário a cada 20 de outubro, que aventura acompanhar você no coração do mundo enquanto o mundo vai de mal a pior! Esqueça os esportes, nos quais você se sai tão bem: seria um desperdício fazer de você uma campeã. O piano, a dança, o desenho, a equitação: cultive aquilo de que você gosta, mas não deixe que nada a devore, não se torne uma menina prodígio, pois você está destinada a algo muito mais importante. Muito bem, não seja competitiva. Muito bem, tenha medo do aquecimento global. Muito bem, assista às bobagens no YouTube com suas amigas e cometa de propósito alguns erros nas tarefas de classe para não se distanciar demais delas. Lembre-se de que você é o homem novo; para você, tudo é fácil, mas não deve distinguir-se dos outros, não deve deixá-los para trás: ao contrário, tem de levá-los com você, e essa é a parte difícil. Treze anos, Miraijin! As sessões de cinema com seu avô, em casa, toda segunda-feira à noite, os filmes antigos, vistos à moda antiga, no DVD, na televisão, comendo sushi feito por você (porque, obviamente, você cozinhará muito bem e, obviamente, cozinhará pratos italianos e pratos étnicos, sem distinção), *O grande Lebowski*, *O grande Gatsby*, *Um estranho no ninho*, *Donnie Darko*, *Ghost World: aprendendo a viver*, *Os eternos desconhecidos*, *Os suspeitos* (que a fará sentir um tédio mortal porque, após cinco minutos, por causa dos saltos de cena e dos primeiros planos, você já terá entendido que Keyser Söze é Kevin Spacey), ou vistos à moda moderna, em *streaming*, no tablet, com as suas amigas, *Spring Breakers: garotas perigosas*, *Show Bar*, *Juno*, *Como eu era antes de você*, *Nasce uma estrela*, ou as velhas séries, *Stranger Things*, *Black Mirror*, *La casa de papel*, *Breaking Bad* –, seja como for, nunca no cinema, porque assistir a filmes no cinema é algo que está com os dias contados, e nem mesmo você poderá fazer nada. Catorze anos! Ah, Miraijin, não deixe que a beleza que irrompe, a sua e a dos jovens que estão ao seu redor, apresse você; dê tempo ao tempo, tenha confiança: você se apaixonará, se sentirá insegura, dirá não, se sentirá segura, dirá sim, será feliz, será infeliz, será novamente feliz, tudo acontecerá no tempo certo. Muito bem, hesite. Muito bem, entedie-se e comece a ler romances, *Doutor Jivago* – coisa linda do vovô –, *Martin Eden*, *O morro dos ventos uivantes*, a saga de Harry Potter, muito bem; mas também outros livros, dos quais seu avô nunca terá ouvido falar, *Febre*, *O poder*, *LaRose*, *Crônicas do mundo emerso*, além das histórias em quadrinhos e, sobretudo, os mangás, como sua mãe, e, então, por que não justamente *Miraijin Chaos*, do qual vem seu nome; e as sagas mais famosas de Osamu Tezuka, *Astro Boy, Next World, Dororo*, bem como outras de outros autores, igualmente velhas, mas um pouco mais recentes, como *Sailor Moon*. Ah, como você vai gostar de *Sailor Moon*! Ah, como sua mãe gostava dela! E, visto que você também vai se interessar por ficção científica, poderá dar uma espiada nos 893 volumes dos *Romanzi di Urania* do seu bisavô, muito bem, você é o homem novo, mas vai querer se lembrar de onde vem, e seu avô vai lhe aconselhar as novelas de Heinlein, *As estradas devem rodar, O homem que vendeu a Lua*; ele vai dizer que são as mais belas narrativas de ficção científica que já leu; ele, que praticamente só leu essas, mas não importa, porque você vai gostar, elas vão lhe mostrar há quanto tempo o homem novo é esperado, com quanta poesia e ingenuidade foi sonhado e imaginado milhares de vezes. Quinze anos, Miraijin: por que você não tenta fazer um canal seu no YouTube? Vamos, tente, o que custa? Vamos, coragem, faça! Então, você vai se convencer, e seu avô, que você sempre achou severo, mas não é (porque de nada adianta ser severo com os jovens, uma vez que os jovens que, como você, Miraijin, precisam de severidade acabam por inventá-la em quem quiserem, mas chega a ser contraproducente com aqueles que dela não necessitam e até a desafiam), para sua surpresa, seu avô concordará e a encorajará; então, você vai fazer o seu canal no YouTube, ou melhor, não, antes vai começar simplesmente a postar seus vídeos no YouTube, feitos com o celular, nos quais vai reproduzir o que a torna tão popular entre os jovens da sua idade, ou seja, vai falar de coisas a serem compartilhadas com eles, filmes e séries de TV a serem vistos, livros a serem lidos, roupas a serem usadas, pratos a serem preparados e danças a serem aprendidas, penteados a serem feitos, jogos a serem jogados, lugares a serem visitados e precauções a serem adotadas para respeitar a natureza, permitindo que desconhecidos também façam o que todas as pessoas que a conheceram na vida real sentiram vontade de fazer, ou seja, imitá-la, de modo que você vai se tornar *aquela coisa lá*, que deve ter um nome bem específico em inglês, mas que seu avô vai proibi-la de pronunciar – olha a severidade aí –, mas será de brincadeira, e você, de fato, não o pronunciará, nunca o pronunciará. Dezesseis anos! Dezessete! E seu destino saltará sobre você, porque você vai se tornar famosa, isso mesmo, muito famosa; de repente, seu canal no YouTube terá milhões de visualizações, um sucesso absurdo, considerando que você se ocupará de coisas simples, sérias, *normais*, e, enquanto seu país estiver indo de mal a pior, muitos adolescentes se agarrarão a você, muitas crianças também, vão querer fazer o que você faz, tornar-se como você, ver o mundo com seus olhos incríveis, e a seguirão, cada vez mais numerosos, e isso significa que você ganhará dinheiro, Miraijin, muito dinheiro, que não a escandalizará nem a tirará do seu caminho; você dará uma boa parte dele a quem precisar, obviamente, e guardará o restante, porque ser rica enquanto todos estão ficando pobres é uma vantagem enorme quando se quer mudar o mundo, e seu avô já estará aposentado e se dedicará completamente aos seus negócios, para que você não se afaste da sua vida normal, da escola, das excursões, do piano, das viagens a Londres para estudar inglês, das festas, dos shows, das férias em Bolgheri com o vovô e daquelas com as suas amigas, que a convidarão para ir a todos os lugares, só para não se separarem de você;

o vovô vai se ocupar de todas as questões práticas ligadas à celebridade cada vez maior que você conquistará nesse meio-tempo, para que – pensará ele, e com razão – não seja a celebridade a conquistar você, porque – pensará, e com razão –, se você se afastasse da sua vida normal, imediatamente se tornaria uma empresa, um *brand*, uma marca, e logo seria assediada pelos agentes, pelos representantes, pelos patrocinadores, pelos produtores, pelos empresários, pelos exploradores, que ele tratará de manter distantes, de modo que, perto de você, fiquem apenas as pessoas verdadeiras, os meninos, as meninas, as moças e os rapazes que, ao imitá-la, estarão se rebelando contra o desastre causado pelos pais deles; portanto, na vida de Marco Carrera, acontecerá novamente o que, no fim das contas, sempre aconteceu, ou seja: ele ficará parado, plantado na terra, e tentará, com todas as suas forças, manter parado, ao redor de si, também o tempo, que obviamente, porém, correrá para você, Miraijin, e pronto, você fez dezoito anos, parecerá impossível, Miraijin, maior de idade, uma jovem mulher, linda, catártica e cada vez mais seminal, no sentido de que, de você – a essa altura já não será um segredo –, estará nascendo a nova humanidade, capaz de sobreviver à ruína causada pela humanidade antiga, de você e daqueles como você, porque a verdadeira mudança, a única que seu avô encorajará, será que *aqueles como você*, Miraijin, as pessoas eleitas, os homens novos, as mulheres do futuro se procurem, se encontrem, se reúnam e se posicionem para, em primeiro lugar, salvar o mundo antes de mudá-lo, pois, a esta altura, o mundo estará em perigo, exatamente como muitos temeram nos anos anteriores, mas não foram ouvidos, e milhares de vezes imaginaram durante todo o século anterior, nos livros, nas histórias em quadrinhos, nos desenhos animados, nos mangás, nos filmes, na arte, na música e, mesmo assim, até o último instante, haverá muita gente que se recusará a acreditar, e muitas outras pessoas que acreditarão tarde demais e se surpreenderão; e, enfim, você, Miraijin, e aqueles como você, serão recrutados e treinados para lutar em uma guerra na qual ninguém quis lutar antes, embora a essa altura esteja claro há tempos que se tratava disso, de uma guerra, uma guerra feroz entre verdade e liberdade, você, aqueles como você e todo o público de vocês, crianças e adolescentes (muitíssimos), rapazes e moças (muitos), adultos (poucos) e velhos (pouquíssimos), alinhados do lado da verdade, pois a liberdade já terá sido transformada em um conceito hostil, que arreganha os dentes e é imperdoavelmente plural – *as* liberdades, as infinitas liberdades nas quais essa palavra terá sido desmembrada, como a zebra é desmembrada pela alcateia de hienas que a devoram; liberdade de escolher sempre o que preferimos, liberdade de recusar toda autoridade que tente impedi-lo, liberdade de não se submeter às leis que nos desagradam, de não respeitar os valores fundamentais, a tradição, as instituições, o pacto social, os acordos assumidos no passado; liberdade de não nos rendermos diante das evidências; liberdade de nos insurgirmos contra a cultura, contra a arte e contra a ciência; liberdade de curar seguindo protocolos não reconhecidos pela comunidade ou, ao contrário, de não curar absolutamente, de não vacinar, de não usar antibióticos; liberdade de não acreditar nos fatos documentados e, em vez disso, liberdade de acreditar nas notícias falsas e de produzi-las, bem como liberdade de produzir emissões danosas, lixo tóxico, resíduos radioativos; liberdade de jogar no mar materiais não biodegradáveis, de poluir lençóis freáticos e o fundo do mar;

liberdade para que as mulheres sejam machistas, para que os homens sejam sexistas; liberdade de atirar contra quem entra na sua casa; liberdade para rechaçar os refugiados e mandá-los de volta aos campos de concentração; liberdade de deixar que os náufragos se afoguem, de odiar as religiões que não sejam a própria, os modos de comer e vestir-se que não sejam os próprios; liberdade de desprezar os vegetarianos e os veganos; liberdade de caçar os elefantes, as baleias, os rinocerontes, as girafas, os lobos, os porcos-espinhos, os muflões; liberdade de ser cruel, incorreto, egoísta, ignorante, homofóbico, antissemita, islamofóbico, racista, negacionista, fascista, nazista; liberdade de pronunciar as palavras "negro", "subnormal", "cigano", "paralítico", "mongoloide", "veado", e até mesmo de gritá-las; liberdade de perseguir, única e exclusivamente, a própria vontade e o próprio interesse, de errar sabendo que estamos errando e de lutar até a morte contra quem quiser eliminar o erro, uma vez que ele, e não a Constituição, será considerado o fiador da liberdade. Enquanto os outros lutarem na vida real, e a luta será dura, você, Miraijin, e aqueles como você, com o exemplo de vocês e com o carisma do homem novo, terão de lutar na Rede, ou seja, no campo adversário, na cultura de bacilos na qual proliferarão as metástases da liberdade, e terão a missão de defender e manter vivas, ali, na Rede, para as crianças e os jovens, com seus jogos, suas narrativas em linguagem nativa, suas listas de coisas a serem feitas e a não serem feitas, ou seja, com o *discernimento*, a normalidade que estará desaparecendo, a piedade que estará desaparecendo, a velha bondade europeia que estará desaparecendo, a dos emigrantes e dos exilados que morreram longe de casa, dos servos, dos lavradores, dos mineiros, dos operários, dos marinheiros, que se mataram de trabalhar para que seus filhos tivessem uma vida melhor, dos missionários comidos por canibais, dos intelectuais, dos poetas, dos artistas, dos arquitetos, dos engenheiros, dos cientistas perseguidos pelos tiranos, e, por essa razão, dada a sua celebridade, pelo simples fato de que você agirá em nome e em defesa da verdade, mesmo da mais banal e cotidiana, contra a liberdade de pisoteá-la, você estará em perigo. Dezenove anos, Miraijin, e tudo mudará – para você, pela primeira vez; para o seu avô, de novo –, porque você terá de deixar sua casa, sua vida, sua cidade, e ir viver em lugares secretos, deslocar-se continuamente, ameaçada, difamada, mas também admirada e defendida como um tesouro, protegida, para que você possa continuar a demonstrar que o mundo foi um lugar bonito, saudável, acolhedor, repleto de dons que nada custam, e que ainda poderia ser assim, e o programa do qual você fará parte, *Lembre-se do seu futuro* (porque, a essa altura, é disso que se tratará, de um programa, no sentido próprio de uma doutrina, de uma enunciação de preceitos a serem seguidos, de mudanças de comportamento a serem adotadas e de resultados a serem obtidos, desenvolvido pelas mais belas mentes, que estarão lutando ao seu lado), você continuará a promovê-lo a partir desses lugares secretos, mas também dos campos cobertos de papoulas, das geleiras, em mar aberto, e os seus seguidores continuarão a crescer, e a humanidade já terá começado a mudar, as crianças e os jovens aos quais você terá falado nos primeiros anos já estarão crescidos e se afastarão dos próprios pais, lutarão contra eles, se necessário, e pensarão no plural, e, graças à sua beleza centrípeta, serão atraídos pelo que é diferente, e a cultura estará em primeiro lugar entre os interesses deles, e eles vão procurar uns aos outros, encontrar-se, unir-se e permanecer unidos, e muitos vão saber o que fazer enquanto o velho mundo estiver morrendo, também graças a você, ou melhor, segundo seu avô, *sobretudo* graças a você; seu avô, que terá ficado sozinho, orgulhoso e sozinho, preocupado e sozinho, e a seguirá como os outros, pelo celular, pelo computador, e descobrirá que, desde que você passou a viver longe dele, fala dele com frequência, e ele se comoverá, e voltará a pensar nos anos dedicados a você, dezessete já, mas que, para ele, passaram como um sopro, mas se lembrará com dificuldade daqueles nos quais você ainda não existia, anos remotos, desbotados, e esperará por você na velha casa da Piazza Savonarola ou na velha casa de Bolgheri, ambas ainda ali graças aos esforços dele, aonde você irá encontrá-lo assim que puder, *com a escolta*, Miraijin, porque você viajará com a escolta, irá encontrá-lo e o encontrará bem, ainda jovem, ainda ativo, ainda parado, a sua especialidade, enquanto tudo ao redor dele terá mudado, com a certeza, porém, de que para ele também chegará o momento de mover-se e mudar, tudo ao mesmo tempo, bruscamente, como sempre foi, e, por fim, esse momento chegará, e não será um bom momento, porque trará consigo um pedaço de papel do hospital, um relatório, que falará de um tumor, um carcinoma, no pâncreas, sem ambiguidades, sem rodeios, de dimensões consideráveis e já muito extenso – mas como?, se seu avô sempre terá feito exames regularmente, a cada seis meses, e seis meses antes não havia nada? Como poderá ter surgido, crescido e proliferado assim em seis meses? Como será possível? Será possível como foi possível para o corpo dele aos quinze anos, Miraijin, porque esse sempre foi o modo de crescer de Marco Carrera, escrito desde o início em seus cromossomos, como acreditava a mãe dele, ou apenas porque terá chegado o dia X, temido pelo pai dele, no qual ele teria de pagar o preço por seu crescimento veloz, enfim, um câncer aos setenta anos, pombas!, e daqueles brabos, suas pernas ficarão bambas, Miraijin, quando ele contar a você, porque terá de lhe contar, e o mundo que você estará salvando desabará sobre você, e ele dirá: "Vou lutar", mas você saberá muito bem que ele estará pensando: "Estou morto", como havia pensado a mãe dele quando chegara a vez dela; ele estará pensando isso porque é médico e saberá que estará morto, justo ele, que poderá dizer que teve um objetivo na vida, ele, que devia ter morrido em uma noite de maio, meio século antes, estava na lista, estava tudo preparado, mas, no último instante, foi poupado, Miraijin, porque, se tivesse morrido naquela época, não teria podido ver você nascer na água nem criá-la e entregá-la a esta Terra.

À disposição (2030)

Querido vovô,

por favor, não considere o que eu te disse ontem. Não parei de chorar durante toda a viagem de volta, fiquei desesperada, não dormi, mas, no fim, entendi. Entendi tudo, entendi perfeitamente. Entendi e estou pronta. Você nunca me pediu nada, você só me deu, deu, deu e, se uma vez na vida me pede alguma coisa, ainda que enorme como essa, eu a darei a você. Me desculpe por ontem. Esqueça. Hoje é hoje, e estou à sua disposição.

Daqui a alguns dias, voltarei para te visitar. Vou deixar o programa e me dedicar a você, e quero que saiba que estou orgulhosa de você. Estou orgulhosa da coragem que você demonstrou nesses meses e da pureza da decisão que tomou, mas, sobretudo, estou orgulhosa de que você, meu ídolo, tenha pedido a mim para te ajudar. Vou te ajudar, meu avô querido, você não precisa se preocupar com nada. Sei o que fazer, já me ocupei desse tipo de coisa para o programa. Oscar conhece as pessoas certas, você não vai precisar fazer nada, nem eu terei de fazer nada, fique tranquilo. Simplesmente, o que você deseja agora acontecerá. E nós dois estaremos juntos.

Sua

Miraijin

As invasões bárbaras (2030)

— Está acordado? — pergunta Miraijin.
— Estou.
— Carradori chegou.
— Até que enfim! Onde ele está?
— Eu disse a ele que você estava descansando. Ele foi dar um passeio na praia com a vovó.
— Ah.
Miraijin se aninha ao lado dele na cama.
— Preciso te confessar uma coisa.
— O quê?
— Não consigo esconder isto de você.
— O que você fez?
— Promete que não vai ficar bravo?
— Prometo.
— Comecei a ir ao psicanalista.
Ele se sente tentado a responder com a frase de Francesco Ferrucci, "Covarde, você está matando um homem morto", mas se contém. Miraijin não merece esse cinismo. Se revelou a ele esse fato, não é para que ele seja motivo de chacota. É um ímpeto de sinceridade. De quanta força ela precisa para estar ali, ao lado dele, neste momento, com um sorriso nos lábios? Tem direito a uma resposta verdadeira.
— Sorte dele! — responde Marco Carrera. — Tenho inveja dele.

– Por quê?

– Terá acesso ao seu inconsciente, que também deve ser muito bonito.

Miraijin baixa os olhos, como sempre quando recebe um elogio. Então, Marco estica o braço até a cabeça dela, e uma pontada atravessa todo o seu lado direito. Mas vale a pena, porque, com a mão, agora pode acariciar (pela última vez? Pela penúltima?) aqueles cabelos incríveis. Ele os toca, e acontece algo que não se pode descrever: são encaracolados, ele os sente, mas parecem líquidos; não, líquidos, não, fluidos; não, nem isso; ele tem a impressão de que está pondo a mão em uma tigela de chantili. Mas um chantili bem escuro.

– E você, como está?

– Bem.

– É um homem ou uma mulher?

– Um homem.

– E como é?

– Magro, bonito. Parece você. Já me afeiçoei a ele.

– Ele também foi convidado? – Essa ele deixou escapar, mas não é cínica como a outra.

– Seu bobo...

Miraijin se levanta.

– Chame o Rodrigo quando quiser sair – diz. – Ele está aí fora, junto à porta; parece uma sentinela. Dei uma cadeira a ele, mas prefere ficar em pé.

Sai do quarto. É aquele onde sempre dormiu Probo, o mais bonito da casa, com a porta que dá diretamente para o jardim. Depois da morte do pai, Marco não ficou com ele, como teria sido natural; preferiu o da mãe. Por quê? Não se lembra. "Quarto de hóspedes", foi logo rebatizado por Lucia, filha da dona Ivana: mas não houve mais nenhum hóspede naqueles últimos vinte e cinco anos. Marco Carrera não se lembra de ninguém que tenha ocupado aquele quarto desde que Probo morreu. É possível? As amiguinhas que, até alguns anos antes, Miraijin convidava dormiam sempre junto com ela. Talvez Luisa? A última vez que veio, quando sua casa ali ao lado já tinha sido vendida, e realmente dormiu na sua: ocupou aquele quarto? Marco Carrera não se lembra. Foi há tantos anos. Tudo, ali, aconteceu muitos anos atrás.

Mas poderia abrir a porta e perguntar a ela: "Luisa, da última vez que você esteve aqui, dormiu neste quarto?". Porque Luisa está ali fora, no jardim, Marco pode vê-la através da cortina. Está falando com Giacomo, porque Giacomo também está ali. Aliás, é ele quem está falando; ela está ouvindo. O que está dizendo a ela? Miraijin passa por eles, toca levemente a mão do tio-avô que, até o dia anterior, nunca havia visto e sai do campo visual de Marco. Estaria indo encontrar a avó e Carradori na praia?

A ideia de Miraijin de convidá-los foi despropositada. "Como naquele filme que você me mostrou na sessão de cinema", disse. "Como se chamava?" Marco Carrera não se lembrava. Para dizer a verdade, não se lembrava nem mesmo do filme. As metástases afetaram seu cérebro, a memória vai e vem.

A ideia de convidá-los foi despropositada e embaraçosa. Marco não havia pensado nela nem remotamente. A essa altura, a vida tinha sido do jeito que tinha de ser, nunca passaria por sua cabeça *melhorá-la* justamente no final. Havia quantos anos não sabia mais de Luisa? Muitos: de quantos, exatamente, não se lembra. E de Giacomo? Até mais. Com Luisa, foi ele que rompeu, disso ele se lembra bem; nos últimos anos, ela lhe escreveu algumas cartas, mas ele nunca as respondeu. Com Giacomo, foi o contrário: Marco lhe escreveu por anos e nunca recebeu nenhuma resposta, até que se resignou. Disso também Marco se lembra bem. Como se poderia *convidá-los*? "Mas você gostaria, vovô?", perguntou-lhe Miraijin. "Te agradaria?" Ele se sentiu desconcertado. "Não sei", respondeu, mas não tinha certeza nem mesmo de não saber: apenas lhe veio à mente uma frase que caía bem naquela situação: *Ubi nihil vales, ibi nihil velis* – sem se lembrar de quem a havia pronunciado. Mas se lembrava bem do seu significado: onde nada vales, nada podes querer – porque era exatamente como se sentia. Provavelmente, sua neta tinha percebido sua desorientação, porque acrescentou uma de suas argumentações irresistíveis, que faziam dela aquilo que era. "Na realidade, não é por você que estou perguntando," disse, "é por mim, por nós que ficamos." *Por nós que ficamos:* havia pensado em todos, enfim, ela, que nem sequer conhecia aqueles todos. Conhecia sua avó, conhecia Greta e, muito vagamente, Carradori; quanto aos outros dois, sabia que existiam somente porque o avô tinha falado deles; ela nunca os vira, mas se preocupou com eles. Essa era Miraijin Carrera. Colocado dessa maneira, o convite se tornava um presente que Marco daria *aos que ficavam*, e o sentido de impotência desaparecia. Além disso, havia algo de obsceno nessa ideia que o atraía, algo de despudorado: então, respondeu que sim, claro, que lhe agradaria, mas, segundo ele, era impossível que viessem. "Quanto a isso, não se preocupe; pode deixar comigo", disse Miraijin. A conversa aconteceu na sala da casa na Piazza Savonarola, transformada em quarto hospitalar, doze dias antes. Como ela havia conseguido, não se sabe, mas vieram os cinco, mesmo tendo sido avisados com tão pouca antecedência. Essa garota consegue qualquer coisa.

Vieram Giacomo, dos Estados Unidos, Luisa, de Paris, Marina e Greta, da Alemanha, e Carradori, de Lampedusa. Também estão presentes Oscar, namorado de Miraijin, vindo de Barcelona, mais Rodrigo, o enfermeiro que fará materialmente o trabalho, além dos três rapazes da escolta, igualmente espanhóis. A casa de Bolgheri nunca foi tão internacional. Guido, o enfermeiro que cuidava dele em Florença, não pôde deixar a cidade porque sua mãe tem deficiência física – e ainda bem que não pôde, porque, do contrário, teriam de inventar uma desculpa para que não viesse: é religioso e muito devoto, não é do tipo que aprova certas coisas. A despedida de ambos foi comovente, porque Guido entendeu que Marco não voltaria mais. É claro que não pensava em algo tão rápido, mas a decisão de não recomeçar o tratamento e de se mudar para a praia no fim de maio era eloquente. Sentia muito por não poder acompanhá-lo e até começou a chorar, mas sua mãe tem deficiência física, e ele não poderia sair de Florença.

De resto, tudo seria comovente nessa história, tanto que Marco considerou uma questão de honra não demonstrar emoção para evitar que tudo terminasse em choradeira. Não, disse a si mesmo, para fazer sentido, isso tem de ser uma espécie de festa, uma experiência vital, alegre. Talvez propriamente alegre não possa ser, mas Miraijin organizou tudo pensando em seus hóspedes como pessoas vivas, que vivas retornarão aos cantos do mundo de onde provêm, e, por isso, ela se preocupou com uma hospitalidade de alto nível. Quartos preparados com zelo, peixe fresco, massa feita em casa, verdura da horta – embora Marco, no estado em que se encontra, não tenha podido saborear a comida. Já não pode comer, e há muitos meses se nutre apenas com a gastronomia endoscópica percutânea, ou seja, com a sonda que enfiaram no meio da sua barriga. Contudo, mesmo sem poder experimentar nada, ajudou a neta a preparar o jantar e o almoço do dia seguinte, como se se tratasse, justamente, de uma recepção. De resto, ele conhece o gosto dos hóspedes: Giacomo, frutos do mar; Luisa, lagostins; Marina, muçarela de búfala... Todas essas informações remontam a mais de trinta anos, não há dúvida, mas os gostos não mudam; quando muito, podem ter sofrido proibições por motivos de saúde – e, nesse caso, seria ele, na cabeceira da mesa, a consolá-los com sua sonda. Mas não houve necessidade. A ninguém foi proibida a própria comida preferida – o que pode ser considerado um indício de sorte.

Só que havia outro perigo contido no que Marco decidiu fazer. O primeiro, como dissemos, é o cinismo – o cinismo e o sarcasmo: Marco Carrera, homem do mundo antigo, sempre fez uso regular de ambos, mas, no mundo novo de Miraijin, cinismo e sarcasmo não cabem absolutamente. Nele existe a ironia e só. O segundo perigo é a emoção, que também já mencionamos. O terceiro é o vitimismo, quando não a inveja – algo do tipo: veja só, eu aqui, morrendo, e eles comendo lagostins. Por isso, Marco se controlou rigorosamente durante as duas refeições e antes ainda, quando recebeu os hóspedes em sua chegada. Nada de comoção, nada de piadinhas cínicas nem de autocomiseração. É ou não é um presente que está dando a eles? Então, deve fazer com que se sintam bem. A presença deles ali terá de se transformar em uma bela recordação. Ele precisa ser perfeito.

Ergue-se e senta-se na cama. Mais pontadas, dores. De fato, seria a hora de tomar a morfina – algo que, no entanto, dada a situação, não faria muito sentido. Sem a dor, porém, Marco ainda seria autossuficiente, porque está longe do fim. Também como aspecto físico: afinal, ainda não se tornou um zumbi como seu pai e sua mãe – nem se tornará. Isso é fundamental para dar um sentido ao que está para fazer: Marco Carrera vai embora porque quer, não para deixar de incomodar.

No primeiro dia, assim que chegaram, quis até fazer um passeio de bicicleta com Miraijin no pinheiral. E conseguiu, sozinho, embora estivesse muito fraco. Andou bem devagar, ziguezagueando, e os rapazes da escolta o seguiram a pé, prontos a pegá-lo no ar caso perdesse o equilíbrio. Eis uma ocasião da qual se podia rir, e, de fato, já em casa, ele e Miraijin riram: não era cinismo, não era sarcasmo.

Claro, pensa ele, se tomasse a morfina (por via oral, não a endovenosa), também poderia ir ao jardim com as próprias pernas. Mas depois, uma vez no jardim, deveria igualmente sentar-se na cadeira de rodas e, além do mais, ficaria confuso por conta da medicação. Perigo número quatro: ser patético. Ei, olhem para mim, consigo sozinho!

No entanto, da cama para a cadeira de rodas consegue ir sozinho, isso sim. É preciso atravessar todo o quarto, porque Rodrigo deixou a cadeira longe da cama, justamente para desencorajar essa iniciativa. Marco Carrera se levanta e, com passo inseguro, arrastando o suporte do soro com rodízios e apoiando-se também um pouco nele, percorre a distância que o separa da cadeira de rodas. Cuidado para não cair agora, pensa. Cuidado para não quebrar o fêmur agora. Alcança a cadeira, verifica se o freio está acionado, não está, aciona-o. Mira bem o assento e se senta, delicadamente, para não sofrer nenhum solavanco. Pronto. Doeu, mas também foi fácil. Só depois de sentado chama o enfermeiro. "Rodrigo", diz baixinho. Baixinho demais? Não: Rodrigo entra imediatamente e não lhe diz nada ao ver que ele se levantou e chegou à cadeira sozinho. "Vamos ao jardim, por favor. Vamos fazer ali."

É uma tarde morna e luminosa. Os pitósporos estão em flor, assim como as primaveras e os jasmins; o gramado foi cortado pela manhã, e o perfume exalado por essa combinação é empolgante. Luisa se afasta de Giacomo e vai ao seu encontro. Marco olha para ela, dourada pelo sol que começa a se pôr: quantos anos tem? Sessenta e quatro? Sessenta e três? Sessenta e cinco? Não retocou nem um milímetro sequer daquele corpo e daquele rosto que Marco desejou com tanto ardor. Ainda é muito bonita. Atrás dela, Giacomo também vem ao seu encontro. Giacomo também amou aquele corpo e aquele rosto. Giacomo também permaneceu bonito. Quinto perigo: languidez. Por sorte, neste momento, Miraijin vem pelo caminho, seguida por Oscar, Marina, Greta e Carradori. Portanto, estão todos presentes, pensa Marco, já se pode proceder.

Está emocionado, seu coração bate forte no peito.

Carradori vai até ele e o cumprimenta calorosamente. Desculpa-se pelo atraso, e Marco lhe diz que soube do enorme engarrafamento na Via Aurelia e que sente muito por ele ter tido de enfrentá-lo. Como sempre, esse homem nada seria sem a força magnética expressa por seus olhos. Tem a mesma idade de Marco, mas parece mais velho. Aliás, não: é ele, Marco, quem parece mais jovem. Apesar do emagrecimento, da doença e do tratamento, com certeza não demonstra os setenta e um anos que tem. A químio não o fez perder os cabelos, que ainda estão todos ali, bastos, finos e um pouco grisalhos, soprados pela brisa vespertina. No fundo, o sentido da coisa está todo ali, em seu aspecto ainda passável. Em partir assim, antes do horror.

Ninguém fala. Ninguém sabe o que dizer. Marco faz um sinal de entendimento a Rodrigo, que entra na casa. Pensou e repensou em como se comportar nesses últimos momentos, no que fazer e no que dizer. Descartou todas as ideias patéticas que vieram à sua mente e, por isso: nada de música (em um primeiro momento, pensou em "Don't Cry No Tears", de Neil Young, mas logo depois ficou escandalizado); nada de discurso de despedida, pelo amor de Deus, nem de solenidade; nada de comoção, nem de languidez, nem de autocomiseração. Apenas um abraço, isso sim, em quem tiver vontade de abraçá-lo, exatamente como quando se parte, e poucas palavras técnicas para explicar bem a todos que não são cúmplices e, menos ainda, responsáveis por nada.

Ninguém dá um pio até Rodrigo voltar com os produtos e, enquanto conecta as bolsas nas cânulas e no suporte de soro, Marco começa a falar.

– Bem – diz –, agradeço a vocês por estarem aqui, fico muito feliz por tê-los perto de mim. Como vocês sabem, a ideia do convite foi de Miraijin e, considerando que todos vieram, devo concluir que a acharam uma boa ideia. Mas agora, vocês...

De repente, Giacomo deixa escapar dois soluços, apenas dois, rumorosos, um após o outro no intervalo de dois segundos. Marco está bem na frente dele e, nesses dois segundos, consegue ver seu belo rosto seco devastar-se em uma careta de desespero, mas logo depois se recompor na expressão absorta que mantém estampada no semblante desde que desceu do táxi no dia anterior. Resistiu bem a tudo, Giacomo, desde o momento delicadíssimo em que se reviram após todos aqueles anos até aquele em que, depois do jantar, conversaram um pouco sozinhos, ele sobre suas filhas, e Marco sobre Miraijin. Resistiu bem a tudo até aqueles dois segundos, quando tudo pareceu desabar. Mas, por sorte, conseguiu recuperar o controle.

– Desculpem – murmura.

E volta a ouvir, compungido, com as mãos entre as pernas, como se nada tivesse acontecido. Ao final, foi uma cena cômica.

– Como eu estava dizendo, vocês não são obrigados a assistir. Estou muito feliz por ter revisto vocês e ter conversado com cada um. Exceto com o senhor, doutor Carradori: com o senhor não pude conversar por culpa do engarrafamento que o fez chegar tão tarde. Mas, enfim, se agora algum de vocês quiser entrar em casa, ou ir para a praia, ou para onde bem entender, desejo que o faça, sem se sentir obrigado a permanecer aqui.

Interrompe-se e olha para seu auditório. Giacomo está aguentando firme. Miraijin está abraçada a Oscar, que envolve os ombros lisos dela com seu belo braço bronzeado. Luisa tem uma expressão triste, mas sólida. Marina sustenta seu olhar por apenas um segundo, depois abaixa os olhos e balança a cabeça.

– Não, eu... – diz – talvez seja melhor eu... entrar em casa.

Torna a erguer o olhar, sorri e sai. Ela, ao contrário, foi muito marcada pelo tempo – pelo tempo e pelos medicamentos. A gazela ferida. Mas, com os anos, melhorou, graças aos cuidados de Miraijin, até voltar a ter condições de mover-se e viver de maneira autônoma. Marco a segue com o olhar até ela desaparecer atrás da porta da cozinha, depois, pousa os olhos em Greta, irmã de Adele.

— E você?

Greta é uma bela moça alemã, já com cerca de trinta anos, cabelos bem curtos e tatuagens nos braços. Adele mal teve tempo de aproximar-se dela antes de morrer, mas, em seguida, entre ela e Miraijin, estabeleceu-se uma ligação intensa e profunda, como se fossem elas duas as irmãs – e isso graças aos esforços de Marco, que por anos levou a neta para a Alemanha, para visitar a avó e Greta e permitir que elas ficassem juntas. Agora, considerando o estado de Marina, pode-se dizer que Miraijin não ficará sozinha no mundo graças a essas viagens à Alemanha e à intimidade que se instaurou entre ela e a irmã de sua mãe.

— Não, Marco – diz Greta. – Eu fico.

Tem feições duras como a sua pronúncia, mas também luminosas, vagamente triunfantes. Parecem ter sido gravadas em metal. Marco respira fundo, afasta o pensamento de Marina sozinha, chorando dentro de casa – como é difícil, droga! – e recomeça.

— Mas eu queria dizer a vocês algumas palavras como médico que fui por quarenta anos, para que vocês se deem conta do que eu, e somente eu, estou para fazer, com toda a autonomia e em plena lucidez mental. O Rodrigo, aqui, vai simplesmente me fazer um favor, dando-me de presente vinte, trinta segundos de paz. Mas eu poderia muito bem fazer tudo sozinho.

Indica as duas bolsas que Rodrigo pendurou na haste do suporte de soro e ligou ao circuito de tubos que termina na veia do seu braço direito.

— Na primeira bolsa há uma mistura de midazolam, que é um benzodiazepínico, e de propofol, que é um poderoso agente hipnótico. Ambos costumam ser utilizados em anestesias gerais. Preparei uma dosagem generosa, para garantir uma sedação profunda. Na segunda bolsa há uma infusão rápida de potássio não diluído, que fará o trabalho sujo. Não vou dizer a vocês como consegui essas substâncias, mas garanto que ninguém foi informado do uso que farei delas. Simplesmente, esses quarenta anos como médico me possibilitaram arranjá-las sem ter de pedir a cumplicidade de ninguém.

Essa é a mentira prevista no roteiro, e Marco consegue dizê-la bem, com credibilidade. Na realidade, não tinha como conseguir o potássio concentrado, e por isso pediu ajuda a Miraijin. Foi ela quem o arranjou. Ou melhor, Miraijin encontrou Rodrigo, e Rodrigo o arranjou. Mas Marco não quer que ninguém saiba disso.

– Daqui a pouco, depois que eu me despedir de vocês, vou abrir a torneira vermelha, a dos anestésicos, que começarão a fluir na minha veia. Quando os anestésicos fizerem efeito, Rodrigo me fará a gentileza de ativar esta outra torneira, a azul, que fará entrar na minha veia o potássio concentrado e, em poucos minutos, tudo estará terminado. Na prática, vocês vão me ver adormecer. Digo que o Rodrigo vai me dar de presente vinte ou trinta segundos de paz porque, se eu quisesse agir sozinho, teria de permanecer tenso mesmo durante a sedação, para ativar a torneira azul antes de cair no sono, e seria uma pena. Eu perderia a parte boa de toda a operação, ou seja, a suavidade com que os anestésicos me farão partir.

Como havia esperado, essas palavras áridas, esses termos técnicos esfriaram a situação, e todos os perigos que Marco queria evitar parecem, efetivamente, mais distantes. O coração desacelerou os batimentos, a emoção passou. Está falando da própria morte, mas parece que está descrevendo uma cirurgia na córnea.

– O potássio produzirá arritmias, que levarão a uma fibrilação ventricular até ocorrer a parada cardíaca. Não está previsto que meu corpo dê um espetáculo desagradável: no máximo, em caso de taquicardia, pode haver pequenos movimentos antes da fibrilação, mas considero improvável.

De repente, salta em sua mente a lembrança de Irene, inesperadamente. Irene estaria orgulhosa dele nesse momento. Irene, que se matou quando era um pouco mais velha do que Miraijin.

Respira, afasta também esse pensamento e retoma:

– Depois que tudo estiver terminado, Miraijin ligará para o 118. Virá uma ambulância de Castagneto Carducci. Constatarão o falecimento. Miraijin explicará qual era minha condição, mostrará meus prontuários médicos, e ninguém vai querer saber de mais nada. Do modo como vejo as coisas, não há nenhuma razão para vocês ainda estarem aqui quando a ambulância chegar, mas, enfim, fiquem tranquilos se decidirem ficar, pois vocês não serão interrogados nem obrigados a dar falso testemunho. Garanto a vocês que ninguém vai querer indagar.

Pronto, o discurso acabou. Marco está muito orgulhoso de si mesmo, de ter se lembrado de tudo, de ter explicado tudo, profissionalmente. Ninguém saiu, além de Marina, e os dois soluços reprimidos de Giacomo foram o único sinal de comoção que salpicou sua exposição. Miraijin desvincula-se do abraço de Oscar e vai até ele. Inclina-se e o abraça.

– Muito bem, vovô.

Marco tem uma iluminação, pois, como já dito, sua memória vai e vem.

– *As invasões bárbaras* – diz no ouvido dela. – Aquele filme antigo, cujo título não lembrávamos. É assim que se chama.

— É verdade — sussurra Miraijin. — *As invasões bárbaras.*

E ela acaricia os cabelos dele. Em seguida, põe-se em pé ao lado da cadeira de rodas, do lado oposto a Rodrigo. Esfíngico, silencioso, o enfermeiro segura o suporte de soro como se fosse uma lança. Está pronto.

Greta avança. Também se inclina, como fez Miraijin, e o abraça com o mesmo calor. Marco respira seu perfume cheio de aromas ásperos, como de frutas cítricas. Depois, olha para seu rosto. Os olhos estão um pouco mais líquidos do que o normal, sorri.

— Adeus, Marco.

— Até breve — responde ele.

Greta se levanta e volta para seu lugar. Cada um tem um lugar próprio, não há o que fazer: é um espetáculo.

É a vez de Carradori. Dá um passo à frente e oferece a mão a Marco, ele que decida o que fazer com ela. Marco opta por um aperto esportivo, como os que se dão no final de uma partida de tênis. Paf, o ruído — e uma pontada.

— Quero bem ao senhor — diz Carradori.

— De agora em diante, vamos nos tratar por "você" — responde Marco. Desatam a rir. Com Carradori, um pouco de cinismo não faz mal, têm a mesma idade.

Oscar. Marco o conheceu apenas poucos meses antes, no auge da quimioterapia, quando ele veio encontrar Miraijin, que se havia mudado para Florença para cuidar do avô. Mesmo sofrendo, Marco havia apreciado a força dele, e até se valera dela, porque era contagiosa. Oscar é uma espécie de versão masculina de Miraijin, um líder, um homem fascinante — uma grande esperança, ele também, para o mundo novo.

— Aguente firme — diz Marco a ele ao abraçá-lo.

— *Claro* — responde Oscar.

Depois, acrescenta uma coisa que, no fim das contas, não era obrigado a dizer.

– *Su vida es mi vida.*

Aperta as mãos de Miraijin, toca de leve os lábios dela com os seus e se afasta.

E agora?

Embora nada mais tenha muita importância, Marco se pergunta quem virá primeiro, Giacomo ou Luisa: qual é a hierarquia? E talvez eles também estejam se perguntando isso, uma vez que, por alguns segundos, permanecem constrangidos em uma hesitação. Então, Giacomo avança. Os dois irmãos se abraçam, e o estômago de ambos volta a se apertar insidiosamente. Os dois soluços de pouco antes assustaram ambos, porque desatar a chorar nesse momento seria um desastre, estragaria tudo. No entanto, permanecem abraçados, e se abraçam com força.

– Desculpe – diz Giacomo.

– Eu que peço desculpa – diz Marco.

Afastam-se. Os dois fungam. Nada mais. Passou. É a vez de Luisa.

Aqui está ela. O coração de Marco volta a bater com força. Os olhos dela, cor de sálvia. Os cabelos dela, castanhos, ainda brilhantes, impregnados de sol. Seu colo macio, seu perfume de mar, o mesmo de sempre. Marco não se preparou para lhe dizer nada. Decidiu que lhe diria a primeira coisa que viesse à sua mente e, de fato, nesse exato momento, ao olhar para ela, uma coisa veio à sua mente.

– Sabe que dia é hoje? – pergunta a ela.

– Não.

– Dois de junho. Sabe que dia é?

Luisa sorri, incerta.

– O dia da República?

– Sim, mas, além disso...

Luisa balança ligeiramente a cabeça, sorrindo.

– É o dia mais distante do meu aniversário – retoma Marco. – Seis meses, exatamente. Como é mesmo aquela história do homem justo, que morre no dia do próprio aniversário? Como é aquela palavra em hebraico?

– *Tzadik*.

– Isso. Não sou um *tzadik*. Sou o contrário do *tzadik*.

Então, essas são as últimas palavras que Marco Carrera diz a Luisa Lattes? Talvez tivesse sido melhor preparar alguma coisa, pensa.

– Você é *tzadik*, sim – diz ela.

– E o misticismo hebraico?

– O misticismo hebraico erra.

A mão dela afaga sua cabeça, sua testa, seu rosto.

– *Mon petit colibri* – sussurra.

A cabeça dela inclinando-se para o lado, os cabelos deslizando, aquele movimento familiar, sensual, como quando, tantos anos antes, preparava-se para...

Um beijo! Na boca! De língua! Segurando o rosto dele com as mãos! Assim, já velhos, na frente de Giacomo, na frente de todos!

Muito bem, Luisa: se é para ser obsceno, que seja até o fim. Marco segura a cabeça dela com a mão, para prendê-la a si, e bendita seja a dor que o atravessa. Ele também desejava beijá-la, é o que sempre desejou, sempre. Começou a desejá-lo justamente neste lugar, no outro século, e não parou de desejá-lo por mais de cinquenta anos. Mas ele jamais se atreveria a fazê-lo neste dia. No entanto, ela o fez.

Pronto, acabou. Luisa se ergue, se recompõe. Dá um passo para trás e volta ao próprio lugar, cabisbaixa, como quem acabou de receber na boca a hóstia consagrada.

Pronto, está na hora. Resta apenas proceder. O perfume da tarde é inebriante, tudo explode de luz e de vida. A brisa do mar agita levemente as sebes, move os cabelos mais finos, espalha uma grandiosa sensação de bem-estar. Na posição em que está, Marco não sente dor. Sentiu muita em sua vida. Uma vida cheia de dor, sem dúvida. Mas toda a dor sentida nunca o impediu de aproveitar momentos como este, em que tudo parece perfeito – e de momentos como este, sua vida também foi plena. No fim das contas, precisa-se de tão pouco: um dia agradável, alguns abraços, um beijo na boca. Poderia haver outras coisas, afinal...

Sexto perigo, maldição: reconsiderar. Talvez também seja o que todos ao seu redor esperam, que reconsidere. Que finja acreditar na cura, que recomece o tratamento, que volte a lutar, a sofrer com as náuseas intermináveis, as disenterias, as aftas na boca, que já não possa se levantar da cama, que se torne uma larva, que tenha escaras, que Miraijin, em vez de salvar o mundo, tenha de correr para alugar um colchão de água, os óleos, os bálsamos, a enfermeira da noite, a respiração gorgolejante, a morfina, via oral, via endovenosa, com frequência cada vez maior, porque o organismo já se tornou dependente, porém, mais do que essa dosagem não se pode administrar, dizem os protocolos, e ele que pede a Miraijin para "levá-lo embora", como Probo, e Miraijin que, em vez de salvar o mundo, vê-se obrigada a...

Marco se vira para Rodrigo, aperta sua mão.

– Obrigado por tudo – diz a ele. Rodrigo afaga seu ombro.

Marco estica o braço – dor –, alcança a torneira vermelha, abre-a. Depois, volta a colocar a mão sobre a coxa.

Dor. Olha para as cinco pessoas à sua frente, levanta os olhos para Miraijin e, com a mão, convida-a a se inclinar. Ela se inclina. Marco olha aquele esplendor de moça pela última vez. Levanta a mão – dor – e a insere no mistério dos cabelos dela. A moça retribui seu olhar com uma expressão corajosa, reminiscente. O anestésico começa a fazer efeito, tudo se distancia. Se tivesse agido sozinho, nesse momento teria de cumprir o esforço colossal de abrir a torneira do potássio. A partir de então, esse é o presente que receberá de Rodrigo. Mas o que Miraijin está fazendo? Com uma delicadeza infinita, ela ergueu a mão direita e a substitui em meio aos próprios cabelos pela esquerda. Nenhuma dor. Tudo cada vez mais distante. Mas o que Miraijin está fazendo? Ah, é isso. Está certo. As duas mãos direitas encaixadas entre o dedo mínimo e o anular, as duas pintas gêmeas que se tocam. Mas claro. O "ponto de força"...

Tudo muito distante. Uma paz flutuante, subaquática. Irene. Adele. Papai. Mamãe. Deixo ao mundo esta criatura. Vocês estão orgulhosos de mim?

Irene.
Adele.
Papai.
Mamãe.
Quantas pessoas estão sepultadas dentro de nós?
Pronto. Marco adormeceu. Sua cabeça pende para o lado, Miraijin a sustenta com a mão, protege-a. Agora, é a vez de Rodrigo, que veio de Málaga para isso. Tem uma história louca, um pai cego, uma mãe cigana que foi cantora, dançarina, artista de rua e – parece – amante de Enrique Iglesias antes que ele namorasse Anna Kournikova, duas irmãs gêmeas que nunca vê, porque viajam pelo mundo

com organizações humanitárias, um namorado campeão de pelota basca, um filho adotivo no Benim: mas esta não é a sua história; aqui, deve apenas abrir a torneira azul.

Oremos por ele e por todas as embarcações no mar.

Esse velho céu (1997)

Luisa LATTES
Poste Restante
59-78 Rue des Archives
75003 Paris
França

Roma, 17 de novembro de 1997.

Caso esse velho céu desabe sobre nós,
Luisa, Luisa, minha Luisa,
sem nos deixar tempo para dizê-lo,
somos duas pessoas que se amam,
é o que me parece.
Vamos escrever assim, com tantos erros,
eu amo a você, e você ama a mim.
Vamos escrever assim,
Luisa, Luisa, minha Luisa,
em toda superfície criada pelo bom Deus.

O colibri

(Roma e muitos outros lugares, 2015-2019)

Dívidas

Em primeiro lugar, o capítulo intitulado "Nos Redemoinhos": não é simplesmente inspirado no conto "Il gorgo" [O redemoinho], de Beppe Fenoglio, é uma verdadeira versão dele. Há uma perfeição nesse conto, provavelmente o mais belo já escrito em língua italiana, perfeição essa que teria desaparecido se eu tivesse me limitado a me apropriar da ideia que o gerou, sem reproduzir também sua estrutura. É justamente a composição que o torna perfeito, é a combinação entre candura e desespero que o torna tão natural. Por isso, decidi que o reescreveria, adaptando-o à história narrada neste romance, tentando, o máximo possível, respeitar essa composição e essa combinação. Para mim, foi uma lição e tanto. Ao final, com o objetivo de tornar evidente minha intenção e minha devoção, decidi não alterar a primeira e as duas últimas linhas – que, fatalmente, não há o que fazer, são as melhores de todo o capítulo.

No capítulo intitulado "O olho do furacão", um trecho da descrição física do Inominável provém, sem variações, de um de meus autores preferidos, Mario Vargas Llosa: "*El hombre era alto y tan flaco que parecía sempre de perfil*" é a primeira linha do romance *A guerra do fim do mundo*, lançado na versão original em 1981 e na versão italiana, com tradução de Angelo Morino, em 1983 (Einaudi).

Ainda no mesmo capítulo, o acidente de esqui, no qual o bastão de madeira ficou cravado na coxa, aconteceu de fato – não em uma competição, mas em um treinamento – no monte Gomito, em Abetone, com um menino de Florença, que era um bom esquiador. Lembro-me de seu sobrenome: Graziuso. Sangue na neve. O garoto gritava de dor. Sempre que penso nessa cena me sinto mal.

Todo o capítulo, enfim, foi previamente publicado no periódico *IL*, de julho de 2017.

No capítulo "Urania", a escrita a lápis no frontispício do romance de ficção científica é algo verdadeiro, referente a mim mesmo, e foi adaptado para a obra. Na realidade, foi meu pai, enquanto eu nascia não me lembro mais em qual hospital, em Florença, que escreveu estas palavras no frontispício do romance da coleção Urania que estava lendo: "Bom dia, senhoras e senhores, estou para apresentar a vocês meu novo amigo... ou não, amiga... a senhorita Giovanna... ou talvez não, o senhor Alessandro... quem sabe?... Pronto, pronto, atenção... aí vem a enfermeira... ainda não dá para ver direito... agora, está abaixando... Senhoras e senhores, Alessandro chegou!". O romance era *Os olhos do céu*, de Philip K. Dick, datado, pelas razões expostas no capítulo, de 12 de abril de 1959, embora eu tenha nascido no dia 1º.

Naturalmente, o filme mencionado no início do capítulo intitulado "Gospodinèèèè" é *Amarcord*, de Federico Fellini, que estreou nas salas de cinema em 13 de dezembro de 1973.

Ainda no mesmo capítulo, a frase citada entre aspas provém do romance *A casa dourada*, de Salman Rushdie, de 2017 (Mondadori).

No início do capítulo "Um fio, um Mago, três fissuras", eu quis prestar uma homenagem à magnífica prosa poética de Sergio Claudio Perroni, intitulada "Sapere la strada" [Saber o caminho] e contida no livro *Entro a volte nel tuo sonno* [Às vezes entro no seu sonho], de 2018 (La nave di Teseo): "Você se move no escuro e não se acha, caminha devagar entre as paredes da casa, mas não toca o que estava esperando; o que você roça é inesperado, chega cedo demais, tarde demais, tem cantos novos, perfis inauditos; então, você tateia em busca do interruptor mais próximo, acende a luz por um instante, para se orientar, somente um instante, para não despertar completamente, e esse instante é suficiente para você se localizar, para reconhecer o trajeto um segundo antes que desapareça, para gravar na sua mente a planimetria da escuridão, e você volta a avançar com a certeza de cada passo, de cada gesto, entre formas nas quais confia, convencido de saber o caminho no invisível, mas o que o faz avançar é apenas a lembrança desse instante, o que o guia é apenas a memória da luz". Uma vez que minha homenagem não era grande coisa, tomei a decisão de cortá-la, mas em 25 de maio de 2019, enquanto eu ainda estava empenhado em escrever este romance, Perroni tirou a própria vida em Taormina, onde morava. Como era meu amigo, decidi recolocar minha medíocre homenagem no romance, só para ter a ocasião de escrever essas linhas de reconhecimento a ele.

O artigo citado no fim do capítulo intitulado "Primeira carta sobre o colibri" foi escrito por Marco D'Eramo, publicado no jornal *Il manifesto* de 4 de janeiro de 2005 e efetivamente dedicado à exposição *The Aztec Empire*, apresentada de 15 de outubro de 2004 a 14 de fevereiro de 2005 no Guggenheim Museum de Nova York.

O *Discurso sobre dukkha*, contido no capítulo intitulado "Weltschmertz & Co.", encontra-se em *Nidāna Saṁyutta (grupo dos discursos correlatos aos fatores causais)*, V, Gahapati Vagga, Burma Pitaka Association, Rangum, Myanmar.

Algumas palavras sobre a canção "Gloomy Sunday", citada no capítulo homônimo. Composta nos anos 1930, na Hungria, com o título de "Szomorú vasárnap" – texto de László Jávor e música do pianista autodidata Rezsö Seress –, essa canção foi gravada pela primeira vez em 1935 pelo cantor Pál Kalmár e obteve imediato sucesso mundial. Em razão desse sucesso, logo se tornou um clássico do jazz, sobretudo graças à versão americana de 1936, assinada pelo letrista Sam Lewis. Eis o texto em inglês:

> *Sunday is gloomy*
> *My hours are slumberless*
> *Dearest the shadows*
> *I live with are numberless*
> *Little white flowers*
> *Will never awaken you*
> *Not where the black coach*
> *Of sorrow has taken you*
> *Angels have no thoughts*
> *Of ever returning you*

Would they be angry
If I thought of joining you
Gloomy Sunday
Gloomy is Sunday
With shadows I spend it all
My heart and I
Have decided to end it all
Soon there'll be candles
And prayers that are said, I know
Let them not weep
Let them know that I'm glad to go
Death is no dream
For in death I'm caressin' you
With the last breath of my soul
I'll be blessin' you
Gloomy Sunday.[15]

Contemporaneamente a seu sucesso, porém, espalhou-se no mundo a lenda segundo a qual essa canção, em razão de sua inconsolável tristeza, seria responsável pelo suicídio de inúmeras pessoas, que tiveram nomes e circunstâncias de morte divulgados. Essa sinistra fama fez com que ela se tornasse, em todo o mundo, "a canção húngara dos suicidas",

---

[15] O domingo é sombrio / Minhas horas são insones / Queridas são as sombras / com as quais eu vivo, são inúmeras / Pequenas flores brancas / Nunca te acordarão / Não aonde o vagão preto / Da dor te levou / Anjos não pensam / em te devolver jamais / Ficariam eles zangados / Se eu pensasse em me unir a ti? / Domingo sombrio / O domingo é sombrio / Eu o passei inteiramente com as sombras / Meu coração e eu / Decidimos acabar com tudo / Logo haverá velas / E orações que serão recitadas, eu sei / Não deixes que chorem / Diz a eles que estou feliz por partir / A morte não é um sonho / Pois na morte te afago / Com o último suspiro da minha alma / Eu te abençoarei / Domingo sombrio. (N. T.)

gerando censuras e proibições de difusão. Em 1941, com a intenção de combater essa fama, a versão feita por Billie Holiday foi acrescida de uma estrofe não presente no texto original e que tentava explicar as anteriores como sendo fruto de um sonho.

> *Dreaming, I was only dreaming*
> *I wake and I find you asleep*
> *In the deep of my heart here*
> *Darling I hope*
> *That my dream never haunted you*
> *My heart is tellin' you*
> *How much I wanted you*
> *Gloomy Sunday.*[16]

Não obstante, a BBC proibiu a difusão radiofônica da canção porque a considerou demasiado triste em um momento que, por si só, já era muito difícil para a Inglaterra, que se encontrava sob os bombardeios alemães. A proibição se manteve até 2002. Inúmeras versões se sucederam ao longo das décadas, assinadas por grandes cantores e músicos, com ou sem a terceira estrofe de acréscimo. Entre elas, além daquela punk de Lydia Lunch, de 1981, citada no capítulo, gosto de mencionar a de Elvis Costello, de 1994, a de Ricky Nelson, de 1959, a de Marianne Faithfull, de 1987, a de Sinéad O'Connor, de 1992, e a de Björk, de 2010. Mas realmente há dezenas de reinterpretações.

---

[16] Sonhando, eu estava apenas sonhando / Acordo e te encontro adormecida / Aqui, no fundo do meu coração / Querida, espero / Que meu sonho não tenha te assombrado / Meu coração está te dizendo / O quanto te desejei / Domingo sombrio. (N. T.)

Também existe, por certo, a versão italiana, "Triste domenica", com texto de Nino Rastelli, cantada ao longo dos anos por Norma Bruni, Carlastella, Myriam Ferretti, Giovanni Vallarino e, sobretudo, em 1952, por Nilla Pizzi. Nela não há nenhuma tentativa de edulcorar a tristeza nem de tornar menos clara a alusão ao suicídio por sofrimento de amor.

Por fim, há um filme horrível, anglo-espanhol, de 2006, com Timothy Hutton e Lucía Jiménez, intitulado *O segredo de Kovak*, no qual são colocados microchips nas pessoas para induzi-las a cometer suicídio quando elas ouvirem "Gloomy Sunday" pelo telefone. Em 1968, Rezsö Seress se suicidou, atirando-se pela janela de sua casa em Budapeste.

No capítulo intitulado "Shakul & Co.", a dissertação sobre os vocábulos que designam os pais que perderam um filho provém, em parte, da obra *Mi sa che fuori è primavera*, de Concita De Gregorio (Einaudi, 2015).

Ainda nesse capítulo, os dois versos citados provêm de "Amico fragile", de Fabrizio De André.

O livro de David Leavitt mencionado no capítulo "Via-crúcis" é sua obra de estreia, *Ballo di famiglia* ([*Family Dancing*], Mondadori, 1984). É muito bonito: vale a pena lê-lo ou relê-lo.

A canção de Joni Mitchell mencionada no capítulo intitulado "Andar de boca em boca" é "The Wolf That Lives in Lindsey", contida no álbum *Mingus*, de 1979. De fato, no final dela se ouve o uivo dos lobos, e é comovente.

O capítulo "Os olhares são corpo" é a reelaboração de um texto que escrevi para o caderno "La Lettura", do jornal *Corriere della Sera*, em 2017.

A frase "Os lobos não matam os cervos sem sorte. Matam os cervos fracos" é pronunciada em um filme, intitulado *Terra selvagem*, um belo suspense ambientado em uma reserva indígena no Wyoming, cuja história, repleta de sangue e de dor, lembra certos romances de Louise Erdrich. O problema é que o filme é de 2017, e o capítulo no qual cito a frase é ambientado em 2016, ou seja, configura um anacronismo. Como eu não podia adiar o capítulo em um ano, preferi inseri-la assim mesmo a deixá-la de lado. O importante, nesse caso, é que não acreditem que é de minha autoria: foi escrita por Taylor Sheridan, que, além de ter dirigido o filme, escreveu-o.

Em seguida, ainda a respeito desse capítulo, é necessário remeter a Pirandello a evolução do episódio referente a Duccio Chilleri, chamado de "o Inominável". De fato, encontra-se em sua breve novela de 1911, intitulada *La patente*, o personagem pé-frio, chamado Rosario Chiàrchiaro, que, em vez de combater a fama que o acompanha, decide aceitá-la para inventar a profissão remunerada de pé-frio. Posteriormente, essa novela foi adaptada para o cinema por Luigi Zampa, no filme em quatro episódios *Uma comédia em cada vida*, de 1954, inspirado nas novelas de Pirandello e no qual o personagem de Chiàrchiaro é interpretado por Totò.

O livro mencionado no capítulo "Terceira carta sobre o colibri" intitula-se *Lui, io, noi* (Einaudi; Stile Libero, 2018). É uma longa narrativa em três vozes, centrada na lembrança e na ausência de Fabrizio De André e assinada por Dori Ghezzi, junto a Giordano Meacci e Francesca Serafini (os dois "linguistas" citados no capítulo). É um livro que não pode faltar na biblioteca de quem ama

De André, mas também de quem ama a língua italiana – e a criação desse novo vocábulo, "emenalgia", é prova disso.

No capítulo intitulado "O homem novo", é mencionada e brevemente descrita uma égua de nome Dolly, que pertenceu a meu irmão, Giovanni.

Ainda nesse capítulo, a ideia do conflito entre verdade e liberdade provém da leitura de um maravilhoso ensaio de Rocco Ronchi, intitulado "Metafisica del populismo", publicado na revista *Doppiozero*, de 12 de novembro de 2018. Realmente é uma leitura esclarecedora, que todos deveriam fazer. E, enquanto eu visitava a *home page* da *Doppiozero* para encontrá-lo, percorrendo a lista de todos os outros ensaios disponíveis, o título de um deles, "Ricorda il tuo futuro", sugeriu-me, antes ainda de lê-lo, o nome para o programa com o qual Miraijin colabora. Depois, também li o ensaio escrito por Mauro Zanchi, que relata a visita à seção "Archivi del futuro" na mostra *Fotografia Europea 2017 – Mappe del tempo: memoria, archivi, futuro* (com curadoria de Diane Dufour, Elio Grazioli e Walter Guadagnini), organizada em vários locais de Reggio Emilia, entre maio e julho de 2017. Essa leitura também me foi útil.

A máxima "*Ubi nihil vales, ibi nihil velis*", citada no penúltimo capítulo, é do filósofo ocasionalista holandês Arnold Geulincx (1624-1669), presente em sua monumental obra póstuma, intitulada *Ética*, cuja leitura parece ter salvado a vida do jovem Samuel Beckett, atormentado por pulsões suicidas. Beckett relata ter deparado com essa máxima ao escrever uma carta, em 16 de janeiro de 1936, a seu eterno amigo Thomas MacGreevy (uma obra que merece absolutamente ser lida: Samuel Beckett, *Lettere, 1929-1940*,

[*The Letters of Samuel Beckett – Volume I: 1929-1940*], de vários organizadores e tradutores, publicada pela editora Adelphi, em 2018). A máxima aparece posteriormente em seu romance *Murphy*, escrito em inglês e publicado em 1938, durante a terapia com o célebre psicanalista inglês Wilfred Bion, enquanto Geulincx aparecerá mais tarde, diretamente mencionado em *Molloy*. Vem daí a eliminação da vontade como método radical para resolver todos os conflitos gerados pela vontade, praticado por todos os personagens de Beckett. E não é casual a afinidade desse preceito com o *Discurso sobre dukkha*, citado no capítulo "Weltschmertz & Co.".

Por fim, a lista das pessoas às quais eu gostaria de agradecer, de coração, e cada uma delas sabe por quê: minha esposa, Manuela; meu irmão, Giovanni; meus filhos, Umberto, Lucio, Gianni, Nina e Zeno; além de Valeria Solarino, Elisabetta Sgarbi, Eugenio Lio, Beppe Del Greco, Piero Brachi, Franco Purini, Marco D'Eramo, Edoardo Nesi, Mario Desiati, Pigi Battista, Daniela Viglione, Marinella Viglione, Fulvio Pierangelini, Paolo Virzì, Karen Hassan, Marco Delogu, Teresa Ciabatti, Stefano Bollani, Isabella Grande, Domenico Procacci, Antonio Troiano, Christian Rocca, Nicolas Saada, Leopoldo Fabiani, Giorgio Dell'Arti, Paolo Carbonati, Stefano Calamandrei, Filippo de Braud, Vincenzo Valentini, Michele Marzocco, Francesco Ricci, Enrico Grassi, Ginevra Bandini, Giulia Santaroni, Pierluigi Amata, Manuela Giannotti, Mario Franchini, Massimo Zampini.

Este livro foi composto com tipografia Adobe Garamond Pro e impresso em papel Off-White 70 g/m² na Formato Artes Gráficas.